交际汉语 40 课

编　著
北京外交人员语言文化中心

金　乃逯
宋　燕坤
郝　　劼

SINOLINGUA

BEIJING

First Edition　　1 9 9 3

Second Printing　　1 9 9 6

ISBN 7—80052—248—2

Copyright 1993 by Sinolingua

Published by Sinolingua

24 Baiwanzhuang Road, Beijing 100037, China

Printed by Beijing Foreign Languages Printing House

Distributed by China International

Book Trading Corporation

35 Chegongzhuang Xilu, P.O. Box 399

Beijing 100044, China

Printed in the People's Republic of China

前　言

　　这本书是为初学汉语的成年人编写的,特别适合于在中国或将到中国的外交、外贸人员、新闻记者及留学人员学习汉语使用。也可以作为自学汉语的初级教材。本书着重实用,目的在于培养初学者用汉语进行交际的能力。

　　本书是根据《初级汉语教材》重写的。《初级汉语教材》上、下册由北京外交人员服务局汉语教研组于 1978 年编印,并且在 1984 年对下册进行了修订。在十几年的使用过程中,受到对外汉语教师及外国学员的欢迎,学习者竞相索要。但是由于编印至今时间较久,有些内容已不适应当前需要。这次重写,力求保持原教材简明、实用的特点,并在选题、注解和练习各方面作了较大的变更,对书中出现的语法现象及词语用法的难点,作了简要的注解。同时在二十课和四十课后分别附有两个语法小结。而且每十课后有一个阶段练习,以便自测。为方便不学汉字的学习者,课文及练习都配有汉语拼音。练习的形式多样而有趣,书后还附有各课练习的参考答案。

　　本书共 40 课,有词语 1500 条左右。教学和自学者可以用 100 课时学完。学完后,具备用汉语进行一般交际的能力。

　　参加 1978 年《初级汉语教材》编写的人员有:王晔、殷华玶、吴风涛、祖振扣、李克谦、孙增森。

　　参加 1984 年本书下册修订的人员有:李长武、殷华玶、祖振扣、王宇驹、李瑜。

　　这次重写承殷华玶、李克谦两位副教授审阅全部书稿,并提出修改意见;英文部分由吕新莉老师和李瑜老师修改审定;Jennifer Clibbon 审阅了部分书稿,并提出意见;华语教学出版社龙燕俐同志在内容、体例等方面提出了很多宝贵意见，在此一并致谢。

金乃逯
宋燕坤
郝　劼

1992 年

Preface

This book is intended for adults, such as diplomats, businessmen, and journalists, who want to learn Chinese because they plan to work or live in China. It is designed to train beginners to communicate effectively in Chinese and can be used as a textbook by both those who study with teachers and those who study on their own.

The book is an adaptation of *Elementary Chinese Reader* (in two volumes), which was compiled by the Chinese Teaching Staff of the Beijing Service Bureau for Diplomatic Missions and was published in 1978. (Volume II was revised in 1984.) During the past decade, that text has been well received by teachers and foreign students. But some of the contents of the original book have inevitably gone out of date as the years have passed. This revision aims to maintain the concise and practical nature of the original *Reader* while offering a greater variety of topics, notes and exercises. Brief explanations of each text's grammar and difficult usages are provided, and a Brief Summary of Chinese Grammar is appended after Lesson 20 and Lesson 40. After every ten lessons, there is a test for self — examination. *Hanyu Pinyin* (an alphabetic transliteration) is used in the texts and exercises for those who do not want to learn Chinese characters. Keys to all the exercises are included in the appendix.

The book has 40 lessons and a vocabulary of over 1,500 words and expressions and can be finished within 100 one — hour classroom sessions. Students, both tutored and self-taught, can obtain the basic fluency necessary for social conversation in Chinese by studying this book.

The 1978 book was compiled by Ms. Wang Ye, Mr. Yin Huafu, Mr. Wu Fengtao, Mr. Zu Zhenkou, Mr. Li Keqian and Mr. Sun Zengsen.

In 1984, Volume II was revised by Mr. Li Changwu, Mr. Yin Huafu, Mr. Zu Zhenkou, Mr. Wang Yuju and Mr. Li Yu.

We would like to express our thanks to Prof. Yin Huafu and Prof. Li Keqian for reviewing the manuscript and making suggestions, to Ms. Lü Xinli and Mr. Li Yu for editing the English parts of the book and to Ms. Jennifer Clibbon for reviewing parts of the manuscript. And also to Ms. Long Yanli and other members of Sinolingua for their valuable suggestions concerning the style and contents of the book.

We welcome all comments and suggestions from both students and teachers who use the text and from professional colleagues.

Writers

Jin Nailu

Song Yankun

Hao Jie

1992

汉 语 拼 音

Hànyǔ Pīnyīn

Phonetic Symbols of the Chinese Language

声 母 表

Shēngmǔ biǎo

Table of Initials

b	[p]	p	[p‘]	m	[m]	f	[f]
d	[t]	t	[t‘]	n	[n]	l	[l]
g	[k]	k	[k‘]	h	[x]		
j	[tɕ]	q	[tɕ‘]	x	[ɕ]		
zh	[tʂ]	ch	[tʂ‘]	sh	[ʂ]	r	[ʐ]
z	[ts]	c	[ts‘]	s	[s]		

韵 母 表

Yùnmǔ biǎo

Table of Finals

		i	[i]	u	[u]	ü	[y]
a	[a]	ia	[iA]	ua	[uA]		
o	[o]			uo	[uo]		
e	[ɤ]						
ê	[ɛ]	ie	[iɛ]			üe	[yɛ]
-i [ʅ] i [ɿ]							

1

er	[ɤ]						
ai	[ai]			uai	[uai]		
ei	[ei]			uei	[uei]		
ao	[au]	iao	[iau]				
ou	[ou]	iou	[iou]				
an	[an]	ian	[ian]	uan	[uan]	üan	[yan]
en	[ən]	in	[in]	uen	[uən]	ün	[yn]
ang	[aŋ]	iang	[iaŋ]	uang	[uaŋ]		
eng	[əŋ]	ing	[iŋ]	ueng	[uəŋ]		
ong	[uŋ]	iong	[yŋ]				

1.　下列音节的韵母读〔ʅ〕和〔ɿ〕，不读〔i〕。

The final "i" in the following syllables is pronounced respectively as 〔ʅ〕 and 〔ɿ〕 instead of 〔i〕.

zhi	chi	shi	ri	〔ʅ〕
zi	ci	si		〔ɿ〕

2.　"ü"及以"ü"开头的韵母和 j、q、x 相拼，在书写时省去上面两点，但与其它声母相拼时，两点不能省略。请注意下列各音节的读法。

When "ü" or a final beginning with "ü" is combined with "j", "q" or "x", the two dots on top can be omitted; but they can not be omitted when "ü" or a final beginning with "ü" is combined with any other initial. Pay attention to the pronunciation of the following syllables.

ju	qu	xu
juan	quan	xuan
jue	que	xue

2

jun	qun	xun
nu	nü	lu	lü

3. "iou、uei、uen"前加声母时,写成 iu,ui,un.

If ″iou″, ″uei″, or ″uen″ is preceded by an initial, it should be written as ″-iu″, ″-ui″ or ″-un″.

4. "i"自成音节或在一个音节开头时,拼写规则如下:

When ″i″ stands for a separate syllable or is at the beginning of a syllable, it is written in the following way:

$$i \rightarrow yi$$

1) y + in → yin

ing → ying

2) "i"改为"y"

″i″ changed into ″y″

ia	→	ya
ie	→	ye
ian	→	yan
iao	→	yao
iang	→	yang
iou	→	you
iong	→	yong

5. "u"自成音节时,在"u"前加"w"。

When ″u″ stands for a separate syllable, it is preceded by ″w″.

$$u \rightarrow wu$$

"u"在一个音节开头时,"u"改为"w"。

3

When "u" is at the beginning of a syllable, "u" is changed into "w".

ua	→	wa	uai	→	wai
uan	→	wan	uang	→	wang
uei	→	wei	uen	→	wen
ueng	→	weng	uo	→	wo

6. "ü"自成音节或在一个音节开头时,拼写规则如下:

When "ü" stands for a separate syllable or is at the beginning of a syllable, it is written in the following way:

yu　　yue　　yuan　　yun

7.　下列各组音节中声母发音的区别在于送气和不送气。每组第一个不送气,第二个送气。

The difference in pronouncing the initials in each of the following pairs is that one initial in each pair is aspirated and the other is not.

$$\begin{cases} ba \\ pa \end{cases} \begin{cases} da \\ ta \end{cases} \begin{cases} ge \\ ke \end{cases} \begin{cases} ji \\ qi \end{cases} \begin{cases} zi \\ ci \end{cases} \begin{cases} zhi \\ chi \end{cases}$$

现代　汉语　中　的四个　声调
Xiàndài Hànyǔ zhōng de sì gè shēngdiào
About the Four Tones in Standard Chinese Pronunciation

1. 汉语里的音节是由声母和韵母或只由韵母组成的。每个音节都有声调。普通话语音有四个基本声调,即第一声、第二声、第三声和第四声,分别用符号"-、/、ˇ、\"表示。

A Chinese syllable usually consists of a "sheng" (a beginning consonant) and a "yun" (the rest of the syllable) or is formed with a "yun" only. Every syllable has a tone. There are four basic tones in Beijing pronunciation, i. e. the first tone, the second tone, the third tone and the fourth tone. They are represented respectively by the tone marks "‾", "∕", "ˇ" and "\".

调号要标在韵母中的主要元音上。例如：中国，汉语

The tone marks "‾", "∕", "ˇ" and "\" should be placed above the main vowel in the "yunmu" (final). For example：

Zhōngguó　　　Hànyǔ

2. 声调不同，意义也不同

A difference in tone indicates a difference in meaning. For example：

①	鸡	(jī)	chicken
	急	(jí)	impatient; fast
	几	(jǐ)	how many
	寄	(jì)	to post
②	些	(xiē)	some
	鞋	(xié)	shoe
	写	(xiě)	to write
	谢	(xiè)	to thank
③	灰	(huī)	grey
	回	(huí)	to return, to go back
	毁	(huǐ)	to destroy
	会	(huì)	can
④	温	(wēn)	warm
	闻	(wén)	to smell
	吻	(wěn)	to kiss

	问	(wèn)	to ask
⑤	汤	(tāng)	soup
	糖	(táng)	sugar
	躺	(tǎng)	to lie down
	烫	(tàng)	to iron (clothes)

汉字 基本 笔划
Hànzì jīběn bǐhuà

The Basic Strokes of Chinese Characters

笔划 bǐhuà Strokes							
名称 míng- chēng	点 diǎn	横 héng	竖 shù	撇 piě	捺 nà	提 tí	竖钩 shùgōu
Name	Dot	Hori- zontal stroke	Vertical stroke	Left- ward stroke	Right- ward stroke	Upward stroke	Vertical stroke with a hook

目　　录
CONTENTS

4

5

注解 Notes：

（1）"就"的用法（The usage of "jiù"）

（2）询问年龄（Asking a person's age）

注解 Notes：

（1）副词"又"和"再"（The adverbs "yòu" and "zài"）

第一课　　Lesson　1
Dì-yī kè

你　好!　　Hello!
Nǐ hǎo!

课　文　　Text
Kèwén

(一)

布朗　　先生：　你　好(1) (2)!
Bùlǎng xiānsheng：Nǐ hǎo!

李　　先生：　你　好!
Lǐ xiānsheng：Nǐ hǎo!

(二)

王　　小姐：　你　好，　布朗　　先生!
Wáng xiǎojiě：Nǐ hǎo, Bùlǎng xiānsheng!

布朗　　先生：　你　好，　王　　小姐!
Bùlǎng xiānsheng：Nǐ hǎo, Wáng xiǎojiě!

(三)

李　先生：　你　好　吗(3)，布朗　夫人?
Lǐ xiānsheng：Nǐ hǎo ma, Bùlǎng fūren?

布朗　夫人：　很　好，谢谢！你　呢⁽⁴⁾？
Bùlǎng fūren： Hěn hǎo, xièxie! Nǐ ne?

　　　李：　我　也　很　好。布朗　先生　好　吗？
　　　Lǐ： Wǒ yě hěn hǎo. Bùlǎng xiānsheng hǎo ma?

　夫人：　他　也　很　好。
　Fūren： Tā yě hěn hǎo.

词　语　　New Words and Phrases
Cíyǔ

1. 你好		Nǐ hǎo	Hello! How do you do!
你	(pron.)	nǐ	you
好	(adj.)	hǎo	good，fine
2. 布朗	(n.)	Bùlǎng	Brown
3. 先生	(n.)	xiānsheng	Mr.，Sir，Gentleman
4. 李	(n.)	Lǐ	(a Chinese Surname)
5. 王	(n.)	Wáng	(a Chinese Surname)
6. 小姐	(n.)	xiǎojie	Miss
7. 吗		ma	(an interrogative particle)
8. 夫人	(n.)	fūren	Mrs.，wife
9. 很	(adj.)	hěn	very
10. 谢谢	(v.)	xièxie	to thank
11. 呢		ne	(a modal particle)
12. 也	(adv.)	yě	also，too
13. 他	(pron.)	tā	he, him

补充词语　Supplementary Words
Bǔchōng cíyǔ　and Phrases

1. 一　（num.）　yī　one
2. 二　（num.）　èr　two
3. 三　（num.）　sān　three
4. 四　（num.）　sì　four
5. 五　（num.）　wǔ　five

注　解　Notes
Zhùjiě

（1）"布朗先生（Bùlǎng xiānsheng）"

A. 在汉语中,姓要放在称谓的前面.

In Chinese, a family name precedes a title or form of address.

For example：
　李　先生　　　王　小姐
　Lǐ xiānsheng　　Wáng xiǎojie

B. 普通话语音里一些音节读轻声,读得又轻又短,不标调号.

Some syllables are pronounced in the neutral tone, which is light and short and has no tone mark.

For example：
　先生　　　小姐　　　谢谢　　　夫人
　xiānsheng　xiǎojie　xièxie　fūren

（2）"你好（Nǐ hǎo）!"

A. "你好!"是汉语里常用的问候语,人们在一天中任何时候相遇都可以用.

"你好(Nǐ hǎo)!" is a common greeting in Chinese. It can be used at any time of the day when people meet. The answer to it is also "你好(Nǐ hǎo)!"

B. 两个三声连在一起时,前一个要读成第二声,但调号不变。

When two third tone syllables follow each other, the first syllable is pronounced in the second tone, but the tone mark remains unchanged. For example:

Nǐ hǎo → Ní hǎo

(3) "你好吗(Nǐ hǎo ma)?"也是问候语,回答一般是:"我很好(Wǒ hěn hǎo)。"

A. "你好吗(Nǐ hǎo ma)?" is also a common greeting, and the usual answer is "我很好(Wǒ hěn hǎo)."

B. 在陈述句句尾加上表示疑问的语气助词"吗(ma)"可以构成一般疑问句。

A general question is formed by adding the interrogative particle "吗 (ma)" to the end of a declarative sentence.

(4) "你呢(Nǐ ne)?"

"呢(ne)"可放在名词或代词后构成疑问句,意思主要由上下文来确定。

A question can be formed by putting "呢 (ne)" after a noun or a pronoun. The meaning of this type of question is determined by the context.

练 习　　Exercises
Liànxí

一、声调(The tones):

· 4 ·

nī	ní	nǐ	nì
wō	(wó)*	wǒ	wò
hāo	háo	hǎo	hào
xiē	xié	xiě	xiè
xiān	xián	xiǎn	xiàn
wāng	wáng	wǎng	wàng
yī	yí	yǐ	yì
sān	(sán)	sǎn	sàn
wū	wú	wǔ	wù

*注：本书语音练习中带（＊）者，普通话语音中不存在。

（Note：The sounds enclosed in brackets in the phonetic exercises do not exist in standard Chinese pronunciation）

二、读下列音节（Read the following syllables）：

（1）xiě zì   zhīdào   jùjué   lǎoshī

　　　sān cì   chídào   qùnián   lǎoshi

（2）Yī, èr, sān zuì jiǎndān,

　　shuō sì xiě wǔ yě fāngbian,

　　Nǐ bú xìn,

　　shìshi kàn.

三、做下列替换练习（Do the following substitution drills）：

（1）你　好，
　　　Nǐ hǎo,

王　　先生 ！
Wáng xiānsheng
李　小姐
Lǐ xiǎojie
布朗　　先生
Bùlǎng xiānsheng

(2)

| 你
Nǐ | 布朗　夫人
Bùlǎng fūren
李　　先生
Lǐ xiānsheng | 好　吗？
hǎo ma? |

四、读下列词、词组和句子 (Read the following words, phrases and sentences)：

(1) 你
　　Nǐ

　　你　好！
　　Nǐ hǎo!

　　你　好　吗？
　　Nǐ hǎo ma?

(2) 小姐
　　Xiǎojie

　　王　小姐
　　Wáng xiǎojie

　　王　　小姐，你　好！
　　Wáng xiǎojie, nǐ hǎo!

五、学汉字 (Learn to write Chinese characters)：

你

好

小

王

第二课　　　 Lesson 2
Dì-èr kè

你　忙　吗？　　　Are You Busy?
Nǐ mángma?

课 文　　　Text
Kèwén

（一）

李　小姐：　　格林　小姐，你　忙　吗？
Lǐ xiǎojie：　　Gélín xiǎojie, nǐ máng ma?
格林　小姐：　　不　忙。你　呢？
Gélín xiǎojie：　Bù máng. Nǐ ne?
李：　　我　也　不　忙。
Lǐ：　　Wǒ yě bù máng.

（二）

王　　先生：　　你　好，格林　先生！
Wáng xiānsheng：　Nǐ hǎo, Gélín xiānsheng!
格林　先生：　　你　好！
Gélín xiānsheng：　Nǐ hǎo!
王：　　很　长　时间　没　见　你　了。
Wáng：　Hěn cháng shíjiān méi jiàn nǐ le.
格林：　我　最近　很　忙。
Gélín：　Wǒ zuìjìn hěn máng.

*méi indicates
past tense
le is wrong*

·7·

(三)

布朗 先生： 王 先生， 今天 你 忙 不 忙[2]?
Bùlǎng xiānsheng: Wáng xiānsheng, jīntiān nǐ máng bù máng?

王 先生： 很 忙。 你 呢？
Wáng xiānsheng: Hěn máng. Nǐ ne?

布朗： 我 不 忙。 今天 我 休息。
Bùlǎng: Wǒ bù máng. Jīntiān wǒ xiūxi.

词 语   New Words and Phrases
Cíyǔ

1. 忙	(adj.)	máng	busy
2. 格林	(n.)	Gélín	Green
3. 不	(adv.)	bù	not, no
4. 长	(adj.)	cháng	long
5. 时间	(n.)	shíjiān	time
6. 没(有)	(adv.)	méi(yǒu)	not
7. 见	(v.)	jiàn	to meet, to see
8. 了		le	(a modal particle)
9. 最近	(adv.)	zuìjìn	recently, these days
10. 今天	(n.)	jīntiān	today
11. 休息	(v.)	xiūxi	to rest, to have a day off

补充词语   Supplementary Words
Bǔchōng cíyǔ   and Phrases

1. 六	(num.)	liù	six
2. 七	(num.)	qī	seven

3. 八	(num.)	bā	eight
4. 九	(num.)	jiǔ	nine
5. 十	(num.)	shí	ten
6. 零	(num.)	líng	zero

注　解　Notes
Zhùjiě

(1)　"很长时间没（有）见你了（Hěn cháng shíjiān méi（yǒu）jiàn nǐ le）。"

　　A. 副词"没（有）"在动词前边可省略为"没"，但在句尾或独立回答问题时不能省略。

　　The adverb ″没（有）（méiyǒu）″ may be shortened to ″没（méi）″ if it goes before the verb. ″没有（méiyǒu）″ must be given in full when it is used at the end of a sentence or in a short answer.

　　B. 语气助词"了（le）"用在句尾，表示事情已经发生或完成的语气。

　　When the modal particle ″了（le）″ is used at the end of a sentence, it indicates that something has happened or has been completed.

(2)　"今天你忙不忙（Jīntiān nǐ máng bù máng）?"

　　这是正反疑问句。正反疑问句是又一种提问方法，将谓语中主要成分（动词或形容词）的肯定形式和否定形式并列起来，就可以构成正反疑问句。

　　This is an affirmative-negative question. It is made by juxtaposing the affirmative and negative forms of a predicative verb or adjective.

For example：

好　不　好?　　　　休息　不　休息?
Hǎo bù hǎo?　　　Xiūxi bù xiūxi?

练　习　　Exercises
Liànxí

一、声调（The tones）：

mā	má	mǎ	mà
jīn	(jín)	jǐn	jìn
jiān	(jián)	jiǎn	jiàn
xī	xí	xǐ	xì
shī	shí	shǐ	shì
chāng	cháng	chǎng	chàng
qī	qí	qǐ	qì
bā	bá	bǎ	bà

二、读下列音节（Read the following syllables）：

(1) 　{ fūren 　　{ xiānsheng 　{ huì shuō 　{ nàge
　　　{ fù rén 　　{ xiān shàng 　{ huī shǒu 　{ nǎ guó

(2) 　{ wǔhuā-bāmén 　　　{ luànqī-bāzāo
　　　{ liùshídàshòu 　　　{ jiǔjiǔ-bāshiyī

三、读下列词、词组和句子（Read the following words, phrases and sentences）：

1.　先生　　　　　　2.　夫人
　　xiānsheng　　　　　fūren

　　格林　先生　　　　布朗　夫人
　　Gélín xiānsheng　　Bùlǎng fūren

　　格林　先生　好　吗?　　布朗　夫人，你　好　吗?
　　Gélín xiānsheng hǎo ma?　Bùlǎng fūren, nǐ hǎo ma?

3. 忙
m
máng

很　忙
hěn máng

你　忙　吗?
Nǐ máng ma?

你　忙　不　忙?
Nǐ máng bu máng?

4. 没
méi

没　休息
méi xiūxi

很　长　时间　没　休息　了。
Hěn cháng shíjiān méi xiūxi le.

我　很　长　时间　没　休息　了。
Wǒ hěn cháng shíjiān méi xiūxi le.

四、学汉字 (Learn to write Chinese characters)：

不
忙
很

第三课　　　Lesson　3
Dì-sān kè

他 是 哪 国 人？　　What Is Her Nationality?
Tā shì nǎ guó rén?

课 文　　Text
Kèwén

(一)

珍妮：　玛丽，那 位 小姐 是 谁？
Zhēnní：　Mǎlì, nà wèi xiǎojie shì shuí?

玛丽：　她 是 我 的 老师[1]。
Mǎlì：　Tā shì wǒ de lǎoshī.

珍妮：　她 是 哪 国 人？
Zhēnní：　Tā shì nǎ guó rén?

玛丽：　她 是 中国 人。
Mǎlì：　Tā shì Zhōngguó rén.

(二)

李 先生：　那 是 布朗 先生 吗？
Lǐ xiānsheng：　Nà shì Bùlǎng xiānsheng ma?

王 先生：　不 是。他 是 我 的 朋友 格林
Wáng xiānsheng：　Bú shì. Tā shì wǒ de péngyou Gélín

先生。
xiānsheng.

李： 他 是 美国 人 吗？
Lǐ： Tā shì Měiguó rén ma?

王： 不，他 是 加拿大 人。
Wáng： Bù, tā shì Jiā'nádà rén.

李： 他 会 说 汉语 吗？
Lǐ： Tā huì shuō Hànyǔ ma?

王： 会 说 一点儿。
Wáng： Huì shuō yìdiǎnr.

词 语　　　New Words and Phrases
Cíyǔ

1. 她	(pron.)	tā	she, her
2. 是	(v.)	shì	to be
3. 哪	(pron.)	nǎ	which
4. 国(家)	(n.)	guó(jiā)	country
5. 人	(n.)	rén	person
6. 珍妮	(n.)	Zhēnní	Jenny
7. 那	(pron.)	nà	that
8. 位	(m.)	wèi	(a measure word)
9. 谁	(pron.)	shéi(shuí)	who, whom
10. 玛丽	(n.)	Mǎlì	Mary
11. 的		de	(a structural particle)
12. 老师	(n.)	lǎoshī	teacher
13. 中国	(n.)	Zhōngguó	China
14. 朋友	(n.)	péngyou	friend
15. 美国	(n.)	Měiguó	U.S.A.
16. 加拿大	(n.)	Jiā'nádà	Canada
17. 会	(aux. v.)	huì	to be able to, can

18.	说	(v.)	shuō	to speak, to say
19.	汉语	(n.)	Hànyǔ	Chinese (language)
20.	一点儿		yìdiǎnr	a little, a bit

补充词语　Supplementary Words
Bǔchōng cíyǔ　and Phrases

1.	英国	(n.)	Yīngguó	Britain
2.	法国	(n.)	Fǎguó	France
3.	德国	(n.)	Déguó	Germany
4.	日本	(n.)	Rìběn	Japan
5.	澳大利亚	(n.)	Àodàlìyà	Australia

注　解　　Notes
Zhùjiě

(1)　"她是我的老师 (Tā shì wǒ de lǎoshī)。"

名词、代词作定语，表示领属关系时，后边通常加"的 (de)"。

When a noun or a pronoun is used to show possession, it is usually followed by "的 (de)".

练　习　　Exercises
Liànxí

一、声调 (The tones)：

yū	yú	yǔ	yù
(rēn)	rén	rěn	rèn
(māi)	mái	mǎi	mài

yōu	yóu	yǒu	yòu
nā	ná	nǎ	nà
zhōng	(zhóng)	zhǒng	zhòng

二、读下列音节 (Read the following syllables)：

1.
$\begin{cases} jī \\ jǐ \end{cases}$
$\begin{cases} mǎi \\ mài \end{cases}$
$\begin{cases} xiē \\ xiè \end{cases}$
$\begin{cases} dǎ \\ dà \end{cases}$

2.
$\begin{cases} jīn \\ xīn \end{cases}$
$\begin{cases} jǐ \\ xǐ \end{cases}$
$\begin{cases} rì \\ shì \end{cases}$
$\begin{cases} rè \\ shè \end{cases}$
$\begin{cases} qì \\ qù \end{cases}$
$\begin{cases} jì \\ jù \end{cases}$

三、选择恰当的词语，填在横线上 (Fill in the blanks with the appropriate words or phrases)：

1. A：他 是 谁？
   Tā shì shéi?

   B：他 是 _____
   Tā shì _____

   1) 李 先生   3) 布朗 的 朋友
   Lǐ xiānsheng   Bùlǎng de péngyou

   2) 先生 李   4) 王 老师 的
   xiānsheng Lǐ   Wáng lǎoshī de

2. A：她 会 说 英语 (English) 吗？
   Tā huì shuō Yīngyǔ   ma?

   B：她 _____。
   Tā _____。

   1) 不 会   3) 说 汉语
   Bú huì   shuō Hànyǔ

   2) 会   4) 也 说
   huì   yě shuō

四、做下列替换练习 (Do the following substitution drills)：

1. A：那 是 格林 先生 吗？
   Nà shì Gélín xiānsheng ma?

B：不是，那是 我 的 朋友 。
Bú shì, nà shì wǒ de péngyou

布朗　先生 老师
Bùlǎng xiānsheng lǎoshī

格林　夫人
Gélín fūren

2. A：她 是 哪 国 人？
Tā shì nǎ guó rén?

B：她 是 中国　　人 。
Tā shì Zhōngguó rén

美国　人
Měiguó rén

加拿大　人
Jiā'nádà rén

五、学汉字 (Learn to write Chinese characters)：

是
中
国
人

第四课　　Lesson 4
Dì-sì kè

布朗　小姐　不　在　　Miss Brown Isn't In
Bùlǎng xiǎojie bú zài

课文　Text
Kèwén

（一）

王　　先生：　　您　好[1]!
Wáng xiānsheng：　Nín hǎo!

阿姨：　　您　好!
Āyí：　　Nín hǎo!

王：　　请　问，布朗　小姐　在　家　吗?
Wáng：　Qǐng wèn, Bùlǎng xiǎojie zài jiā ma?

阿姨：　　布朗　小姐　不　在。请　进来　等一等，
Āyí：　　Bùlǎng xiǎojie bú zài. Qǐng jìnlai děngyiděng,

　　　　　　她　一会儿　回来。
　　　　　　tā yíhuìr huílai.

王：　　不，谢谢。我　明天　再　来，再见!
Wáng：　Bù, xièxie. Wǒ míngtiān zài lái, zàijiàn!

阿姨：　　再见!
Āyí：　　Zàijiàn!

（二）

布朗　先生： Bùlǎng xiānsheng：	你好，格林　先生！ Nǐ hǎo, Gélín xiānsheng！
格林　先生： Gélín xiānsheng：	布朗　先生。你好，请进！请 Bùlǎng xiānsheng. Nǐ hǎo, qǐng jìn! Qǐng 坐。你喝咖啡还是喝茶⁽²⁾？ zuò. Nǐ hē kāfēi háishi hē chá?
布朗： Bùlǎng：	喝茶吧。 Hē chá ba.
格林： Gélín：	我们很长时间没见了⁽³⁾。你 Wǒmen hěn cháng shíjiān méi jiàn le. Nǐ 身体好吗？ shēntǐ hǎo ma?
布朗： Bùlǎng：	很好。你身体怎么样⁽⁴⁾？ Hěn hǎo. Nǐ shēntǐ zěnmeyàng?
格林： Gélín：	也很好。 Yě hěn hǎo.
布朗： Bùlǎng：	夫人好吗？ Fūren hǎo ma?
格林： Gélín：	她很好！ Tā hěn hǎo!

词　语　　New Words and Phrases
Cíyǔ

1. 在　　（v. prep.）　zài　　to be at; in, at, on
2. 您　　（pron.）　　nín　　you (a polite form)
3. 阿姨　（n.）　　　Āyí　　house keeper
4. 请问　　　　　　qǐngwèn　Excuse me, May I ask

请	(v.)	qǐng	to invite, to ask to do something
问	(v.)	wèn	to ask
5. 家	(n.)	jiā	home, family
6. 进来		jìnlai	to come in
进	(v.)	jìn	to enter, to come in
来	(v.)	lái	to come
7. 等一等		děngyiděng	wait a moment
等	(v.)	děng	to wait
8. 一会儿		yíhuìr	a while, a second
9. 回来		huílai	to come back
10. 明天	(n.)	míngtiān	tomorrow
11. 再	(adv.)	zài	once more, again
12. 再见		zàijiàn	good-bye
13. 坐	(v.)	zuò	to sit
14. 喝	(v.)	hē	to drink
15. 咖啡	(n.)	kāfēi	coffee
16. 还是	(conj.)	háishi	or, nevertheless
17. 茶	(n.)	chá	tea
18. 吧		ba	(a modal particle)
19. 我们	(pron.)	wǒmen	we, us
们		men	(a suffix indicating plural)
20. 身体	(n.)	shēntǐ	health, body
21. 怎么样		zěnmeyàng	how, how are you? how is it going?

this is always before verb (handwritten note)

question word / *noma* (handwritten notes)

补充词语　Supplementary Words
Bǔchōng cíyǔ　and Phrases

1.	饮料	(n.)	yǐnliào	drink，beverage
2.	可口可乐	(n.)	kěkǒukělè	Coca Cola
3.	饼干	(n.)	bǐnggān	biscuits
4.	糖	(n.)	táng	sugar，candy
5.	吃	(v.)	chī	to eat
6.	你们	(pron.)	nǐmen	you (plural)
7.	他(她)们	(pron.)	tāmen	they，them
8.	第一		dì-yī	first
	第		dì	(prefix)

注　解　Notes
Zhùjiě

(1) "您好（Nín hǎo）！"

"您"是"你"的尊称。一般不用复数形式。

Generally the pronoun "您（nín）"，a respectful form of "你（nǐ）"，is not used in the plural.

(2) "你喝咖啡还是喝茶（Nǐ hē kāfēi háishi hē chá）?"

连词"还是"可以用来构成选择疑问句，表示选择。

The conjunction "还是（háishi）" can be used to form an alternative question.

For example：

你　说　英语　还是　说　汉语？
Nǐ shuō Yīngyǔ háishi shuō Hànyǔ?

(3) "我们很长时间没见了（Wǒmen hěn cháng shíjiān méi jiàn le）。"

词尾"们"用在单数人称代词或表示人的名词后,表示复数。

The suffix "们（men）" is placed after a singlar personal pronoun or a noun denoting person to indicate the plural.

For example：

我们	她们	朋友们	先生们
wǒmen	tāmen	péngyoumen	xiānshengmen

(4) "你身体怎么样（Nǐ shēntǐ zěnmeyàng）?"

"怎么样"是疑问代词,一般在句中做谓语。

The interrogative pronoun "怎么样（zěnmeyàng）" is often used as the predicate in a sentence.

For example：

1. 你 身体 怎么样?
   Nǐ shēntǐ zěnmeyàng?

2. 他 的 汉语 怎么样?
   Tā de Hànyǔ zěnmeyàng?

练 习　　Exercises
Liànxí

一、声调（The tones）：

shēn	shén	shěn	shèn
zhāo	zháo	zhǎo	zhào
zāi	(zái)	zǎi	zài
qīng	qíng	qǐng	qìng
jiā	jiá	jiǎ	jià
wāng	wáng	wǎng	wàng

二、读下列音节（Read the following syllables）：

1.
$\left\{\begin{array}{l}\text{jìnlai}\\\text{huílai}\end{array}\right.$ $\left\{\begin{array}{l}\text{míngtiān}\\\text{míngnián}\end{array}\right.$ $\left\{\begin{array}{l}\text{háizi}\\\text{háishi}\end{array}\right.$ $\left\{\begin{array}{l}\text{shíjiān}\\\text{xīyān}\end{array}\right.$

2.   bù chī   bù lái   bù hǎo   bú zài

三、做下列替换练习 (Do the following substitution drills)：

1.
布朗 夫人 汉语	好 吗?
Bùlǎng fūren Hànyǔ	hǎo ma?
李 先生 身体	
Lǐ xiānsheng shēntǐ	
中国 菜	
Zhōngguó cài	

2. 请   进来   。
    Qǐng   jìnlai

         等一等
         děngyiděng

         喝 茶
         hē chá

3. 你   喝 茶   还是   喝 咖啡   ?
    Nǐ   hē chá   háishi hē kāfēi

         回来   不 回来
         huílai   bù huílai

         说 汉语   说 英语
         shuō Hànyǔ   shuō Yīngyǔ

四、读下列词、词组和句子 (Read the following words, phrases and sentence)：

1. 在
   zài

   在 家
   zài jiā

布朗　小姐　在　家。
Bùlǎng xiǎojie zài jiā.

布朗　小姐　在　家　吗？
Bùlǎng xiǎojie zài jiā ma?

布朗　小姐　不　在　家。
Bùlǎng xiǎojie bú zài jiā.

2.　怎么样
zěnmeyàng

他　　怎么样？
Tā zěnmeyàng?

他们　　怎么样？
Tāmen zěnmeyàng?

他们　身体　怎么样？
Tāmen shēntǐ zěnmeyàng?

3.　喝
hē

喝　茶
hē chá

你　喝　茶　吗？
Nǐ hē chá ma?

你　喝　茶　还是　喝　咖啡？
Nǐ hē chá háishi hē kāfēi?

4.　等
děng

等一等
děngyiděng

请　　等一等。
Qǐng děngyiděng.

请　进来　等一等。
Qǐng jìnlai děngyiděng.

五、学汉字 (Learn to write Chinese characters)：

们
会
和
茶

第五课　　　Lesson 5
Dì-wǔ kè

我 要 学习 汉语　　I Want to Learn Chinese
Wǒ yào xuéxí Hànyǔ

课文　　　Text
Kèwén

(一)

珍妮 小姐：　　您 是 李 老师 吗？
Zhēnní xiǎojiě：　Nín shì Lǐ lǎoshī ma?

李 老师：　　是。你 是 ……(1)？
Lǐ lǎoshī：　　Shì. Nǐ shì …?

珍妮：　　我 是 法国 大使馆 二秘。我 叫 珍妮。
Zhēnní：　　Wǒ shì Fǎguó dàshǐguǎn èrmì. Wǒ jiào Zhēnní.

　　　　我 要 学习 汉语。您 教 我 好 吗？
　　　　Wǒ yào xuéxí Hànyǔ. Nín jiāo wǒ hǎo ma?

李：　　可以。但是，我 懂 英语， 不 懂
Lǐ：　*hǎo* Kěyǐ. Dànshì, wǒ dǒng Yīngyǔ, bù dǒng

　　　法语。
　　　Fǎyǔ.

珍妮：　　没 关系。我 也 懂 英语。
Zhēnní：　Méi guānxi. Wǒ yě dǒng Yīngyǔ.

李：　　那 太 好 了。
Lǐ：　　Nà tài hǎo le.

（二）

史密斯　先生： 布朗　先生， 你 学习 汉语 吗？
Shǐmìsī xiānsheng： Bùlǎng xiānsheng, nǐ xuéxí Hànyǔ ma?

布朗　先生： 我 学习 汉语。
Bùlǎng xiānsheng： Wǒ xuéxí Hànyǔ.

史密斯： 汉语 难 不 难？
Shǐmìsī： Hànyǔ nán bù nán?

布朗： 有 一点儿 难(2)， 但是 非常 有意思。
Bùlǎng： Yǒu yìdiǎnr nán, dànshì fēicháng yǒuyìsi.

史密斯： 你 的 老师 懂 英语 吗？
Shǐmìsī： Nǐ de lǎoshī dǒng Yīngyǔ ma?

布朗： 懂。 他 也 懂 法语。
Bùlǎng： Dǒng. Tā yě dǒng Fǎyǔ.

史密斯： 好！ 我 也 要 跟 他 学习 汉语。
Shǐmìsī： Hǎo! Wǒ yě yào gēn tā xuéxí Hànyǔ.

词 语　　New Words and Phrases
Cíyǔ

1. 要	(aux. v.；v.)	yào	shall, will；to want	*future tense*
2. 学习	(v.)	xuéxí	to learn, to study	
3. 法国	(n.)	Fǎguó	France	
法语	(n.)	Fǎyǔ	French (language)	
4. 大使馆	(n.)	dàshǐguǎn	embassy	
使馆	(n.)	shǐguǎn	embassy	
5. 二秘	(n.)	èrmì	second secretary	
6. 叫	(v.)	jiào	to call, to be called	
7. 教	(v.)	jiāo	to teach	

・26・

8. 可以	(aux. v.)	kěyǐ	can, may; all right, OK
9. 但是	(conj.)	dànshì	but
10. 懂	(v.)	dǒng	to understand, to know
11. 英语	(n.)	Yīngyǔ	English (language)
12. 没关系		méiguānxi	never mind, it doesn't matter
13. 那	(conj.)	nà	in the case
14. 太	(adv.)	tài	too, extremely
15. 史密斯	(n.)	Shǐmìsī	Smith
16. 难	(adj.)	nán	difficult, hard
17. 非常	(adv.)	fēicháng	very
18. 有意思		yǒuyìsi	interesting
19. 跟	(prep.; v.)	gēn	with; to follow

use méi for neg grammer curong

(三)

我 叫 麦克， 是 加拿大人。 我 住在 北京， 在
Wǒ jiào Màikè, shì Jiā'nádàrén. Wǒ zhùzài Běijīng, zài
加拿大 大使馆 工作。 我 的 夫人 也 是 加拿大人。
Jiā'nádà dàshǐguǎn gōngzuò. Wǒ de fūren yě shì Jiā'nádàrén.
我们 的 汉语 老师 姓 王。 他 懂 英语 也 懂
Wǒmen de Hànyǔ lǎoshī xìng Wáng. Tā dǒng Yīngyǔ yě dǒng
法语。 汉语 有 一点儿 难， 但是 非常 有意思。
Fǎyǔ. Hànyǔ yǒu yìdiǎnr nán, dànshì fēicháng yǒuyìsi.

词 语　New Words and Phrases
Cíyǔ

1. 麦克 (n.) Màikè Mike

2.	住	(v.)	zhù	to live
3.	北京	(n.)	Běijīng	Beijing
4.	工作	(n.; v.)	gōngzuò	job; to work
5.	姓	(v.; n.)	xìng	to be surnamed; surname

补充词语   Supplementary Words
Bǔchōng cíyǔ   and Phrases

1.	德语	(n.)	Déyǔ	German (language)
2.	日语	(n.)	Rìyǔ	Japanese (language)
3.	俄语	(n.)	Éyǔ	Russian (language)
4.	西班牙语	(n.)	Xībānyáyǔ	Spanish (language)
5.	阿拉伯语	(n.)	Ālābóyǔ	Arabic (language)
6.	书法	(n.)	shūfǎ	calligraphy
7.	绘画	(n.)	huìhuà	drawing, painting
8.	学生	(n.)	xuéshēng	student

注 解   Notes
Zhùjiě

(1) "你是……(Nǐ shì...)?"

"你是……?"表示疑问。这里意思是"你是谁?"

"你是……(Nǐ shì...)?" is an elliptical question meaning the same as "你是谁(Nǐ shì shéi)?"

(2) "汉语有一点儿难(Hànyǔ yǒu yìdiǎnr nán)。"

"有一点儿"用在形容词或某些动词前,做程度状语,表示程度的轻微。而"一点儿"(见第三课)用在名词前做定语时,表示少量。

"有一点儿（yǒuyìdiǎnr）" shows slightness in degree when it is used before an adjective or a verb as an adverbial，while "一点儿（yìdiǎnr）" (see Lesson 3) denotes a small amount when it is placed before a noun as an attributive.

For example：

格林 有 一点儿 不 懂。
Gélín yǒu yìdiǎnr bù dǒng.

汉语 有 一点儿 难。
Hànyǔ yǒu yìdiǎnr nán.

我 喝 一点儿 咖啡。
Wǒ hē yìdiǎnr kāfēi.

练 习　　　Exercises
Liànxí

一、声调（The tones）：

ē	é	ě	è
(ēr)	ér	ěr	èr
gēn	gén	gěn	gèn
xuē	xué	xuě	xuè
(mēi)	méi	měi	mèi
shēng	shéng	shěng	shèng

二、读下列音节（Read the following syllables）：

1. dā　　xǐ　　zhù　　sì　　qī
   tā　　jǐ　　chù　　shì　　jū

2. lǎoshī　Fǎguó　kěyǐ　yǒuyìsi　xiǎojie

三、做下列替换练习（Do the following substitution drills）：

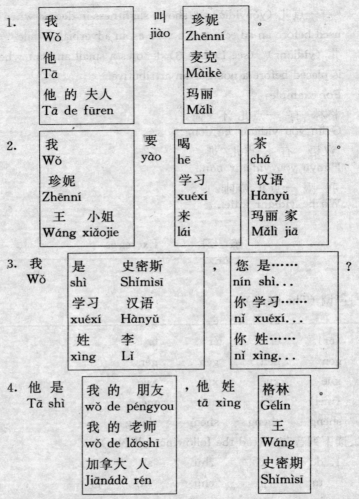

1. 我 / 他 / 他 的 夫人　叫　珍妮 / 麦克 / 玛丽。
　　Wǒ / Tā / Tā de fūren　jiào　Zhēnní / Màikè / Mǎlì.

2. 我 / 珍妮 / 王 小姐　要　喝 / 学习 / 来　茶 / 汉语 / 玛丽家。
　　Wǒ / Zhēnní / Wáng xiǎojie　yào　hē / xuéxí / lái　chá / Hànyǔ / Mǎlì jiā.

3. 我　是 史密斯 / 学习 汉语 / 姓 李，您 是…… / 你 学习…… / 你 姓……?
　　Wǒ　shì Shǐmìsī / xuéxí Hànyǔ / xìng Lǐ，nín shì... / nǐ xuéxí... / nǐ xìng...?

4. 他 是　我 的 朋友 / 我 的 老师 / 加拿大 人，他 姓　格林 / 王 / 史密期。
　　Tā shì　wǒ de péngyou / wǒ de lǎoshī / Jiānádà rén，tā xìng　Gélín / Wáng / Shǐmìsī.

四、选择词语填空（Fill in the blanks with the appropriate words given below）：

· 30 ·

out 但是；也 ~~also~~
dànshì；yě

1. 我 懂 英语，_____ 不 懂 汉语。
   Wǒ dǒng Yīngyǔ, *dànshì* bù dǒng Hànyǔ.
2. 玛丽 喝 咖啡 _____ 喝 茶。
   Mǎlì hē kāfēi *yě* hē chá.
3. 他 不 学习 法语 _____ 不 学习 汉语。
   Tā bù xuéxí Fǎyǔ *yě* bù xuéxí Hànyǔ.
4. 她 最近 很 忙，_____ 今天 不 忙。
   Tā zuìjìn hěn máng, *dànshì* jīntiān bù máng.
   recently

五、读下列词、词组和句子 (Read the following words, phrases and
sentences):

1. 工作
   gōngzuò
   他 工作
   tā gōngzuò

   他 在 大使馆 工作。
   Tā zài dàshǐguǎn gōngzuò.

   他 在 法国 大使馆 工作。
   Tā zài Fǎguó dàshǐguǎn gōngzuò.

   他 在 法国 大使馆 工作 吗？
   Tā zài Fǎguó dàshǐguǎn gōngzuò ma?

   他 在 不 在 法国 大使馆 工作？
   Tā zài bú zài Fǎguó dàshǐguǎn gōngzuò?

   他 不 在 法国 大使馆 工作。
   Tā bú zài Fǎguó dàshǐguǎn gōngzuò.

2. 懂
   dǒng
   懂 汉语
   dǒng Hànyǔ

   懂 汉语 也 懂 英语
   dǒng Hànyǔ yě dǒng Yīngyǔ

他 不 懂 汉语 也 不 懂 英语。

Tā bù dǒng Hànyǔ yě bù dǒng Yīngyǔ.

他 懂 汉语，但是 不 懂 英语。

Tā dǒng Hànyǔ, dànshì bù dǒng Yīngyǔ.

六、翻译下列短语（Translate the following phrases）：

1. 太 好 了
   tài hǎo le

2. 没关系
   méiguānxi

3. 有意思
   yǒuyìsi

4. 可以
   kěyǐ

七、学汉字（Learn to write Chinese characters）：

学 习

大 但

我　买　一点儿　水果　　　I Want to Buy Some Fruit
Wǒ mǎi yìdiǎnr shuǐguǒ

课文　　Text
Kèwén

(一)

布朗　先生：　李　先生，　我　要　买　一点儿　水果。
Bùlǎng xiānsheng：　Lǐ xiānsheng, wǒ yào mǎi yìdiǎnr shuǐguǒ.

李　先生：　那　是　水果　店。你　要　买　什么
Lǐ xiānsheng：　Nà shì shuǐguǒ diàn. Nǐ yào mǎi shénme

水果？
shuǐguǒ?

布朗：　苹果　和　葡萄。那儿　的　水果
Bùlǎng：　Píngguǒ hé pútáo. Nàr de shuǐguǒ

怎么样？
zěnmeyàng?

李：　我们　去　看看　吧。
Lǐ：　Wǒmen qù kànkan ba.

(二)

售货员：　你　好！您　买　什么？
Shòuhuòyuán：　Nín hǎo! Nín mǎi shénme?

布朗　先生：	我　买　苹果。　多少　钱　一　公斤⁽¹⁾？
Bùlǎng xiānsheng：	Wǒ mǎi píngguǒ. Duōshao qián yì gōngjīn?
售货员：	四　块　八　(毛)⁽²⁾，您　买　多少？
Shòuhuòyuán：	Sì kuài bā (máo), nín mǎi duōshao?
布朗：	两　公斤⁽³⁾。有　没　有　葡萄？
Bùlǎng：	Liǎng gōngjīn. Yǒu méi yǒu pútao?
售货员：	有。六　块　四　一　公斤。买　几
Shòuhuòyuán：	Yǒu. Liù kuài sì yì gōngjīn. Mǎi jǐ
	公斤？
	gōngjīn?
布朗：	一　公斤。
Bùlǎng：	Yì gōngjīn.
售货员：	您　还　要　别的　东西　吗？
Shòuhuòyuán：	Nín hái yào bié de dōngxi ma?
布朗：	不　要　了。一共　多少　钱？
Bùlǎng：	Bú yào le. Yígòng duōshao qián?
售货员：	一共　十六　块。
Shòuhuòyuán：	Yígòng shíliù kuài.
布朗：	给　你　二十　块。
Bùlǎng：	Gěi nǐ èrshí kuài.
售货员：	找　您　四　块。
Shòuhuòyuán：	Zhǎo nín sì kuài.
布朗：	谢谢，再见！
Bùlǎng：	Xièxie, Zàijiàn!
售货员：	再见！　欢迎　您　再　来。
Shòuhuòyuán：	Zàijiàn! Huānyíng nín zài lái.

词 语　New Words and Phrases
Cíyǔ

1. 买	(v.)	mǎi	to buy
2. 水果	(n.)	shuǐguǒ	fruit
水果店	(n.)	shuǐguǒdiàn	fruit store
3. 什么	(pron.)	shénme	what
4. 苹果	(n.)	píngguǒ	apple
5. 和	(conj.)	hé	and
6. 葡萄	(n.)	pútáo	grape
7. 那儿	(pron.)	nàr	there
8. 去	(v.)	qù	to go
9. 看	(v.)	kàn	to look，to see，to watch， to read
10. 售货员	(n.)	shòuhuòyuán	shop assistant
11. 多少钱		duōshaoqián	how much
多少	(pron.)	duōshao	how much，how many
钱	(n.)	qián	money
12. 公斤	(m.)	gōngjīn	kilogram
13. 块	(m.)	kuài	yuan
14. 毛	(m.)	máo	*mao* (ten *fen*)
15. 两	(num.)	liǎng	two
16. 有	(v.)	yǒu	to have
没（有）		méi（yǒu）	not to have
17. 几	(pron.)	jǐ	how much，how many， a few，several
18. 还	(adv.)	hái	still，also
19. 别的	(pron.)	biéde	others，other

20.	东西	（n.）	dōngxi	thing
21.	一共	（adv.）	yígòng	altogether
22.	给	（v.）	gěi	to give
23.	找	（v.）	zhǎo	to give change
24.	欢迎	（v.）	huānyíng	to welcome
25.	零	（num.）	líng	zero
	一	（num.）	yī	one
	二	（num.）	èr	two
	三	（num.）	sān	three
	四	（num.）	sì	four
	五	（num.）	wǔ	five
	六	（num.）	liù	six
	七	（num.）	qī	seven
	八	（num.）	bā	eight
	九	（num.）	jiǔ	nine
	十	（num.）	shí	ten

补充词语 Supplementary Words
Bǔchōng cíyǔ and Phrases

1.	元	（n.）	yuán	*yuan* (10 *jiao* or 100 *fen*)
2.	角	（n.）	jiǎo	*jiao* (10 *fen*)
3.	分	（n.）	fēn	*fen*, the smallest Chinese monetary unit
4.	斤	（m.）	jīn	*jin* (1/2 kilogram)
5.	克	（m.）	kè	gram
6.	百	（num.）	bǎi	hundred
7.	千	（num.）	qiān	thousand

8. 香蕉　　（n.）　　xiāngjiāo　　banana

9. 便宜　　（adj.）　　piányi　　cheap

10. 贵　　（adj.）　　guì　　expensive

注　解　　Notes
Zhùjiě

（1）　"多少钱一公斤（Duōshao qián yì gōngjīn）?"

"多少"和"几"常常用来提问数量。"多少"可以用来提问任何数目，且"多少"与名词之间的量词一般可以省略；而"几"提问较小的数目，一般是"一"到"十"。"几"和名词中间一般都要有量词。

Both "多少 (duōshao)" and "几 (jǐ)" are used to ask about quantity. "多少 (suōshao)" can be used for any number, and the measure word can be omitted between "多少 (duōshao)" and the noun that follow. "几 (jǐ)" is used for small numbers, normally from one to ten. In most cases, there should be a measure word between "几 (jǐ)" and the noun that follows.

For example：

你　买　几　公斤　苹果?
Nǐ mǎi jǐ gōngjīn píngguǒ?

你　买　多少　苹果?
Nǐ mǎi duōshao píngguǒ?

（2）　"四块八（毛）(sì kuài bā (máo))"

"元""角""分"是人民币的计算单位。在口语中说"块""毛"和"分"。一块等于十毛，一毛等于十分，当"毛"（角）或"分"在数字末尾时，通常省略。

The monetary units of *Renminbi* are "元(yuán)", "角(jiǎo)"

and ″分（fēn）″ —— or ″块（kuài）″, ″毛（máo）″ and ″分（fēn）″ in spoken Chinese. One ″块（kuài）″ is equal to ten ″毛（máo）″, and one ″毛（máo）″ to ten ″分（fēn）″. ″毛（máo）″ can be omitted in oral Chinese when it is the smallest unit in a total number; the same applies to ″分（fēn）″.

For example：

四　块　八　（毛）　—— 　四　元　八　（角）
Sì　kuài　bā　(máo)　—— 　sì　yuán　bā　(jiǎo)

六　块　四　—— 六　元　四
Liù　kuài　sì　—— liù　yuán　sì

两　　块　八　毛　四　（分）　—— 　两　　元　八　角　四
Liǎng　kuài　bā　máo　sì　(fēn)　—— 　liǎng　yuán　bā　jiǎo　sì
（分）
(fēn)

(3)　"两公斤（liǎng gōngjīn）"

A："两"和"二"都表示"2"这个数，但是在量词前边一般用"两"，不用"二"。

Both ″两（liǎng）″ and ″二（èr）″ mean two, but ″两（liǎng）″, not ″二（èr）″, is usually used before a measure word.

For example：

两　公斤　葡萄。
Liǎng gōngjīn pútao.

两　个　朋友。
Liǎng ge péngyou.

B："公斤"（1000 克）是重量单位，在日常生活中也常常用"斤"（500 克）或"两"（50 克）。

″公斤（gōngjīn）″（1000 grams）is a unit of weight. However, ″斤（jīn）″（500 grams）and ″两（liǎng）″（50 grams） are more commonly used in daily life.

一、声调（The tones）：

lī	lí	lǐ	lì
jīng	（jíng）	jǐng	jìng
yīng	yíng	yǐng	yìng
qiān	qián	qiǎn	qiàn
biē	bié	biě	biè
（liāng）	liáng	liǎng	liàng

二、读下列音节（Read the following syllables）：

1. ⎧ zhāng ⎧ bù   ⎧ guài ⎧ mài ⎧ cān
   ⎨ shāng ⎨ fù   ⎨ kuài ⎨ lài ⎨ sān
   ⎩ chāng ⎩ pù   ⎩ huài ⎩ nài ⎩ zàn

2. diǎnr   zhèr   huìr   nǎr

3. shénme   pútao   dōngxi
   xièxie   kànkan   péngyou
   xiǎojie   yǒuyìsi   háizi

三、做下列替换练习（Do the following substitution drills）：

1.

苹果 Píngguǒ	四 块 八 sì kuài bā	一 公斤。 yì gōngjīn.
葡萄 Pútao	五 块 七 wǔ kuài qī	

2. A：给 您
   Gěi nín

五 十 块
wǔ shí kuài
十二 块
shí'èr kuài
七 块
qī kuài

。

B：找 您
  Zhǎo nín

三十二 块 五
sānshí'èr kuài wǔ
一 块 二
yí kuài èr
五 毛 三
wǔ máo sān

。

四、读下列词、词组和句子 (Read the following words，phrases and sentences)：

1. 买
   mǎi

   买 什么
   mǎi shénme

   您 买 什么?
   Nín mǎi shénme?

   我 买 苹果。
   Wǒ mǎi píngguǒ.

   我 不 买 苹果。
   Wǒ bù mǎi píngguǒ.

   我 买 两 公斤 苹果。
   Wǒ mǎi liǎng gōngjīn píngguǒ.

2. 多少
   duōshǎo

   多少 钱
   duōshǎo qián

一　公斤　葡萄　多少　钱？
Yì gōngjīn pútao duōshǎo qián?

买　一　公斤　葡萄，两　公斤　苹果　一共
Mǎi yì gōngjīn pútao, liǎng gōngjīn píngguǒ yígòng

多少　钱？
duōshǎo qián?

五、选词填空（Fill in the blanks with the following words or phrases）：

几　　多少钱　　什么　　多少
jǐ　　duōshǎoqián　shénme　　duōshǎo

售货员：　　您　好！您　买 _____？
Shòuhuòyuán：Nín hǎo! Nín mǎi _____?

李　先生：　我　买　苹果。_____ 一　公斤？
Lǐ xiānsheng：Wǒ mǎi píngguǒ. _____ yì gōngjīn?

售货员：　　四　块　二。您　买 _____ 公斤？
Shòuhuòyuán：Sì kuài èr. Nín mǎi _____ gōngjīn?

李　先生：　两　公斤。一共 _____ 钱？
Lǐ xiānsheng：Liǎng gōngjīn. Yígòng _____ qián?

售货员：　　一共　八　块　四。
Shòuhuòyuán：Yígòng bā kuài sì.

六、学汉字（Learn to write Chinese characters）：

买

水

果

块

给

第七课　　　Lesson 7
Dì-qī kè

电话　坏了　　The Telephone Is Out
Diànhuà huài le　　　of Order

课　文　　Text
Kèwén

(一)

米勒　先生：	王　小姐，我 家的 电话 坏了。
Mǐlè xiānsheng：	Wáng xiǎojiě, wǒ jiā de diànhuà huài le.
王　小姐：	是 吗？我 马上 告诉 电话 局，
Wáng xiǎojiě：	Shì ma? Wǒ mǎshàng gàosù diànhuà jú,
	他们 会 派 人 给 您 修理[1]。
	tāmen huì pài rén gěi nín xiūlǐ.
米勒：	谢谢！
Mǐlè：	Xièxie!

(二)

张　师傅：	请 问，这 是 德国 使馆 米勒 先生
Zhāng shīfu：	Qǐng wèn, zhè shì Déguó shǐguǎn Mǐlè xiānsheng
	的 家 吗？
	de jiā ma?

· 42 ·

米勒 夫人：	是 的，你 有　什么　事？
Mǐlè fūren：	Shì de, nǐ yǒu shénme shì?

张：	我 是　电话　局 的　工人。　使馆 打
Zhāng：	Wǒ shì diànhuà jú de gōngrén. Shǐguǎn dǎ
	电话　说，你 家 的　电话　坏 了，我 来
	diànhuà shuō, nǐ jiā de diànhuà huài le, wǒ lái
	修理　一下儿[2]。
	xiūlǐ　yíxiàr.

夫人：	太　好 了。　电话　在 这儿[3]。你 喝 一点儿
Fūren：	Tài hǎo le. Diànhuà zài zhèr. Nǐ hē yìdiǎnr
	饮料 吧。
	yǐnliào ba.

张：	不 用 了，谢谢。
Zhāng：	Bú yòng le, xièxie.

*　　　*　　　*　　　*

张：	电话　修好 了，请 您 试 一下儿。
Zhāng：	Diànhuà xiūhǎo le, qǐng nín shì yíxiàr.

夫人：	谢谢 你。
Fūren：	Xièxie nǐ.

张：	不 客气。
Zhāng：	Bú kèqì.

词 语　　New Words and Phrases
Cíyǔ

1. 电话　　（n.）　diànhuà　　telephone
2. 坏　　　（adj.）　huài　　　broken, out of order,
　　　　　　　　　　　　　donesn't work
3. 米勒　　（n.）　Mǐlè　　　Miller
4. 是吗　　　　　shìma　　　is that so?

5. 马上	(adv)	mǎshàng	at once, immediately
6. 告诉	(v.)	gàosù	to tell
7. 电话局	(n.)	diànhuà jú	telephone office
8. 派	(v.)	pài	to send
9. 给	(prep.)	gěi	for, to
10. 修理	(v.)	xiūlǐ	to repair
11. 张	(n.)	Zhāng	(a Chinese surname)
12. 师傅	(n.)	shīfu	worker (a polite form of address for a worker)
13. 这	(pron.)	zhè(zhèi)	this
14. 德国	(n.)	Déguó	Germany
15. 事	(n.)	shì	matter, affair, business
16. 工人	(n.)	gōngrén	worker
17. 打(电话)	(v.)	dǎ(diànhuà)	to make (a telephone call)
18. 一下儿		yíxiàr	once (a verbal measure word)
19. 这儿	(pron.)	zhèr	here
20. 饮料	(n.)	yǐnliào	drink, beverage
21. 不用		bú yòng	need not
22. 试	(v.)	shì	to try
23. 不客气		bú kèqì	not at all, you are welcome

（三）

昨天， 米勒 夫人 家 的 电话 坏 了。今天 上午
Zuótiān, Mǐlè fūrén jiā de diànhuà huài le. Jīntiān shàngwǔ
米勒 先生 告诉 了 翻译 王 小姐。 王 小姐
Mǐlè xiānsheng gàosù le fānyì Wáng xiǎojiě. Wáng xiǎojiě

· 44 ·

马上　给　电话　局　打　电话。　下午，　电话　局　的
mǎshàng gěi diànhuà jú dǎ diànhuà. Xiàwǔ, diànhuà jú de

工人　就　来到　米勒　先生　家，修　好　了　电话。
gōngrén jiù láidào Mǐlè xiānsheng jiā, xiū hǎo le diànhuà.

just   arrive   de   repair as well as kŭlĭ.

词　语　　New Words and Phrases
Cíyǔ

1. 昨天	(n.)	zuótiān	yesterday
2. 上午	(n.)	shàngwǔ	morning
3. 翻译	(n.; v.)	fānyì	interpreter; to translate
4. 下午	(n.)	xiàwǔ	afternoon
5. 就	(adv.)	jiù	just, then

补充词语　　Supplementary Words
Bǔchōng cíyǔ　　and Phrases

1. 大使	(n.)	dàshǐ	ambassador
2. 参赞	(n.)	cānzàn	counsellor
3. 代表	(n.)	dàibiǎo	representative
4. 随员	(n.)	suíyuán	attaché
5. 星期一	(n.)	xīngqīyī	Monday
(二、三、		(èr, sān,	(Tuesday, Wednesday,
四、五、六)		sì, wǔ, liù)	Thursday, Friday, Saturday)
6. 星期日	(n.)	Xīngqīrì	Sunday
(星期天)	(n.)	(xīngqītiān)	(Sunday)

注 解　Notes
Zhùjiě

(1) "他们会派人给您修理 (Tāmen huì pài rén gěi nín xiūlǐ)。"

这句话中,"人"是动词"派"的宾语,同时又是"修理"的主语。

In this sentence "人(rén)" is used as the object of the first predicate,"派(pài)", as well as the subject of the second predicate,"修理(xiūlǐ)".

For example：

他　请　我　喝　茶。
Tā qǐng wǒ hē chá.

(2) "我来修理一下儿 (Wǒ lái xiūlǐ yíxiàr)。"

"一下儿"放在动词后边,表示动作经历的时间比较短,或是尝试。

"一下儿(yíxiàr)" is used directly after a verb to show the action is of short duration or to indicate the idea of having a try.

For example：

电话　修　好　了,　请　您　试　一下儿。
Diànhuà xiū hǎo le, qǐng nín shì yíxiàr.

苹果　好　吗? 我　来　看　一下儿。
Píngguǒ hǎo ma? Wǒ lái kàn yíxiàr.

"一下儿"可以表示具体的动量。

"一下儿(yíxiàr)" can also be used as a verbal measure word.

For example：

他　试了　一下儿　电话。
Tā shìle yíxiàr diànhuà.

(3) "电话在这儿 (Diànhuà zài zhèr)。"

"在"可以用作谓语,表示存在。

"在(zài)" may be used as a predicate to indicate existence.

For example：

米勒　夫人　在　家。

Mǐlè fūren zài jiā.

"在"也可以作介词,和它后边的宾语一起作状语,放在动词的前边,说明动作发生的地点。

"在（zài）"，when used as a preposition，functions together with its object as an adverbial. It is put before the verb and indicates the place where the action occurs.

For example：

我　在　家　学习　汉语。

Wǒ zài jiā xuéxí Hànyǔ.

练　习　Exercises
Liànxí

一、声调（The tones）：

diān	(dián)	diǎn	diàn
huā	huá	(huǎ)	huà
xiū	(xiú)	xiǔ	xiù
jū	jú	jǔ	jù
fān	fán	fǎn	fàn
fū	fú	fǔ	fù

二、读下列音节（Read the following syllables）：

diànhuà
tiānqì

dǎ diànhuà
tā shì shéi

shénme
zěnme

xīngqī
shēngqì

gōngrén
gōngjin

bù dǎ
pútáo

hěnkuài
qíguài

三、做下列替换练习（Do the following substitution drills）：

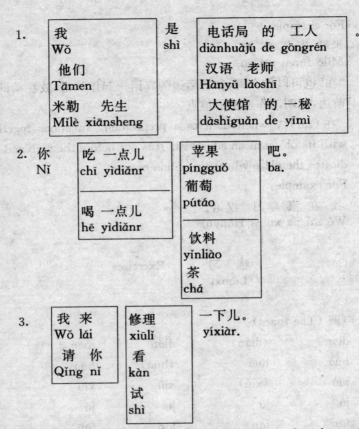

1. 我　　　　　是　　电话局　的　工人　　。
   Wǒ　　　　shì　diànhuàjú de gōngrén
   他们　　　　　　汉语　老师
   Tāmen　　　　　Hànyǔ lǎoshī
   米勒　先生　　　　大使馆　的　一秘
   Mǐlè xiānsheng　　dàshǐguǎn de yīmì

2. 你　吃　一点儿　　苹果　　　吧。
   Nǐ　chī yìdiǎnr　píngguǒ　　ba.
   　　　　　　　　葡萄
   　　　　　　　　pútáo
   　　喝　一点儿
   　　hē yìdiǎnr
   　　　　　　　　饮料
   　　　　　　　　yǐnliào
   　　　　　　　　茶
   　　　　　　　　chá

3. 我　来　　修理　　一下儿。
   Wǒ lái　　xiūlǐ　　yíxiàr.
   请　你　　看
   Qǐng nǐ　　kàn
   　　　　　试
   　　　　　shì

四、读下列词、词组和句子 (Read the following words, phrases and sentences)：

修理　　　　　　　　坏
xiūlǐ　　　　　　　huài

修理 一下儿　　　　坏 了
xiūlǐ yíxiàr　　　huài le

我 来 修理 一下儿。　电话　坏 了。
Wǒ lái xiūlǐ yíxàir.　Diànhuà huài le.

· 48 ·

我 来 修理 一下儿 电话。
Wǒ lái xiūlǐ yíxiàr diànhuà.

我 家 的 电话 坏 了。
Wǒ jiā de diànhuà huài le.

饮料
yǐnliào

告诉
gàosù

一点儿 饮料
yìdiǎnr yǐnliào

告诉 他
gàosù tā

喝 一点儿 饮料 吧。
Hē yìdiǎnr yǐnliào ba.

米勒 先生 告诉 他。
Mǐlè xiānsheng gàosù tā.

你 喝 一点儿 饮料 吧。
Nǐ hē yìdiǎnr yǐnliào ba.

使馆 一秘 米勒 先生 告诉 她。
Shǐguǎn yīmì Mǐlè xiānsheng gàosù tā.

五、完成下列句子(Complete the following sentences)：

1. 米勒 先生 家 的 电话 _____ 了。
   Mǐlè xiānsheng jiā de diànhuà _____ le.

2. 王 小姐 给 电话局 _____ 电话。
   Wáng xiǎojiě gěi diànhuàjú _____ diànhuà.

3. 电话 坏 了，我 来 修理 _____。
   Diànhuà huài le, wǒ lái xiūlǐ _____.

4. 米勒 夫人 _____ 家 吗？
   Mǐlè fūren _____ jiā ma?

5. 他们 _____ 派 人 教 你 汉语。
   Tāmen _____ pài rén jiāo nǐ Hànyǔ.

六、学汉字 (Learn to write Chinese characters)：

这
有
电
话

下午　有　招待会　　There Will Be a Reception
Xiàwǔ yǒuzhāodàihuì　　This Afternoon

課　文　　Text
Kèwén

(一)

格林　先生：　　李　先生，　请　你　告诉　司机，　今天
Gélín xiānsheng：　Lǐ xiānsheng, qǐng nǐ gàosu sījī, jīntiān

　　　　　　　　下午　四　点　半　我　要　用　汽车。
　　　　　　　　xiàwǔ sì diǎn bàn wǒ yào yòng qìchē.

李　先生：　你　去　哪儿？
Lǐ xiānsheng：　Nǐ qù nǎr?

格林：　京伦　饭店。　加拿大　使馆　举行
Gélín：　Jīnglún Fàndiàn. Jiā'nádà shǐguǎn jǔxíng

　　　　招待会，　我　去　参加。
　　　　zhāodàihuì, wǒ qù cānjiā.

李：　好　的，　我　一会儿　告诉　张　师傅。
Lǐ：　Hǎo de, wǒ yíhuìr gàosu Zhāng shīfu.

(二)

格林　先生：　啊，王　先生！　很　久　没　见，你
Gélín xiānsheng：　Ā, Wáng xiānsheng! Hěn jiǔ méi jiàn, nǐ

好　吗？

hǎo ma?

王　　先生：　很好，谢谢。你　最近　忙　吗？

Wáng xiānsheng：Hěnhǎo, xièxie. Nǐ zuìjìn máng ma?

格林：比较　忙，你　呢？

Gélín：Bǐjiào máng, nǐ ne?

王：马马虎虎。我　来　介绍　一下儿；这　位

Wáng：Mǎmahūhū. Wǒ lái jièshào yíxiàr; zhè wèi

是　英国　使馆　一秘　格林　先生，

shì Yīngguó shǐguǎn yīmì Gélín xiānsheng,

这　位　是　加拿大　使馆　的　翻译　李

zhè wèi shì Jiā'nádà shǐguǎn de fānyì Lǐ

先生[1]。

xiānsheng.

格林：见　到　你　很　高兴。 *pleased to meet you*

Gélín：Jiàn dào nǐ hěn gāoxìng.

李：见　到　你　我　也　很　高兴。你　的　汉语

Lǐ：Jiàn dào nǐ wǒ yě hěn gāoxìng. Nǐ de Hànyǔ

不　错。

bú cuò.

格林：谢谢，我　会　说　一点儿。

Gélín：Xièxie, wǒ huì shuō yìdiǎnr.

词　语　New Words and Phrases

Cíyǔ

1. 招待会	(n.)	zhāodàihuì	reception
会	(n.)	huì	meeting, conference, party *or be able to*
2. 司机	(n.)	sījī	driver

3.	点		diǎn	o'clock
4.	半	(n.)	bàn	half
5.	用	(v.)	yòng	to use
6.	汽车	(n.)	qìchē	car
7.	京伦饭店	(n.)	Jīnglún Fàndiàn	Jinglun Hotel
8.	举行	(v.)	jǔxíng	to hold
9.	国庆	(n.)	guóqìng	national day
10.	参加	(v.)	cānjiā	to attend
11.	啊		ā	(a modal particle)
12.	很久		hěn jiǔ	quite a long time
13.	比较	(adv.)	bǐjiào	rather, comparatively
14.	马马虎虎	(adj.)	mǎmahūhū	not so bad, just so so
15.	介绍	(v.; n.)	jièshào	to introduce; introduction
16.	高兴	(adj.)	gāoxìng	happy, joyful
17.	不错	(adj.)	búcuò	pretty good, not bad

(三)

法国 L.P. 公司 董事长 到 北京 访问。
Fǎguó L.P. Gōngsī dǒngshìzhǎng dào Běijīng fǎngwèn.
公司 的 北京 办事处 举行 招待会。 经贸部 李
Gōngsī de Běijīng bànshìchù jǔxíng zhāodàihuì. Jīngmàobù Lǐ
先生 来 了。 董事长 见到 李 先生, 高兴 地
xiānsheng lái le. Dǒngshìzhǎng jiàndào Lǐ xiānsheng, gāoxìng de
说:"你 还是 这么 健康!" 原来, 他们 两 年
shuō:"Nǐ háishì zhème jiànkāng!" Yuánlái, tāmen liǎng nián
前 就 认识 了。
qián jiù rènshi le.

词 语　New Words and Phrases
Cíyǔ

1. 公司　　　（n.）　　gōngsī　　　company, corporation
2. 董事长　　（n.）　　dǒngshìzhǎng　chairman of the board
3. 访问　　　（v.）　　fǎngwèn　　　to visit
4. 办事处　　（n.）　　bànshìchù　　office, agency
5. 经贸部　　（n.）　　Jīngmàobù　　MOFERT
　　对外经济　（n.）　　Duìwài jīngjì　Ministry of Foreign
　　贸易部　　　　　　màoyì bù　　　Economic Relations
　　　　　　　　　　　　　　　　　and Trade
6. 地　　　　　　　　de　　　　　　(a structural particle)
7. 健康　　　（n.; adj.）jiànkāng　　health; healthy
8. 原来　　　（adv.）　yuánlái　　　so; oh (to show realiza-
　　　　　　　　　　　　　　　　　tion of a truth or fact)
9. 年　　　　（n.）　　nián　　　　year
10. 前　　　（prep.）　qián　　　　before
11. 认识　　　（v.）　　rènshi　　　to know, to be
　　　　　　　　　　　　　　　　　acquainted

补充词语　Supplementary Words
Bǔchōng cíyǔ　　and Phrases

1. 外交部　（n.）　Wàijiāobù　　　Ministry of Foreign
　　　　　　　　　　　　　　　　Affairs
2. 友谊商店（n.）　Yǒuyí Shāngdiàn　Friendship Store
3. 北京饭店（n.）　Běijīng Fàndiàn　Beijing Hotel

4. 长城饭店 （n.） Chángchéng Fàndiàn The Great Wall
Sheraton Hotel
5. 王府饭店 （n.） Wángfǔ Fàndiàn Palace Hotel
6. 酒会 （n.） jiǔhuì cocktail party
7. 宴会 （n.） yànhuì banquet

· 注 解 Notes
Zhùjiě

(1) "我来介绍一下儿，这位是……这位是…… （Wǒ lái jièshào
yíxiàr, zhè wèi shì … zhè wèi shì…）。"
中国人在介绍另外两个人相互认识时，习惯先介绍较为尊敬
的一方（客人），再介绍自己的家里人或本单位的同事等。
It is a Chinese custom to introduce the most respected person
before introducing one's family members or colleagues.
For example：

我 来 介绍 一下儿，这 位 是 北京 大学 李 老师，
Wǒ lái jièshào yíxiàr, zhè wèi shì Běijīng dàxué Lǐ lǎoshī,
这 是 我 的 朋友 王 一介。
zhè shì wǒ de péngyou Wáng yījiè.

练 习 Exercises
Liànxí

一、声调（The tones）：

dōng	(dóng)	dǒng	dòng
zhāo	zháo	zhǎo	zhào
jī	jí	jǐ	jì
qī	qí	qǐ	qì

jiē	jié	jiě	jiè
niān	nián	niǎn	niàn
yuān	yuán	yuǎn	yuàn

二、读下列音节（Read the following syllables）：

$$\begin{cases} sījī \\ sì jǐ \end{cases} \quad \begin{cases} chē \\ chī \end{cases} \quad \begin{cases} xiàwǔ \\ shàngwǔ \end{cases} \quad \begin{cases} qù nǎr \\ zhù nǎr \end{cases}$$

$$\begin{cases} gōngsī \\ gōngshǐ \end{cases} \quad \begin{cases} yìzhí \\ yízhì \end{cases} \quad \begin{cases} cānjiā \\ cānzàn \end{cases} \quad \begin{cases} jièshào \\ jiěshuō \end{cases}$$

三、完成下列句子(Complete the following sentences)：

1. 请 你 _____ 司机，我 要 用 车。
   Qǐng nǐ _____ sījī, wǒ yào yòng chē.

2. 我 来 _____ 一 下儿，这 位 是 格林 先生。
   Wǒ lái _____ yíxiàr, zhè wèi shì Gélín xiānsheng.

3. _____ 你 很 高兴。
   _____ nǐ hěn gāoxìng.

4. 加拿大 使馆 _____ 国庆 招待会。
   Jiā'nádà shǐguǎn _____ guóqìng zhāodàihuì.

5. 你 _____ 忙 吗？
   Nǐ _____ máng ma?

四、把下列句子译成英文（Translate the following sentences into English）：

1. 你 去 哪儿？
   Nǐ qù nǎr?

2. 你 最近 忙 吗？
   Nǐ zuìjìn máng ma?

3. 欢迎 你，格林 先生。
   Huānyíng nǐ, Gélín xiānsheng.

4. 我 会 说 一点儿 汉语。
   Wǒ huì shuō yìdiǎnr Hànyǔ.

5. 布朗 夫人 要 到 上海 访问。
   Bùlǎng fūren yào dào Shànghǎi fǎngwèn.

五、学汉字(Learn to write Chinese characters)：

司
机
北
京

第九课　　Lesson 9
Dì-jiǔ kè

你　每天　几　点　　上班？
Nǐ měitiān jǐ diǎn shàngbān?

What Time Do You Go to Work?

课　文　　Text
Kèwén

（一）

小　　张：　老　王⁽¹⁾，你　每天　几点　上班⁽²⁾？
Xiǎo Zhāng: Lǎo Wáng, nǐ měitiān jǐdiǎn shàngbān?

老　　王：　我　八　点　半　上班，　你　呢？
Lǎo Wáng: Wǒ bā diǎn bàn shàngbān, nǐ ne?

张：　九点。你　中午　休息　吗？
Zhāng: Jiǔdiàn. Nǐ zhōngwǔ xiūxi ma?

王：　休息　一个　小时。　吃完　午饭，还　可以　玩
Wáng: Xiūxi yí gè xiǎoshí. Chīwán wǔfàn, hái kěyǐ wánr

二十　分钟。
èrshí fēnzhōng.

张：　我　中午　休息　半个　小时，下午　四点
Zhāng: Wǒ zhōngwǔ xiūxi bàn gè xiǎoshí, xiàwǔ sì diǎn

半　就　下班　了。
bàn jiù xiàbān le.

布朗　先生： 你　好，　张　　先生。
Bùlǎng xiānsheng： Nǐ hǎo，Zhāng xiānsheng.

张　　先生： 你　好，布朗　　先生。 今天　天气　不
Zhāng xiānsheng： Nǐ hǎo，Bùlǎng xiānsheng. Jīntiān tiānqì bú
　　　　　　　 错。
　　　　　　　 cuò.

　　布朗： 是　啊！ 所以　我　没有　在　家　看　电视，
　　Bùlǎng： Shì a！ Suǒyǐ wǒ méiyǒu zài jiā kàn diànshì，
　　　　　 出来　散散　步。
　　　　　 chūlái sànsan bù.

　　张： 你　常　散步　吗？
　　Zhāng： Nǐ cháng sànbù ma？

　　布朗： 有时候　散步，　有时候　在　家　看
　　Bùlǎng： Yǒushíhou sànbù， yǒushíhou zài jiā kàn
　　　　　 电视，　或者　去　看　朋友[3]。
　　　　　 diànshì， huòzhě qù kàn péngyou.

词 语　　New Words and Phrases
Cíyǔ

1. 每天		měitiān	every day
每	(pron.)	měi	very，each
2. 几点		jǐ diǎn	what time
3. 上班		shàngbān	to go to work
4. 小张		Xiǎo Zhāng	Xiao Zhang
5. 老王		Lǎo Wáng	Lao Wang
6. 中午	(n.)	zhōngwǔ	noon

7. 个	(m.)	gè	(a measure word)
8. 小时	(n.)	xiǎoshí	hour
9. 吃	(v.)	chī	to eat
10. 完	(v.)	wán	to finish
11. 午饭	(n.)	wǔfàn	lunch
12. 玩	(v.)	wán	to play, to amuse oneself
13. 分钟	(n.)	fēnzhōng	minute
14. 下班		xiàbān	to leave work
15. 天气	(n.)	tiānqì	weather
16. 所以	(conj.)	suǒyǐ	therefore, so
17. 电视	(n.)	diànshì	television
18. 散步	(v.)	sànbù	to go for a walk
19. 常(常)	(adv.)	cháng(cháng)	often
20. 有时候		yǒushíhou	sometimes
21. 或者	(conj.)	huòzhě	or

(三)

布朗　先生　住　在　外交　公寓　十　号　楼　二
Bùlǎng xiānsheng zhù zài Wàijiāo gōngyù shí hào lóu èr
单元　八　层　一　号(4)。他　每天　九　点(5)　上班。
diānyuán bā céng yī hào. Tā měitiān jiǔ diǎn shàngbān.
中午　回家　吃　午饭，午饭　以后　休息　一　个　小时。
Zhōngwǔ huí jiā chī wǔfàn, wǔfàn yǐhòu xiūxi yí gè xiǎoshí.
下午　两　点　上班，五　点　半　下班。晚饭　以后，
Xiàwǔ liǎng diǎn shàngbān, wǔ diǎn bàn xiàbān. Wǎnfàn yǐhòu,
他　有时候　去　散步，或者　去　看　朋友，　有时候　在
tā yǒushíhòu qù sànbù, huòzhě qù kàn péngyou, yǒushíhòu zài
家　看　书、看　电视。
jiā kàn shū, kàn diànshì.

1. 外交　　（n.；adj.）　　wàijiāo　　diplomacy；diplomatic
2. 公寓　　（n.）　　gōngyù　　apartment building
3. 号　　（n.）　　hào　　number
4. 楼　　（n.）　　lóu　　building
5. 单元　　（n.）　　dānyuán　　entrance（of a building）
6. 层　　（n.）　　céng　　floor，storey
7. 以后　　（prep.；adv.）　　yǐhòu　　after；afterward
8. 晚饭　　（n.）　　wǎnfàn　　dinner，supper
9. 书　　（n.）　　shū　　book

补充词语　　　Supplementary Words
Bǔchōng cíyǔ　　　and Phrases

1. 录像机　　（n.）　　lùxiàngjī　　video tape recorder
2. 照相机　　（n.）　　zhàoxiàngjī　　camera
3. 打网球　　　dǎ wǎngqiú　　to play tennis
4. 游泳　　（v.）　　yóuyǒng　　to swim
5. 报（纸）　　（n.）　　bào(zhǐ)　　newspaper
6. 杂志　　（n.）　　zázhì　　magazine

注　解　　　Notes
Zhùjiě

（1）"小张（Xiǎo Zhāng）"、"老王（Lǎo Wáng）"

"小"和"老"放在人的姓之前,表示相互之间比较熟悉。"小"一般用称呼年轻人,"老"则称呼年长的人。

Both "小 (Xiǎo)" and "老 (Lǎo)" are prefixes used before people's surnames to indicate familiarity. "小 (Xiǎo)" is usually used for young people, and "老 (Lǎo)" is used to address older people.

(2) "你每天几点上班 (Nǐ měitiān jǐ diǎn shàngbān)?"

汉语的时间状语一般放在句子开始或主语后边。

In Chinese, the time adverbial is usually placed either at the beginning of a sentence or directly after the subject.

For example:

下午　五　点　我　回家。
Xiàwǔ wǔ diǎn wǒ huíjiā.

我　中午　休息。
Wǒ zhōngwǔ xiūxi.

(3) "有时候在家看电视,或者去看朋友 (Yǒu shíhòu zài jiā kàn diànshì, huòzhě qù kàn péngyou)。"

汉语里"看电视"、"看朋友"和"看书"用同一个动词。

"看 (kàn)" is used to express different meanings, for example, "watching" T. V. , "seeing" a friend or "reading" a book.

(4) "布朗先生住在外交公寓十号楼二单元八层一号 (Bùlǎng xiānsheng zhù zài Wàijiāo Gōngyù shí hào lóu èr dānyuǎn bā céng yī hào)。"

汉语里对住址叙述的顺序,总是从大到小,即:先说城市、街道名称,再说门牌号,楼号和单元号,最后说房间号。

To write or say an address in Chinese, always start with the largest unit and end with the smallest. The order goes like this: city, street, building, entrance number, room or apartment number.

For example：

北京　　西城区　　南长街　　九　号　楼　一　单元　二
Běijīng Xīchéngqū Nánchángjiē jiǔ hào lóu yī dānyuán èr
号。
hào.

(5) 钟点的读法

Ways of telling time

汉语里表示时间的说法有以下几种：

The ways of telling time in Chinese are as follows：

3：15 —— 三　点　一　刻 (a quarter) or　三　点　十　五　分
　　　　　sān diǎn yī kè　　　　　　　　sān diǎn shíwǔ fēn

9：55 —— 差　五　分　十　点 or 九　点　五　十　五　分
　　　　　chà wǔ fēn shí diǎn　　jiǔ diǎn wǔshí wǔ fēn

6：30 —— 六　点　半 or 六　点　三　十　分
　　　　　liù diǎn bàn　　liù diǎn sānshí fēn

12：05 —— 十　二　点　零　五　分
　　　　　shí'èr diǎn líng wǔ fēn

练　习　　Exercises
Liànxí

一、声调 (The tones)：

sān	(sán)	sǎn	sàn
yū	yú	yǔ	yù
yuān	yuán	yuǎn	yuàn
xiāng	xiáng	xiǎng	xiàng
tiān	tián	tiǎn	tiàn

二、读下列音节 (Read the following syllables)：

shàngbān　　sànbù　　jīntiān

xiàbān   shànzi   jīnnián

diànshì   gōngyù   zhōngwǔ xuéxí bù xiūxi

tiānqì   kōngqì   wǎnshang xiūxi bù xuéxí

三、读下列时间 (Read the following times)：

    4：00   6：00   8：10   9：20   5：45   3：00   11：00   12：30

四、做下列替换练习 (Do the following substitution drills)：

1.

我 Wǒ	每天 měitiān	八　点　　上班 bā diǎn shàngbān
你 Nǐ		八　点　半　　上班 bā diǎn bàn shàngbān
我们 Wǒmen		五　点　半　下班 wǔ diǎn bàn xiàbān
布朗　先生 Bùlǎng xiānsheng		中午　回　家　吃　饭 zhōngwǔ huí jiā chī fàn

2.

老　王 Lǎo Wáng	常常 chángcháng	散步 sànbù
小　张 Xiǎo Zhāng		看　书 kàn shū
李　小姐 Lǐ xiǎojiě		去　看　朋友 qù kàn péngyou
布朗　先生 Bùlǎng xiānsheng		看　电视 kàn diànshì

3.			
今天 Jīntiān		天气 tiānqì	好 吗? hǎo ma?
这儿 的 Zhèr de			不 错 bú cuò
北京 的 Běijīng de			很好 hěnhǎo
瑞典 的 (Sweden's) Ruìdiǎn de			怎么样? zěnmeyàng?

五、把下列句子改成疑问句 (Change the following sentence into interrogative sentences):

1. 老 李 每天 八 点 半 上班。
   Lǎo Lǐ měitiān bā diǎn bàn shàngbān.

2. 李 小姐 常常 看 电视。
   Lǐ xiǎojiě chángcháng kàn diànshì.

3. 今天 天气 很 好。
   Jīntiān tiānqì hěn hǎo.

4. 布朗 先生 今天 休息。
   Bùlǎng xiānsheng jīntiān xiūxi.

5. 王 先生 住 在 三 号 楼。
   Wáng xiānsheng zhù zài sān hào lóu.

六、学汉字 (Learn to write Chinese characters):

上
班
午
饭

第十课　　Lesson 10
Dì-shí kè

明天　要做的事　Things to Be Done Tomorrow
Míngtiān yàozuò de shì

课文　Text
Kèwén

（一）

史密斯　先生：　哦，十一点了。小张，请你来
Shǐmìsī xiānsheng：　Ō, shíyī diǎn le. Xiǎo Zhāng, qǐng nǐ lái

一下儿。
yíxiàr.

小　张：　什么事？要帮忙吗？
Xiǎo Zhāng：　Shénme shì? Yào bāngmáng ma?

史密斯：　请给纺织品公司的李经理打一
Shǐmìsī：　Qǐng gěi Fǎngzhīpǐn gōngsī de Lǐ jīnglǐ dǎ yí

个电话[1]，告诉他我不能参加
ge diànhuà, gàosu tā wǒ bù néng cānjiā

明天的招待会了。
míngtiān de zhāodàihuì le.

张：　明天你去机场，是不是？
Zhāng：　Míngtiān nǐ qù jīchǎng, shì bú shì?

史密斯：　对了。
Shǐmìsī：　Duì le.

(二)

小　张：　明天　是　周末，玛丽，你　打算　做
Xiǎo Zhāng：Míngtiān shì zhōumò, Mǎlì, nǐ dǎsuàn zuò

什么?
shénme?

玛丽：我　想　和　一　个　朋友　去　参观　故宫。你　呢?
Mǎlì：Wǒ xiǎng hé yí gè péngyou qù cānguān Gùgōng. Nǐ ne?

张：　上午　我　要　去　商店　买　东西，下午　还
Zhāng：Shàngwǔ wǒ yào qù shāngdiàn mǎi dōngxi, xiàwǔ hái

要　给　妈妈　写信。
yào gěi māma xiě xìn.

玛丽：你　真　忙。哦，五　点　半　了，该　下班　了。
Mǎlì：Nǐ zhēn máng. Ō, wǔ diǎn bàn le, gāi xiàbān le.

张：　祝　你　周末　愉快。
Zhāng：Zhù nǐ zhōumò yúkuài.

玛丽：周末　愉快!
Mǎlì：Zhōumò yúkuài!

词　语　New Words and Phrases
Cíyǔ

1. 哦　　　（nterj.）　ō　　　　oh
2. 帮忙　　（v.）　　bāngmáng　to do a favour, to help
3. 纺织品　（n.）　　fǎngzhīpǐn　textile, fabric
4. 经理　　（n.）　　jīnglǐ　　manager
5. 能　　　（aux. v.）　néng　　may, can
6. 机场　　（n.）　　jīchǎng　airport
7. 对了　　　　　　duì le　　right

8.	周末	(n.)	zhōumò	weekend
9.	打算	(v.)	dǎsuàn	to intend, to plan
10.	做	(v.)	zuò	to do, to act
11.	参观	(v.)	cānguān	to visit
12.	想	(v.)	xiǎng	to be going to, to want to, to think
13.	故宫	(n.)	Gùgōng	Forbidden City
14.	妈妈	(n.)	māma	ma, mum, mother
15.	写	(v.)	xiě	to write
16.	信	(n.)	xìn	letter
17.	真	(adv.)	zhēn	indeed
18.	该	(aux. v.)	gāi	should
19.	祝	(v.)	zhù	to wish
20.	愉快	(adj.)	yúkuài	happy, joyful

（三）

每 到 星期天， 有 人 高兴 有 人 烦。 孩子们
Měi dào xīngqītiān, yǒu rén gāoxìng yǒu rén fán. Háizimen
喜欢 星期天， 因为 可以 不 去 学校、 幼儿园。
xǐhuān xīngqītiān, yīnwéi kěyǐ bú qù xuéxiào, yòu'éryuán.
大人 不 愿 过 星期天， 因为 要 看 孩子、 要 做
Dàrén bú yuàn guò xīngqītiān, yīnwéi yào kān háizi, yào zuò
饭。 家务 事 总 没 完， 明天 又 是 星期天， 我
fàn. Jiāwù shì zǒng méi wán, míngtiān yòu shì xīngqītiān, wǒ
该 怎么 办?
gāi zěnme bàn?

词语　New Words and Phrases
Cíyǔ

1. 烦	(adj.)	fán	annoyed
2. 孩子（们）	(n.)	háizi(men)	child（children）
3. 喜欢	(v.)	xǐhuān	to like
4. 星期天	(n.)	xīngqītiān	Sunday
星期一	(n.)	xīngqīyī	Monday
星期二	(n.)	xīngqī'èr	Tuesday
星期三	(n.)	xīngqīsān	Wednesday
星期四	(n.)	xīngqīsì	Thursday
星期五	(n.)	xīngqīwǔ	Friday
星期六	(n.)	xīngqīliù	Saturday
星期日	(n.)	xīngqīrì	Sunday
5. 因为	(conj.)	yīnwèi	because，because of
6. 学校	(n.)	xuéxiào	school
7. 幼儿园	(n.)	yòu'éryuán	kindergarten
8. 大人	(n.)	dàrén	adult，grown-up
9. 愿（意）	(aux. v.)	yuàn(yì)	would like
10. 过	(v.)	guò	to spend，to pass
11. 看	(v.)	kàn	to take care of，to look after
12. 做饭	(v.)	zuòfàn	to cook
做	(v.)	zuò	to do
饭	(n.)	fàn	meal
13. 家务	(n.)	jiāwù	housework
14. 总	(adv.)	zǒng	always
15. 又	(adv.)	yòu	again

16. 怎么办   zěnmebàn   what must be done, how
to deal with

补充词语   Supplementary Words
Bǔchōng cíyǔ   and Phrases

1. 爸爸   (n.)   bàba   dad, father
2. 哥哥   (n.)   gēge   elder brother
3. 弟弟   (n.)   dìdi   younger brother
4. 姐姐   (n.)   jiějie   elder sister
5. 妹妹   (n.)   mèimei   younger sister

注 解   Notes
Zhùjiě

(1) "一个电话（yí gè diànhuà）"

在现代汉语里,数词一般不能直接放在名词前边,中间往往要加一个量词。很多名词都有各自的量词。量词"个"用得最广。

In modern Chinese, a numeral before a noun is usually followed by a measure word. Many nouns have their own specific measure words; however, the measure word "个 (ge)" is the most common.

For example:

一 个 人   两 公斤 苹果
yí gè rén   liǎng gōngjīn píngguǒ

练 习　　　Exercises
Liànxí

一、声调（The tones）：

xiāng	xiáng	xiǎng	xiàng
fāng	fáng	fǎng	fàng
zuō	zuó	zuǒ	zuò
yāo	yáo	yǎo	yào
guō	guó	guǒ	guò
bān	(bán)	bǎn	bàn

二、读下列词语，并译成英文（Read the following words and phrases，then translate them into English）：

1. wǒmen　　jīntiān　　shàngbān　　gōngzuò

   wǔ gè　　　míngtiān　　xiàbān　　　bú cuò

2. diànshì　　zài jiā

   diànhuà　　zàijiàn

   shāngdiàn　bú zài

三、用下列词语组成句子（Make sentences using the following words and phrases）：

1. 打　电话，　我
   dǎ diànhuà，wǒ

2. 打　电话，　我，没
   dǎ diànhuà，wǒ，méi

3. 打　电话，　我，没，今天
   dǎ diànhuà，wǒ，méi，jīntiān

4. 打　电话，　我，没，今天　给，他
   dǎ diànhuà，wǒ，méi，jīntiān gěi，tā

5. 打　电话，　我，没，今天，给，他，妈妈
   dǎ diànhuà，wǒ，méi，jīntiān，gěi，tā，māma

四、做下列替换练习（Do the following substitution drills）：

1. 你 去 买 东西　　是 不 是?
   Nǐ qù mǎi dōngxi　　shì bú shì?

   你 没有 时间
   Nǐ méiyǒu shíjiān

   他 是 汉语 老师
   Tā shì Hànyǔ lǎoshī

2. 今天 下午 我
   Jīntiān xiàwǔ wǒ

打算 dǎsuàn	去 大使馆 qù dàshǐguǎn
想 xiǎng	去 商店 qù shāngdiàn
要 yào	去 修理 电视 qù xiūlǐ diànshì
	给 他 打 电话 gěi tā dǎ diànhuà
	给 他 写信 gěi tā xiěxìn

   。

五、用"因为"连接句子 (Join the following pairs of sentences with
　　"因为 (yīnwèi)"):

1. 明天 不 上班。　明天 是 星期天。
   Míngtiān bú shàngbān. Míngtiān shì xīngqītiān.

2. 李 先生 不 能 参加 招待会。 他 要 去
   Lǐ xiānsheng bù néng cānjiā zhāodàihuì. Tā yào qù
   机场。
   jīchǎng.

3. 我 很 长 时间 没 给 他 写 信 了。我 很
   Wǒ hěn cháng shíjiān méi gěi tā xiě xìn le. Wǒ hěn

· 71 ·

忙。
máng.

4. 我 想 在 这儿 买 点儿 水果。 这儿 的 水果
   Wǒ xiǎng zài zhèr mǎi diǎnr shuǐguǒ. Zhèr de shuǐguǒ
   不 错。
   bú cuò.

六、学汉字 (Learn to write Chinese characters)：

明
天
怎
么
办

通过 测试，继续 前进
Tōngguò cèshì，jìxù qiánjìn
Go Ahead After Passing the Test

一、准确读出下列拼音（Read the following accurately）：

lǎoshī	zhīdào	xiūxi	nàgè
lǎoshi	chídào	xuéxí	nǎ guó
Hànyǔ	Zhōngguó	háishì	xīyān
hànyì	zōnghé	hànzì	shìyàn
gōngzuò	dànshì	liángkuai	èrshí
guòcuò	guānxi	liǎng kuài	érzi
shénme	zuòzhě	kōngqì	diànshì
zěnme	zuòzhe	gōngyù	tiānqì
bǐjiào	gāoxìng	búcuò	yúkuài
bìyào	guóqìng	bù duō	yí kuài

二、读下列短语并翻译（Read the following phrases and translate them）：

1. 你 好
   nǐ hǎo

2. 最近
   zuìjìn

3. 一点儿
   yìdiǎnr

4. 怎么 办
zěnme bàn

5. 一会儿
yíhuìr

6. 再见
zàijiàn

7. 没 关系
méi guānxi

8. 那 太 好 了
nà tài hǎo le

9. 有 一点儿
yǒu yìdiǎnr

10. 有 意思
yǒu yìsi

11. 多少 钱
duōshǎo qián

12. 欢迎
huānyíng

13. 不 用 了
bú yòng le

14. 谢谢
xièxie

15. 不 客气
bú kèqì

16. 马马虎虎
mǎmǎ-hūhū

17. 不 错
bú cuò

18. 有 时候
yǒu shíhòu

19. 以后
yǐhòu

20. 所以
suǒyǐ

21. 几 点
jǐ diǎn

22. 什么 事
shénme shì

23. 周末 愉快
zhōumò yúkuài

24. 因为
yīnwèi

25. 怎么样
zěnmeyàng

26. 愿意
yuànyì

27. 可以
kěyǐ

三、将下列句子改成疑问句并做否定回答（Change the following
into interrogative sentences and provide negative answers）：

1. 布朗 先生 最近 非常 忙。
Bùlǎng xiānsheng zuìjìn fēicháng máng.

2. 那 位 小姐 是 他 的 汉语 老师。
Nà wèi xiǎojie shì tā de Hànyǔ lǎoshī.

3. 麦克 是 美国 人。
Màikè shì Měiguó rén.

4. 张 老师 懂 英语 和 法语。
Zhāng lǎoshī dǒng Yīngyǔ hé Fǎyǔ.

5. 史密斯 先生 要 跟 张 老师 学习 汉语。
Shǐmìsī xiānsheng yào gēn Zhāng lǎoshī xuéxí Hànyǔ.

6. 米勒 夫人 在 家 学习 汉语。
Mǐlè fūrén zài jiā xuéxí Hànyǔ.

7. 今天 下午 四 点 半 他 要 用 车。
Jīntiān xiàwǔ sì diǎn bàn tā yào yòng chē.

8. 李 小姐 明天 下午 在 家。
Lǐ xiǎojiě míngtiān xiàwǔ zài jiā.

9. 王 先生 能 参加 明天 的 招待会。
Wáng xiānsheng néng cānjiā míngtiān de zhāodàihuì.

10. 明天 是 周末，我 想 和 朋友 去 参观
Míngtiān shì zhōumò, wǒ xiǎng hé péngyou qù cānguān
故宫。
Gùgōng.

四、正确读出下列数字、时间、价钱 (Read the following numbers,
hours and prices):

1. 数字（numbers）

    12   21   44   77   65
    99   38   97   11   86

2. 时间（hours）

    5:15   6:11   7:45   8:05   9:55
    10:20   12:00   12:50   1:02   3:30

3. 价钱（prices）   （元＝yuán）

    1.00元   2.10元   3.55元
    21.00元   44.77元   93.12元

五、用所给的词语组句（Make sentences using the following words and phrases）：

1. 美国 人，我 的，是， 朋友， 史密斯
   Měiguó rén, wǒ de, shì, péngyou, Shǐmìsī

2. 工作， 大使馆， 英国， 在，他，
   gōngzuò, dàshǐguǎn, Yīngguó, zài, tā,

3. 招待会， 举行， 明天， 京伦 饭店， 在，
   zhāodàihuì, jǔxíng, míngtiān, Jīnglún Fàndiàn, zài,
   加拿大 大使馆， 国庆
   Jiā'nádà, dàshǐguǎn, guóqìng

4. 二十五 块， 苹果， 葡萄， 三 公斤， 两
   èrshíwǔ kuài, píngguǒ, pútao, sān gōngjīn, liǎng
   公斤， 一共
   gōngjīn, yígòng

5. 但是， 汉语， 非常， 难， 有 点儿， 有 意思
   dànshì, Hànyǔ, fēicháng, nán, yǒu diǎnr, yǒu yìsi

六、把下列句子翻译成汉语 (Translate the following sentences into Chinese)：

1. I plan to shop at the Friendship Store this afternoon.

2. After dinner, sometimes I go for a walk or go to see my friends, and sometimes I read books or watch TV at home.

3. Allow me to introduce Mr. Green, the first secretary at the British Embassy. Miss Zhang is the interpreter at the Canadian Embassy.

4. Miss Li, please tell the driver that I'll need a car at half past four this afternoon.

5. The Embassy told us that your telephone is broken. I've come to fix it.

6. I have not seen Mr. Brown for a long time. I'm very glad to have run into him again.

第十一课　　Lesson　11
Dì-shíyī kè

他　病　了　　He Is Ill
Tā bìng le

课　文　　Text
Kèwén

(一)

布朗　　先生： Bùlǎng xiānsheng:	早上　好！周末　愉快　吧。 Zǎoshang hǎo! Zhōumò yúkuài ba.	

史密斯　先生：　还　可以，你　呢？
Shǐmìsī xiānsheng: Hái kěyǐ, nǐ ne?

布朗：　马马虎虎。
Bùlǎng: Mǎmǎ-hūhū.

史密斯：　孩子　怎么样？
Shǐmìsī: Háizi zěnmeyàng?

布朗：　他　病　了。头疼，还　有　点儿　发烧。
Bùlǎng: Tā bìng le. Tóuténg, hái yǒu diǎnr fāshāo.

史密斯：　多少　度？
Shǐmìsī: Duōshǎo dù?

布朗：　三十八　度　二。
Bùlǎng: Sānshibā dù èr.

史密斯：　应该　带　他　去　医院　看看，吃　点儿
Shǐmìsī: Yīnggāi dài tā qù yīyuàn kànkan, chī diǎnr

药，打　一　针。
yào, dǎ yì zhēn.

布朗： 打算 下午 带 他 去。
Bùlǎng：Dǎsuàn xiàwǔ dài tā qù.

(二)

大夫： 来， 请 坐。 哪儿 不 舒服？
Dàifu：Lái, qǐng zuò. Nǎr bù shūfu?

布朗： 嗓子 疼。
Bùlǎng：Sǎngzi téng.

大夫： 我 看看。 没关系， 我 给 你 开 个 药方。 按时
Dàifu：Wǒ kànkan. Méiguānxi, wǒ gěi nǐ kāi ge yàofāng. Ànshí

吃 药， 过 几 天 就 会 好 的[1]。
chī yào, guò jǐ tiān jiù huì hǎo de.

布朗： 谢谢。
Bùlǎng：xièxie.

大夫： 最近 天气 不 正常， 容易 感冒， 要 多
Dàifu：Zuìjìn tiānqì bú zhèngcháng, róngyì gǎnmào, yào duō

注意 身体。
zhùyì shēntǐ.

(三)

布朗： 请 问， 这些 药 怎么 吃？
Bùlǎng：Qǐng wèn, zhèxiē yào zěnme chī?

大夫： 这种 每 天 吃 三 次[2]， 每 次 两 片。
Dàifu：Zhèzhǒng měi tiān chī sān cì, měi cì liǎng piàn.

那些 每 六 小时 吃 一 次，每 次 一 片。
Nàxiē měi liù xiǎoshí chī yí cì, měi cì yí piànr.

布朗： 饭 前 吃 还是 饭 后 吃？
Bùlǎng：Fàn qián chī háishi fàn hòu chī?

大夫：都 可以。吃了 药 最 好 多 喝 开水。
Dàifu：Dōu kěyǐ. Chīle yào zuì hǎo duō hē kāishuǐ.

布朗：好。谢谢！
Bùlǎng：Hǎo. Xièxie!

词 语　　New Words and Phrases
Cíyǔ

1. 病	(v. ; n.)	bìng	to be ill; illness
2. 早上好		zǎoshang hǎo	good morning
早上	(n.)	zǎoshang	morning
3. 还可以		háikěyǐ	not bad
4. 头疼		tóuténg	(to have a) headache
5. 发烧	(v.)	fāshāo	to have a temperature
6. 度	(n.)	dù	degree
7. 应该	(aux. v.)	yīnggāi	should, ought to
8. 带	(v.)	dài	to take, to lead, to bring
9. 医院	(n.)	yīyuàn	hospital
10. 药	(n.)	yào	medicine
11. 打(一)针		dǎ(yì)zhēn	to have (an) injection
12. 大夫	(n.)	dàifu	doctor
13. 舒服	(adj.)	shūfu	comfortable
14. 嗓子疼	(v.)	sǎngzi téng	to have a sour throat
15. 开	(v.)	kāi	to prescribe
16. 药方	(n.)	yàofāng	prescription
17. 按时		ànshí	on time
18. 正常	(adj.)	zhèngcháng	normal, regular
19. 容易	(adj.)	róngyì	easy

20. 感冒	(v.)	gǎnmào	to have a cold, to catch a cold
21. 多	(adv.)	duō	more
22. 注意	(v.)	zhùyì	to pay attention
23. 这些	(pron.)	zhèxiē	these
24. 种	(m.)	zhǒng	kind (a measure word)
25. 次	(m.)	cì	time (a measure word)
26. 片	(m.)	piànr	tablet (a measure word)
27. 那些	(pron.)	nàxiē	those
28. 饭前		fàn qián	before a meal
29. 饭后		fàn hòu	after a meal
30. 都	(adv.)	dōu	all, both
31. 最好	(adv.)	zuì hǎo	best
最	(adv.)	zuì	most
32. 开水	(n.)	kāishuǐ	boiled water

补充词语   Supplementary Words
Bǔchōng cíyǔ   and Phrases

1. 中医	(n.)	zhōngyī	traditional Chinese medical science
2. 西医	(n.)	xīyī	Western medicine
3. 针灸	(n.)	zhēnjiǔ	acupuncture and moxibustion
4. 手	(n.)	shǒu	hand
5. 脚	(n.)	jiǎo	foot
6. 心脏	(n.)	xīnzàng	heart
7. 眼睛	(n.)	yǎnjing	eye
8. 护士	(n.)	hùshi	nurse
9. 咳嗽	(v.)	késou	to cough

注 解　　Notes
Zhùjiě

(1) "按时吃药,过几天就会好的 (Ànshí chī yào，guò jǐtiān jiù huì hǎo de)。"

助词"的"放在句尾,起加强肯定语气的作用。

When particle "的(de)" is placed at the end of a sentence，the affirmative tone of the sentence is stressed.

(2) "这种(药)每天吃三次 (Zhè zhǒng (yào) měi tiān chī sān cì)。"

汉语里很多动作可以计量。动量词用在动词后作补语,表数量。

Verbal measure wods are placed after verbs，as complements，to indicate the frequency of the action of the verb.

For example：

布朗　每　星期　学习　三　次　汉语。
Bùlǎng měi xīngqī xuéxí sān cì Hànyǔ.

上午，　小　王　打了　两　次　电话。
Shàngwǔ, Xiǎo Wáng dǎle liǎng cì diànhuà.

练　习　　Exercises
Liànxí

一、读下列拼音 (Read the following)：

1. Zǎoshang hǎo　　　　Zhōumò yúkuài

Hái kěyǐ　　　　　　Yǒudiǎnr fāshāo

Róngyì gǎnmào　　　Zhùyì xiūxi

Nǎr bù shūfu?　　　Zhè zhǒng yào zěnme chī?

Fàn qián chī háishi fàn hòu chī?

Chīle yào zuì hǎo duō hē kāishuǐ.

2. zhōumò　　　zhùyì　　　kěyǐ　　　shūfu

　　zěnme　　　zhúyi　　　kěyí　　　shāfā

　　yàofāng　　xiǎoshí　　kāishuǐ　　késou　　jǐtiān

　　yàofáng　　xiǎo shì　　kāishǐ　　gàosu　　qī tiān

二、做下列替换练习（Do the following substitution drills）：

1. 最近　天气　不　　正常，　　容易　感冒，　要　多
　 Zuìjìn tiānqì bú zhèngcháng, róngyì gǎnmào, yào duō

　 注意　身体。
　 zhùyì shēntǐ.

| 吃了　药，多　喝　开水 |
| chīle yào, duō hē kāishuǐ |
| 学习　汉语，多　说 |
| xuéxí Hànyǔ, duō shuō |
| 孩子　感冒　了，带　他　去　医院 |
| háizi gǎnmào le, dài tā qù yīyuàn |

2. 你　按时　吃　药，过　几　天，就　会　好　的。
　 Nǐ ànshí chī yào, guò jǐ tiān, jiù huì hǎo de.

布朗　去　上海　了，	就　回来　的
Bùlǎng qù Shànghǎi le,	jiù huílai de
王　小姐　不　在，	回　北京
Wáng xiǎojie bú zài,	huí Běijīng
这　种　衣服　没有，	会　有　的
Zhè zhǒng yīfu méiyǒu,	huì yǒu de
我　明天　去　英国，	就　回　北京
Wǒ míngtiān qù Yīngguó,	jiù huí Běijīng

3. A：这　种　药，饭　前　吃　还是　饭　后　吃？
　　 Zhè zhǒng yào, fàn qián chī háishi fàn hòu chī?

B：饭　前　吃　饭　后　吃　都　可以。
Fàn qián chī fàn hòu chī dōu kěyǐ.

友谊　　商店　　今天　去， Yǒuyì Shāngdiàn jīntiān qù,	明天　去 míngtiān qù
布朗　家，　星期六　去， Bùlǎng jiā, xīngqīliù qù,	星期日　去 xīngqīrì qù
汉语　　　上班　学习， Hànyǔ, shàngbān xuéxí,	下班　学习 xiàbān xuéxí
英语，　史密斯　先生　　教， Yīngyǔ, Shǐmìsī xiānsheng jiāo,	米勒　先生　　教 Mǐlè xiānsheng jiāo

三、读下列词语（Read the following）：

开水 kāishuǐ	看　书 kàn shū	怎么 zěnme
开　药方 kāi yàofāng	看　孩子 kān háizi	怎么样 zěnmeyàng
最近 zuìjìn	要　一　公斤　苹果 yào yì gōngjīn píngguǒ	问　天气 wèn tiānqì
最　好 zuì hǎo	要　注意　身体 yào zhùyì shēntǐ	请　问 qǐng wèn
或者 huòzhě	还　可以 hái kěyǐ	有　时候 yǒu shíhou
还是 háishi	马马虎虎 mǎmǎ-hūhū	有　时间 yǒu shíjiān

四、读下列词、词组和句子（Read the following words, phrases and sentences）：

1. 次
   cì

   三　次
   sān cì

   吃　三　次
   chī sān cì

· 84 ·

每 天 吃 三 次
měi tiān chī sān cì

这 种 药 每 天 吃 三 次。
Zhè zhǒng yào měi tiān chī sān cì.

2. 发烧
fāshāo

发烧 三十八 度 二
fāshāo sānshibā dù èr

他 发烧 三十八 度 二。
Tā fāshāo sānshibā dù èr.

他 今天 发烧 三十八 度 二。
Tā jīntiān fāshāo sānshibā dù èr.

3. 去
qù

去 医院
qù yīyuàn

去 医院 看看
qù yīyuàn kànkan

应该 去 医院 看看。
Yīnggāi qù yīyuàn kànkan.

感冒 了，应该 去 医院 看看。
Gǎnmào le, yīnggāi qù yīyuàn kànkan.

你 感冒 了，应该 去 医院 看看。
Nǐ gǎnmào le, yīnggāi qù yīyuàn kànkan.

五、翻译下列句子 (Translate the following sentences)：

1. 布朗 先生 的 孩子 今天 感冒 了。
Bùlǎng xiānsheng de háizi jīntiān gǎnmào le.

2. 他 头疼， 发烧 三十八 度 五。
Tā tóuténg, fāshāo sānshibā dù wǔ.

3. 我　今天　　上午　去　医院　看了看，打了　一　针，
Wǒ jīntiān shàngwǔ qù yīyuàn kànlekàn, dǎle yì zhē,
下午　就　好　了。
xiàwǔ jiù hǎo le.

4. 大夫　告诉　我：最近，天气　不　　正常，　　要　多
Dàifu gàosu wǒ: zuìjìn, tiānqì bú zhèngcháng, yào duō
注意　身体。
zhùyì shēntǐ.

5. 这　种　药　每　天　吃　三　次，每　次　两　　片，
Zhè zhǒng yào měi tiān chī sān cì, měi cì liǎng piànr,
要　饭　后　吃。
yào fàn hòu chī.

6. 我　今天　给　布朗　　先生　　打了　三　次　电话。
Wǒ jīntiān gěi Bùlǎng xiānsheng dǎle sān cì diànhuà.

7. 史密斯　先生　　今天　吃了　两　次　药，他　打算
Shǐmìsī xiānsheng jīntiān chīle liǎng cì yào, tā dǎsuàn
饭　后　再　吃　一　次。
fàn hòu zài chī yí cì.

8. 他　没有　告诉　我，这　种　药　每　天　吃　几　次。
Tā méiyǒu gàosu wǒ, zhè zhǒng yào měi tiān chī jǐ cì.

六、学汉字 (Learn Chinese characters)：

亻	你	他	们
女	好	她	姐
口	吗	喝	吧

第十二课　　Lesson 12
Dì-shí'èr kè

我 的 新　朋友　　My New Friend
Wǒ de xīn péngyou

课 文　　Text
Kèwén

（一）

布朗：　马丁，　我 给 你 介绍 一下儿，这 是 我 的 新
Bùlǎng：Mǎdīng, wǒ gěi nǐ jièshào yíxiàr, zhè shì wǒ de xīn

　　　　朋友　老　王。
　　　　péngyou Lǎo Wáng.

马丁：　你 好。我 叫 马丁。
Mǎdīng：Nǐ hǎo. Wǒ jiào Mǎdīng.

老　王：　你 好，认识 你 很　高兴。　你 也 在 北京
Lǎo Wáng：Nǐ hǎo, rènshi nǐ hěn gāoxìng. Nǐ yě zài Běijīng

　　　　工作　吗?
　　　　gōngzuò ma?

马丁：　不，我 刚 到 北京，要 到 北京 大学
Mǎdīng：Bù, wǒ gāng dào Běijīng, yào dào Běijīng Dàxué

　　　　历史系 学习。我 来 请 布朗　帮忙，
　　　　lìshǐxì xuéxí. Wǒ lái qǐng Bùlǎng bāngmáng,

　　　　问问　怎么　办 手续[1]。
　　　　wènwen zěnme bàn shǒuxù.

布朗：　你 放心，我 和 老　王 都 会 帮助 你。
Bùlǎng：Nǐ fàngxīn, wǒ hé Lǎo Wáng dōu huì bāngzhù nǐ.

（二）

老　王：马丁，几 号 开学？
Lǎo Wáng：Mǎdīng, jǐ hào kāixué?

马丁：九 月 一 号 [2]。
Mǎdīng：Jiǔ yuè yī hào.

老　王：入 学 手续 办好 了 吗？
Lǎo Wáng：Rù xué shǒuxù bànhǎo le ma?

马丁：差不多 了。 明天 我 再 去 学校
Mǎdīng：Chàbuduō le. Míngtiān wǒ zài qù xuéxiào

问一问。
wènyíwèn.

老　王：中文系 有 我 一 个 老 朋友 [3]， 你 可以
Lǎo Wáng：Zhōngwénxì yǒu wǒ yí ge lǎo péngyou, nǐ kěyǐ

找找 他。
zhǎozhao tā.

马丁：太 好 了。他 叫 什么 名字？
Mǎdīng：Tài hǎo le. Tā jiào shénme míngzi?

老　王：李 华明。
Lǎo Wáng：Lǐ Huá-míng.

马丁：多 谢。
Mǎdīng：Duō xiè.

词 语　　New Words and Phrases
Cíyǔ

1. 新　　（adj.）xīn　　　　new
2. 马丁　（n.）Mǎdīng　　　Martin
3. 刚　　（adv.）gāng　　　just

· 88 ·

4. 到	(v.)	dào	to reach, to arrive
5. 北京大学	(n.)	Běijīng Dàxué	Beijing University
6. 历史系	(n.)	lìshǐxì	history department
历史	(n.)	lìshǐ	history
7. 办手续		bàn shǒuxù	to go through formalities
办	(v.)	bàn	to do, to handle
手续	(n.)	shǒuxù	formalities
8. 放心		fàngxīn	don't worry
9. 开学		kāi xué	to start a semester
10. 差不多		chàbuduō	nearly, almost
11. 中文系	(n.)	Zhōngwénxì	Chinese language department
中文	(n.)	Zhōngwén	Chinese (language)
12. 有	(v.)	yǒu	there is, there are
13. 老	(adj.)	lǎo	old
14. 名字	(n.)	míngzi	name
15. 李华明	(n.)	Lǐ Huámíng	(name of a person)
16. 多谢		duō xiè	thanks a lot
17. 号	(n.)	hào	date
日	(n.)	rì	date

(三)

奈尔斯 是 瑞典 人，今年 九 月 他 到 北京
Nài'ěrsī shì Ruìdiǎn rén, jīnnián jiǔ yuè tā dào Běijīng
中医 学院 学习。 刚 入 学， 人生地不熟。 但是
Zhōngyī Xuéyuàn xuéxí. Gāng rù xué, rénshēng-dìbushú. Dànshì
他 很 快 就 认识 了 不 少 新 朋友。 他 还 能 用
tā hěn kuài jiù rènshi le bù shǎo xīn péngyou. Tā hái néng yòng

汉语　给　我们　介绍："这　是　　田中　　先生，　是
Hànyǔ gěi wǒmen jièshào："Zhè shì Tiánzhōng xiānsheng, shì
日本　人。""这　是　珍妮　小姐，是　英国　人。"
Rìběn rén." "Zhè shì Zhēnní xiǎojie, shì Yīngguó rén."

词　语　　New Words and Phrases
Cíyǔ

1.	奈尔斯	(n.)	Nài'ěrsī	Niles
2.	瑞典	(n.)	Ruìdiǎn	Sweden
3.	今年	(n.)	jīnnián	this year
4.	入学	(v.)	rù xué	to start school, to enter a school
5.	九月	(n.)	jiǔ yuè	September
	月	(n.)	yuè	month
6.	北京中医学院	(n.)	Běijīng Zhōngyī Xuéyuàn	Beijing College of Traditional Medicine
7.	人生地不熟		rénshēng-dìbushú	to be unfamiliar with a place and people
8.	快	(adj.)	kuài	quick, fast
9.	不少		bùshǎo	a lot
	少	(adj.)	shǎo	few, little
10.	能	(aux. v.)	néng	can, to be able to
11.	田中	(n.)	Tiánzhōng	Tanaka (a Japanese name)
12.	日本	(n.)	Rìběn	Japan
13.	英国	(n.)	Yīngguó	Britain

补充词语　　Supplementary Words
Bǔchōng cíyǔ　　and Phrases

1. 同事　　（n.）　tóngshì　　colleague
2. 同学　　（n.）　tóngxué　　classmate
3. 数学系　（n.）　shùxuéxì　　mathematics department
4. 去年　　（n.）　qùnián　　last year
5. 明年　　（n.）　míngnián　　next year

注　解　　Notes
Zhùjiě

（1）　"问问怎么办手续（Wènwen zěnme bàn shǒuxu）"

A. 表示动作的动词可以重叠。动词重叠常表示动作经历的时间短促或表示轻松、随便，有时也表示尝试。双音节动词重叠时，以词为单位（ABAB 式）。

Verbs denoting action can be repeated in order to indicate shortness of duration, to soften the tone of a sentence or to make the sentence sound relaxed or informal. Sometimes a repeated verb implies a trial. In the case of disyllabic verbs, the repetition follows the pattern "ABAB".

For example：

学习学习（xuéxixuéxi）

B. 单音节动词重叠后，前一个音节是重音，后一个音节读轻声。

When a monosyllabic verb is repeated, the stress falls on the first syllable. The syllable that follows is pronounced in the neutral tone.

For example：

问问（wènwen）　　　　　找找（zhǎozhǎo）

学学（xuéxue）　　　　　看看（kànkan）

C. 单音节动词重叠,中间可以加"一",意思基本不变。

When a monosyllabic verb is repeated，"一（yī）" can be inserted between the two parts，but the meaning of sentence does not change.

For example：

问一问　　　　　看一看
wènyíwèn　　　　kànyíkàn

D. 双音节动词重叠后,第一个音节和第三个音节是重音,其他两个音节读轻声。

When a disyllabic verb is repeated，the stress falls on the first and the third syllables. The other two syllables are pronounced in the neutral tone.

For example：

介绍介绍（jièshao jièshao）

认识认识（rènshi rènshi）

休息休息（xiūxi xiūxi）

（2）"九月一号（jiǔyuè yí hào）"

A. 汉语中,年、月、日、时连在一起时,其顺序是：

In Chinese，time sequence goes like this：

_____年_____月_____日（号），
_____nián _____yuè _____rì（hào），

星期_____上（下）午_____时（点）
xīngqī _____shàng（xià）wǔ _____shí（diǎn）

For example：

一九九二　年　四月　十八　日（号），星期六　上午　十
yījiǔjiǔ'èr nián sìyuè shíbā rì（hào），xīngqīliù shàngwǔ shí

点
diǎn

B. 汉语年份的读法是直接读出每个数字。

In Chinese，the number which indicates a year is read as
shown below：

一九八四年　　　（yījiǔbāsì nián）

二〇〇一年　　　（èrlínglíngyī nián）

C. 汉语十二个月的名称是：

In Chinese，the names of the twelve months are：

一月（yíyuè）	五月（wǔyuè）	九月（jiǔyuè）
二月（èryuè））	六月（liùyuè）	十月（shíyuè）
三月（sānyuè）	七月（qīyuè）	十一月（shíyīyuè）
四月（sìyuè）	八月（bāyuè）	十二月（shí'èryuè）

D. "日"和"号"都表示一个月里的某一天。口语中常用"号"，
书面用"日"。

"日（rì）" and "号（hào）" both refer to a date. The former
is used in written Chinese，while the latter appears in spo-
ken Chinese.

For example：

一九四九　年　十月　一　日。

Yījiǔsìjiǔ nián shíyuè yī rì.

今天　几　号？

Jīntiān jǐ hào?

（3）　"中文系有我一个老朋友（Zhōngwénxì yǒu wǒ yí gè lǎo
péngyǒu）。"

"有"表示存在。

"有（yǒu）" denotes existence.

For example：

我们　大使馆　有　两　个　司机。
Wǒmen dàshǐguǎn yǒu liǎng ge　sījī.

练 习　Exercises
Liànxí

一、声调（The tones）：

bān	bán	bǎn	bàn
shōu	shóu	shǒu	shòu
xū	xú	xǔ	xù
zhāo	zháo	zhǎo	zhào
gōng	(góng)	gǒng	gòng
shū	shú	shǔ	shù

二、读下列音节（Read the following syllables）：

{ gōngzuò　{ jièshào　{ zhōngyì　{ zài Běijīng
{ bú cuò　　{ xuéxiào　{ dōngxi　　{ chàbùduō

{ wènwen　　{ zhǎozhao　{ shuōshuo　　{ xuéxue
{ wènyíwèn　{ zhǎoyìzhǎo　{ shuōyìshuō　{ xuéyìxué

今年
jīnnián

一九九八　年
yījiǔjiǔbā nián

一九九一　年　十二月　二十九　日　星期日
yījiǔjiǔyī nián shí'èryuè èrshíjiǔ rì xīngqīrì

二〇〇五　年　六月　一　日　上午　十　时　（点）
èrlínglíngwǔ nián liùyuè yī rì shàngwǔ shí shí（diǎn）

三、做下列替换练习（Do the following substitution drills）：

1.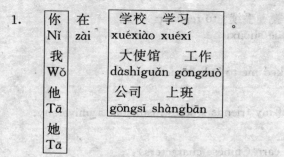

你　在　　学校　学习　　　。
Nǐ　zài
　　　　　　xuéxiào xuéxí

我　　　　大使馆　　工作
Wǒ
　　　　　dàshǐguǎn gōngzuò

他　　　　公司　　上班
Tā
　　　　　gōngsī shàngbān

她
Tā

2.

你们　是　　老　朋友　　　。
Nǐmen shì　lǎo péngyǒu

我们　　　　新　朋友
Wǒmen　　　xīn péngyǒu

他们　　　　好　朋友
Tāmen　　　hǎo péngyǒu

她们
Tāmen

3.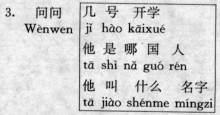

问问　几　号　开学　　　　。
Wènwen jǐ hào kāixué

他 是 哪 国 人
tā shì nǎ guó rén

他 叫 什么 名字
tā jiào shénme míngzi

四、把下列句子译成汉语（Translate the following sentences into Chinese）：

1. I have just arrived in Beijing. I have not known it very much.

2. Mary is going to register at the university tomorrow.

$$\left(\begin{array}{ll} 入\ 学\ \ 手续 & to\ register \\ rù\ xué\ shǒuxù & \end{array}\right)$$

3. He asked me to help him.

4. One of my friends studies history at a university.

五、学汉字 (Learn Chinese characters)：

木　　　李　　树　　林

艹　　　茶　　花　　苹

讠　　　说　　话　　请

第十三课　　Lesson　13
Dì-shísān kè

北京　的　天气　　Beijing's Weather
Běijīng de tiānqì

课　文　　Text
Kèwén

(一)

史密斯　先生：　我　来　北京　一　个　多　月　了，还　不
Shǐmìsī xiānsheng：Wǒ lái Běijīng yí ge duō yuè le, hái bù
　　　　　　　　习惯　这儿　的　天气。　昨天　　天气
　　　　　　　　xíguàn zhèr de tiānqì. Zuótiān tiānqì
　　　　　　　　非常　好，　今天　却　刮　风　了。
　　　　　　　　fēicháng hǎo, jīntiān què guā fēng le.
　张　老师：是　啊，这　就　是　北京　的　春天，　你　最
Zhāng lǎoshī：Shì a, zhè jiù shì Běijīng de chūntiān, nǐ zuì
　　　　　　　好　常　听听　天气　预报。
　　　　　　　hǎo cháng tīngting tiānqì yùbào.
　史密斯：　张　老师，北京　的　夏天　　怎么样？
　Shǐmìsī：Zhāng lǎoshī, Běijīng de xiàtiān zěnmeyàng?
　　张：　有　时候　很　热，气温　最　高　到
　Zhāng：Yǒu shíhou hěn rè, qìwēn zuì gāo dào
　　　　三十五、六度[1]，七、八　月　　常常　　下
　　　　sānshíwǔ, liùdù, qī, bā yuè chángcháng xià
　　　　雨，比较　潮湿。
　　　　yǔ, bǐjiào cháoshī.

词 语　　New Words and Phrases
Cíyǔ

1. 习惯	(v. ; n.)	xíguàn	to be used to; habit
2. 却	(adv.)	què	however, but
3. 刮风		guāfēng	windy
刮	(v.)	guā	to blow
风	(n.)	fēng	wind
4. 春天	(n.)	chūntiān	spring
5. 天气预报		tiānqì yùbào	weather forecast
6. 夏天	(n.)	xiàtiān	summer
7. 热	(adj.)	rě	hot
8. 气温	(n.)	qìwēn	temperature
9. 高	(adj.)	gāo	high, tall
10. 下雨		xiàyǔ	to rain
11. 潮湿	(adj.)	cháoshī	damp, humid, wet

(二)

北京　一　年　有　四季，　春天、　夏天、　秋天　和
Běijīng　yì　nián　yǒu　sìjì,　chūntiān,　xiàtiān　qiūtiān　hé

冬天。
dōngtiān.

　　春天　比较　短，　天气　很　暖和，　有　时候　刮
　　Chūntiān bǐjiào duǎn, tiānqì hěn nuǎnhuo, yǒu shíhou guā

风。树　绿　了，花　开　了，给　大家　带来　了　新　的　感觉。
fēng. Shù lǜ le, huā kāi le, gěi dàjiā dàilái le xīn de gǎnjué.

　　六月　到　八月　是　北京　的　夏天，　天气　没有
　　Liùyuè dào báyuè shì Běijīng de xiàtiān, tiānqì méiyǒu

南方　热⁽²⁾。只有　几　天　气温　比较　高。在　这　个　季节，
nánfāng　rè.　Zhǐyǒu　jǐ　tiān　qìwēn bǐjiào gāo. Zài zhè ge jìjié,

人们　都　喜欢　去　游泳。
rénmen dōu xǐhuan qù yóuyǒng.

秋天　的　天气　很好。不　冷　也　不　热，是　旅游　的
Qiūtiān de tiānqi hěnhǎo. Bù lěng yě bú rè, shì lǚyóu de

好　季节。
hǎo　jìjié.

冬天　比较　长，有　四、五　个　月。有　时候　下
Dōngtiān bǐjiào cháng, yǒu sì wǔ ge yuè. Yǒu shíhou xià

雪。爱好　滑冰　的　人　非常　喜欢　北京　的　冬天。
xuě. Àihào huábīng de rén fēicháng xǐhuān Běijīng de dōngtiān.

词　语　　　New Words and Phrases
Cíyǔ

1. 季(节)　(n.)　jì(jié)　season
2. 秋天　(n.)　qiūtiān　autumn
3. 冬天　(n.)　dōngtiān　winter
4. 短　(adj.)　duǎn　short
5. 暖和　(adj.)　nuǎnhuo　warm
6. 树　(n.)　shù　tree
7. 绿　(adj.)　lù　green
8. 花儿　(n.)　huār　flower
9. 开　(v.)　kāi　to blossom, to open
10. 大家　(pron.)　dàjiā　everybody
11. 带来　(v.)　dàilái　to bring
12. 感觉　(n.; v.)　gǎnjué　feeling; to feel
13. 南方　(n.)　nánfāng　the south

14. 只有		zhǐyǒu	only
15. 游泳	（v.；n.）	yóuyǒng	to swim；swimming
16. 冷	（adj.）	lěng	cold
17. 雪	（n.）	xuě	snow
18. 大	（adj.）	dà	big，large，heavy
19. 爱好	（v.；n.）	àihào	to be keen about；a hobby
20. 滑冰		huábīng	to skate

补充词语　　Supplementary Words
Bǔchōng cíyǔ　　and Phrases

1. 晴天	（n.）	qíngtiān	fine day
2. 太阳	（n.）	tàiyáng	the sun
3. 阴天	（n.）	yīntiān	overcast sky，cloudy day
4. 风沙	（n.）	fēngshā	wind and dust
5. 雾	（n.）	wù	fog，mist
6. 污染	（n.；v.）	wūrǎn	pollution；to pollute
7. 零下	（n.）	líng xià	below zero，minus

注　解　　Notes
Zhùjiě

(1) "气温最高到三十五、六度（Qìwēn zuì gāo dào sānshíwǔ，liù dù）。"

副词"最"常用在形容词或一部分动词前表示程度的最高。

The adverb "最（zuì）" is used before adjectives and some verbs to express the superlative degree.

For example：

北京　秋天　的　天气　最　好。
Běijīng qiūtiān de tiānqì zuì hǎo.

张　老师　是　最　好　的　汉语　老师。
Zhāng lǎoshī shì zuì hǎo de Hànyǔ lǎoshī.

他　最　喜欢　吃　饺子。
Tā zuì xǐhuān chī jiǎozi.

(2)　"天气没有南方热（Tiānqì méi yǒu nánfāng rè）。"

"有"可以用来表示比较，它说明：第一种事物达到了第二种事物的程度。这种方式的比较，多用于疑问句。其否定式用"没有"。

"有（yǒu）" can be used for making comparisons. It is often used in interrogative sentence. "没有（méiyǒu）" is the negative form.

For example：

北京　有　上海　热　吗？
Běijīng yǒu Shànghǎi rè ma?

老　王　没有　老　李　高。
Lǎo Wáng méiyǒu Lǎo Lǐ gāo.

练　习　Exercises
Liànxí

一、读下列拼音 (Read the following syllables)：

1.
Shǐmìsī	liǎng ge yuè	bù xíguàn
Zhāng lǎoshī	rè bú rè	bǐjiào duǎn
hěn nuǎnhe	xīn gǎnjué	yǒu shíhòu
Běijīng rén	hǎo jìjié	hěn liángkuài

2.
liángkuài	lǚyóu	zuì gāo	àihào
liǎng kuài	lǜ shù	zuì hǎo	ànzhào

$\begin{cases} \text{nánfāng} \\ \text{nuǎnhe} \end{cases}$ $\begin{cases} \text{gǎnjué} \\ \text{gānjìng} \end{cases}$ $\begin{cases} \text{xíguàn} \\ \text{qíguài} \end{cases}$ $\begin{cases} \text{jìjié} \\ \text{zìxué} \end{cases}$

二、做下列替换练习(Do the following substitution drills)：

1.

春天， 夏天 Chūntiān, xiàtiān	最 zuì	好；热；冷； 凉快； hǎo；rè；lěng；liángkuài；
秋天， 冬天 Qiūtiān, dōngtiān	比较 bǐjiào	潮湿 cháoshī

2. 我 来 北京 两 个 月 了。
   Wǒ lái Běijīng liǎng ge yuè le.

   学习 汉语 五 年
   xuéxí Hànyǔ wǔ nián

   教 法语 三 个 星期
   jiāo Fǎyǔ sān ge xīngqī

3. 北京 有 上海 热 吗？
   Běijīng yǒu Shànghǎi rè ma?

   没有，北京 没有 上海 热。
   Méi Běijīng méiyǒu Shànghǎi rè.

广州 Guǎngzhōu	哈尔滨 Hā'ěrbīn	冷 lěng
春天 Chūntiān	秋天 qiūtiān	好 hǎo

4. 有 时候 很 热，气温 最 高 三十四、五度。
   Yǒu shíhou hěn rè, qìwēn zuì gāo sānshísì, wǔdù.

秋天 很 好，气温，二十一、二 Qiūtiān hěn hǎo, qìwēn, èrshíyī, èr
冬天 比较 冷，气温，三、四 Dōngtiān bǐjiào lěng, qìwēn, sān, sì
他 感冒 了，发烧，三十八 Tā gǎnmào le, fāshāo, sānshíbā

三、读下列词、词组和句子(Read the following words, phrases and

sentences）：

1. 冷
   lěng

   比较 冷
   bǐjiào lěng

   冬天 比较 冷
   dōngtiān bǐjiào lěng

   北京 的 冬天 比较 冷。
   Běijīng de dōngtiān bǐjiào lěng.

   北京 的 冬天 最 冷。
   Běijīng de dōngtiān zuì lěng.

   南方 的 冬天 没有 北京 的 冬天 冷。
   Nánfāng de dōngtiān méiyǒu Běijīng de dōngtiān lěng.

2. 习惯
   xíguàn

   习惯 北京 的 天气
   xíguàn Běijīng de tiānqì

   我 习惯 北京 的 天气。
   Wǒ xíguàn Běijīng de tiānqì.

   我 习惯 北京 春天 的 天气。
   Wǒ xíguàn Běijīng chūntiān de tiānqì.

   我 不 习惯 北京 春天 的 天气。
   Wǒ bù xíguàn Běijīng chūntiān de tiānqì.

四、翻译下列句子（Translate the following sentences into Chinese）：

1. I have been studying Chinese for one year.

2. Are you used to the weather in Beijing?

3. You should listen to the weather forecast often.

4. Autumn is a good season for travelling.

5. Sometimes the temperature reaches thirty-eight or thirty-nine degrees.

6. Autumn is the best season in Beijing.

7. In the summer, all Beijingers like to swim.

8. There are four seasons in Beijing. They are spring, summer, autumn and winter.

五、将下列汉语译成英语（Translate the following sentences into English）：

1. 你们 国家（country）的 夏天 热 不 热？
   Nǐmen guójiā   de xiàtiān rè bú rè?

2. 你们 国家 的 天气 怎么样？
   Nǐmen guójiā de tiānqì zěnmeyàng?

3. 北京 的 夏天 不 太 热， 上海 的 夏天 比较
   Běijīng de xiàtiān bú tài rè, Shànghǎi de xiàtiān bǐjiào
   热， 广州 的 夏天 最 热。
   rè, Guǎngzhōu de xiàtiān zuì rè.

4. 爱好 旅游 的 人 最 喜欢 北京 的 秋天。
   Àihào lǚyóu de rén zuì xǐhuān Běijīng de qiūtiān.

5. 我　来　中国　已经　三　年　了。已经　习惯
   Wǒ lái Zhōngguó yǐjīng sān nián le. Yǐjīng xíguàn
   北京　的　天气　了。我　喜欢　夏天　去　游泳，
   Běijīng de tiānqì le. Wǒ xǐhuān xiàtiān qù yóuyǒng,
   冬天　去　滑冰。
   dōngtiān qù huábīng.

六、学汉字 (Learn Chinese Characters)：

氵　　　酒　　游　　泳

心　　　您　　想　　意

忄　　　忙　　愉　　快

第十四课　　Lesson 14
Dì-shísì kè

这 个 不 算 贵　　It Is Not Expensive
Zhè ge bú suàn guì

课 文　　Text
Kèwén

(一)

布朗　夫人：你　常　来　这 个　集贸　市场　买　东西
Bùlǎng fūren：Nǐ cháng lái zhè ge jímào shìchǎng mǎi dōngxi

吗？
ma?

史密斯　夫人：有　时候　来　这儿，有　时候　也 去　友谊
Shǐmìsī fūren：Yǒu shíhòu lái zhèr, yǒu shíhòu yě qù Yǒuyì

商店，　你 呢？
Shāngdiàn, nǐ ne?

布朗　夫人：我　经常　来　这儿。这儿 的 菜　非常
Bùlǎng fūren：Wǒ jīngcháng lái zhèr. Zhèr de cài fēicháng

新鲜。
xīnxiān.

史密斯　夫人：对。但是 这儿 的 人 太 多。
Shǐmìsī fūren：Duì. Dànshì zhèr de rén tài duō.

· 106 ·

摊商：　您　来　一点儿　什么？
Tānshāng：Nín lái yìdiǎnr shénme?

史密斯 夫人：　西红柿　一　公斤　多少　钱？
Shǐmìsī fūrén：Xīhóngshì yì gōngjīn duōshǎo qián?

摊商：　四　块　八。您　来　一点儿　吧！
Tānshāng：Sì kuài bā. Nín lái yìdiǎnr ba!

史密斯 夫人：你　的　太　贵　了[1]。友谊　商店　的　便宜，
Shǐmìsī fūrén：Nǐ de tài guì le. Yǒuyì Shāngdiàn de piányi,

四　块。
sì kuài.

摊商：　不　算　贵。您　看，又　大　又　新鲜。
Tānshāng：Bú suàn guì. Nín kàn, yòu dà yòu xīnxiān.

史密斯 夫人：好，要　两　公斤　吧！
Shǐmìsī fūrén：Hǎo, yào liǎng gōngjīn ba!

词　语　New Words and Phrases
Cíyǔ

1. 不算贵　　　　　　bú suàn guì　　not expensive
   算　　（v.）　　　suàn　　　　　to regard as
   贵　　（adj.）　　guì　　　　　 expensive
2. 集贸市场（n.）　jímào shìchǎng　free market
   市场　（n.）　　shìchǎng　　　market
3. 友谊商店（n.）　Yǒuyì Shāngchǎng　Friendship Store
   友谊　（n.）　　yǒuyì　　　　　friendship
   商店　（n.）　　shāngdiàn　　　store, shop
4. 经常　（adv.）　jīngcháng　　　often
5. 菜　　（n.）　　cài　　　　　　vegetable

6. 新鲜	(adj.)	xīnxiān	fresh
7. 摊商	(n.)	tānshāng	street pedlar
8. 来	(v.)	lái	to want, to need
9. 西红柿	(n.)	xīhóngshì	tomato
10. 便宜	(adj.)	piányi	cheap
11. 又……又……		yòu...yòu...	both...and, as well as

(三)

这 几 年，北京 的 自由 市场 越来越 多。有
Zhè jǐ nián, Běijīng de zìyóu shìchǎng yuèláiyuè duō. Yǒu

卖 衣服 的，卖 菜 的，卖 手工艺 品 的；晚上 还
mài yīfu de, mài cài de, mài shǒugōngyì pǐn de; wǎnshang hái

有 小 吃 夜市。东西 新鲜，服务 好，价钱 也 可以
yǒu xiǎo chī yèshì. Dōngxi xīnxiān, fúwù hǎo, jiàqián yě kěyǐ

商量。 所以 很多 人 愿意 来 这些 地方。不 少
shāngliàng. Suǒyǐ hěnduō rén yuànyì lái zhèxiē dìfāng. Bù shǎo

外国 朋友 也 喜欢 来 逛逛。 他们 不但 可以
wàiguó péngyǒu yě xǐhuan lái guàngguang. Tāmen búdàn kěyǐ

了解 北京 人 的 生活，买 一些 有 意思 的 东西，
liǎojiě Běijīng rén de shēnghuó, mǎi yìxiē yǒu yìsi de dōngxi,

还 可以 尝尝 地道 的 风味 小吃。
hái kěyǐ chángchang dìdào de fēngwèi xiǎochī.

词 语 New Words and Phrases
Cíyǔ

1. 这几年	zhè jǐ nián	in recent years

2.	自由	(adj.；n.)	zìyóu	free；freedom
3.	越来越……		yuèláiyuè…	more and more
4.	卖	(v.)	mài	to sell
5.	衣服	(n.)	yīfu	clothing，clothes
6.	手工艺品	(n.)	shǒugōngyìpǐn	arts and crafts supplies
7.	晚上	(n.)	wǎnshàng	evening，night
8.	小吃	(n.)	xiǎochī	snacks
9.	夜市	(n.)	yèshì	night market
10.	服务	(v.；n.)	fúwù	to serve；service
11.	价钱	(n.)	jiàqián	price
12.	商量	(v.)	shāngliàng	to consult，to discuss
13.	地方	(n.)	dìfāng	place，part
14.	外国	(n.；adj.)	wàiguó	foreign country；foreign
15.	逛	(v.)	guàng	to stroll，to window-shop
16.	不但……还		búdàn…hái	not only…but also
17.	了解	(v.)	liǎojiě	to understand，to learn
18.	生活	(n.)	shēnghuó	life
19.	尝	(v.)	cháng	to taste
20.	一些	(m.)	yìxiē	some，a number of
21.	地道	(adj.)	dìdao	real，pure
22.	风味	(n.)	fēngwèi	regional flavour（taste）

补充词语　　Supplementary Words
Bǔchōng cíyǔ　　and Phrases

1.	古董	(n.)	gǔdǒng	antique
2.	漂亮	(adj.)	piàoliàng	beautiful，smart，good-

looking

3. 商业区　　　　　　shāngyèqū　　commercial district
4. 百货大楼　(n.)　bǎihuò dàlóu　department store
5. 家具店　　(n.)　jiājùdiàn　　　furniture store

注　解　Notes
Zhùjiě

(1) "你的太贵了 (Nǐ de tài guì le)。"

名词、代词、形容词、动词等后边加上助词"的"有表示人或事物名称的作用。这样的结构叫做"的"字结构。"的"字结构相当于一个名词，可以作主语、谓语、宾语等。

The particle "的(de)" can be put after a noun, pronoun, adjective, or verb to form a "的(de)" construction, which can be used as a subject, object or predicate.

For example：

我　买　这儿　的，也　买　友谊　　商店　　的。
Wǒ mǎi zhèr de, yě mǎi Yǒuyì Shāngdiàn de.

他　喝　的　是　啤酒，不　是　咖啡。
Tā hē de shì píjiǔ, bú shì kāfēi.

练　习　Exercises
Liànxí

一、读下列拼音 (Read the following syllables)：

1. xīhóngshì　duōshǎo qián　yǒuyìsi

jímàoshìchǎng Yǒuyì Shāngdiàn yuèláiyuè duō

xiǎochī yèshì shǒugōngyìpǐn　fēngwèixiǎochī

2.
{ chángcháng Cháng chéng	{ dìdao tígāo	{ xīnxiān qīngxián	{ sì kuài shí kuài
{ yuànyì yuányì	{ érqiě érzi	{ yǒuyì yóuyù	{ búdàn bùduǎn

二、做下列替换练习 (Do the following substitution drills)：

1. 你 看，这儿 的 西红柿 又 大 又 新鲜。
   Nǐ kàn, zhèr de xīhóngshì yòu dà yòu xīnxiān.

> 这 个 市场 的 东西， 多， 好
> Zhè ge shìchǎng de dōngxi, duō, hǎo
> 这儿 小吃， 地道， 便宜
> Zhèr xiǎochī, dìdào, piányì
> 北京 的 秋天， 舒服， 凉快
> Běijīng de qiūtiān, shūfu, liángkuài

2. 北京 的 自由 市场 越 来 越 多。
   Běijīng de zìyóu shìchǎng yuè lái yuè duō.

> 他们 的 服务， 好
> Tāmen de fúwù, hǎo
> 布朗 先生 的 汉语， 地道
> Bùlǎng xiānsheng de Hànyǔ, dìdao
> 北京 的 冬天， 暖和
> Běijīng de dōngtiān, nuǎnhuo
> 他们 的 公司， 大
> Tāmen de gōngsī, dà

3. 玛丽 不 但 懂 汉语，还 懂 日语。
   Mǎlì bú dàn dǒng Hànyǔ, hái dǒng Rìyǔ.

这儿，可以 买 到 菜，可以 买 到 手工艺 品
Zhèr, kěyǐ mǎi dào cài, kěyǐ mǎi dào shǒugōngyì pǐn

友谊 商店， 卖 衣服，卖 饮料
Yǒuyì Shāngdiàn, mài yīfu, mài yǐnliào

这 个 市场 的 菜， 新鲜， 便宜。
Zhè ge shìchǎng de cài, xīnxiān, piányi.

三、读下列词、词组和句子 (Read the following words, phrases and sentences)：

1. 来
   lái

   来 一 公斤
   lái yì gōngjīn

   来 一 公斤 西红柿。
   Lái yì gōngjīn xīhóngshì.

   来 一 公斤 西红柿， 多少 钱？
   Lái yì gōngjīn xīhóngshì, duōshǎo qián?

   来 一 公斤 西红柿 和 一 公斤 苹果， 一共
   Lái yì gōngjīn xīhóngshì hé yì gōngjīn píngguǒ, yígòng

   多少 钱？
   duōshǎo qián?

2. 贵
   guì

   不 贵
   bú guì

   不 算 贵
   bú suàn guì

   苹果 不 算 贵
   Píngguǒ bú suàn guì.

   一 公斤 苹果 六 块 钱 不 算 贵。
   Yì gōngjīn píngguǒ liù kuài qián bú suàn guì.

四、选择正确的词填空 (Choose the appropriate words to fill in the

· 112 ·

blanks)：

1. 你 _____ 来 这 个 夜市 吗？ （经常； 非常）
   Nǐ _____ lái zhè ge yèshì ma? (jīngcháng; fēicháng)

2. 这儿 的 菜 非常 新鲜 _____ 人 太 多。(可是；
   Zhèr de cài fēicháng xīnxiān _____ rén tài duō. (kěshì;
   还是）
   háishì)

3. 我 _____ 去 集贸 市场 _____ 去 友谊
   Wǒ _____ qù jímào shìchǎng _____ qù Yǒuyì
   商店。 （有时候； 有时间）
   Shāngdiàn. (yǒushíhou; yǒushíjiān)

4. 李 老师 _____ 能 说 英语 _____ 能 说
   Lǐ lǎoshī _____ néng shuō Yīngyǔ _____ néng shuō
   法语。 (因为……所以； 不但……还)
   Fǎyǔ. (yīnwèi……suǒyǐ; búdàn……hái)

5. 集贸 市场 有 卖 _____ 有 卖 _____ 还 有
   Jímào shìchǎng yǒu mài _____ yǒu mài _____ hái yǒu
   卖 _____ 。（衣服， 菜， 小吃； 衣服的， 菜的，
   mài _____ 。 (yīfu, cài, xiǎochī; yīfude, càide,
   小吃的)
   xiǎochīde)

五、读下列"的"字词组并造句（Read the following "de" construction phrases and make sentences）：

我 的   贵 的   中国的
wǒ de   guì de   Zhōngguóde

他们 的   喝 的   自由 市场 的
tāmen de   hē de   zìyóu shìchǎng de

老师 的   卖 的   友谊 商店 的
lǎoshī de   mài de   Yǒuyì Shāngdiàn de

便宜 的
piányi de

六、根据课文内容回答下列问题（Answer the following questions about the text）：

1. 布朗 夫人 经常 去买 东西 吗？
   Bùlǎng fūren jīngcháng qù mǎi dōngxi ma?

2. 摊商 的 西红柿 多少 钱 一 公斤？友谊
   Tānshāng de xīhóngshì duōshǎo qián yì gōngjīn? Yǒuyì
   商店 的 西红柿 多少 钱 一 公斤？史密斯
   Shāngdiàn de xīhóngshì duōshǎo qián yì gōngjīn? Shǐmìsī
   夫人 买 了 几 公斤？
   fūren mǎi le jǐ gōngjīn?

3. 这 几 年，北京 的 什么 市场 越来越 多？
   Zhè jǐ nián, Běijīng de shénme shìchǎng yuèláiyuè duō?

4. 很多 人 愿意 去 什么 地方？
   Hěnduō rén yuànyì qù shénme dìfāng?

5. 不 少 外国 朋友 喜欢 逛 什么 地方？
   Bù shǎo wàiguó péngyǒu xǐhuān guàng shénme dìfāng?

七、学汉字（Learn Chinese characters）：

日	明	晚	是
辶	这	还	逛
扌	打	找	招

第十五课　　Lesson　15
Dì-shíwǔ kè

中国　菜　真　好　吃!　　How Delicious Chinese
Zhōngguó càizhēn hǎo chī!　　　　Food Is!

课　文　　Text
Kèwén

(一)

老 李：米勒　先生，　我们　要　什么　菜?
Lǎo Lǐ：Mǐlè xiānsheng, wǒmen yào shénme cài?

米勒　先生：　听　你　的。
Mǐlè xiānsheng：Tīng nǐ de.

服务员：　您　二位　想　用　点儿　什么?
Fúwùyuán：Nín èrwèi xiǎng yòng diǎnr shénme?

老 李：来　一　个　糖醋鱼，一　个　辣子鸡丁。
Lǎo Lǐ：Lái yí gè tángcùyú, yí gè làzijīdīng.

服务员：　要　汤　吗?
Fúwùyuán：Yào tāng ma?

老 李：来　一　个　酸辣汤。
Lǎo Lǐ：Lái yí gè suānlàtāng.

服务员：　要　什么　饮料?
Fúwùyuán：Yào shénme yǐnliào?

老 李：我　要　一　瓶　啤酒。米勒　先生，　你　呢?
Lǎo Lǐ：Wǒ yào yì píng píjiǔ. Mǐlè xiānsheng, nǐ ne?

米勒：我　来　一　杯　葡萄酒　吧。
Mǐlè：Wǒ lái yì bēi pútaojiǔ ba.

服务员： 还 要 别 的 吗?
Fúwùyuán：Hái yào bié de ma?

米勒： 听说 这儿 的 饺子 不错，请 给 我们
Mǐlè：Tīngshuō zhèr de jiǎozi bú cuò, qǐng gěi wǒmen

来 两 盘。
lái liǎng pán.

服务员： 好。
Fúwùyuán：Hǎo.

(二)

服务员： 这 是 饺子。菜 齐 了。
Fúwùyuán：Zhè shì jiǎozi. Cài qí le.

老 李：菜 的 味道 不 错。
Lǎo Lǐ：Cài de wèidào bú cuò.

米勒：真 好 吃。饺子 也 很 好。
Mǐlè：Zhēn hǎo chī. Jiǎozi yě hěn hǎo.

老 李： 中国 菜各地 风味 不 同，在 北京 都
Lǎo Lǐ：Zhōngguó cài gèdì fēngwèi bù tóng, zài Běijīng dōu

可以 吃 到。
kěyǐ chī dào.

米勒： 希望 以后 都 能 尝尝。
Mǐlè：Xīwàng yǐhòu dōu néng chángchang.

词 语　　New Words and Phrases
Cíyǔ

1. 菜　　　(n.)　cài　　　dish
2. 好吃　　　　　hǎo chī　tasty，delicious
3. 听你的　　　　tīng nǐ de　it is up to you

4. 服务员	(n.)	fúwùyuán	attendant, waiter, waitress
5. 用	(v.)	yòng	to eat, to drink
6. 糖醋鱼	(n.)	tángcùyú	sweet and sour fish
7. 辣子鸡丁	(n.)	làzijīdīng	diced hot chicken
丁	(n.)	dīng	cube
8. 酸辣汤	(n.)	suānlàtāng	vinegar-pepper soup, hot and sour soup
汤	(n.)	tāng	soup
9. 瓶	(m.)	píng	bottle (a measure word)
10. 啤酒	(n.)	píjiǔ	beer
11. 杯	(m.)	bēi	cup (a measure word)
12. 葡萄酒	(n.)	pútaojiǔ	grape wine
13. 听说		tīngshuō	to hear, it is said...
听	(v.)	tīng	to hear, to listen
14. 饺子	(n.)	jiǎozi	dumpling
15. 盘	(m.)	pánr	plate, dish (a measure word)
16. 好		hǎo	all right, OK
17. 菜齐了		cài qí le	it is all
18. 味道	(n.)	wèidào	taste, flavour
19. 各地		gèdì	each place, each part of the country
20. 不同		bù tóng	different
21. 希望	(v.)	xīwàng	to hope

(三)

米勒　　先生　　喜欢　吃　　中国　　菜，但是　有　些
Mǐlè　xiānsheng　xǐhuān　chī　Zhōngguó　cài，dànshì　yǒu　xiē

菜名 他 说 不 好。老 李 给 米勒 先生 讲 了一
càimíng tā shuō bù hǎo. Lǎo Lǐ gěi Mǐlè xiānsheng jiǎng le yí

个 笑话。 有 个 人 到 一 个 小 饭馆 吃饭，他 把
ge xiàohuà. Yǒu gè rén dào yí gè xiǎo fànguǎn chī fàn, tā bǎ

"辣子鸡丁" 说成 "辣子七丁"[1]。 一 会儿 服务员
"làzijīdīng" shuōchéng làziqīdīng". Yí huìr fúwùyuán

端上 一 盘 菜，里边 有 胡萝卜 丁、土豆 丁、肉
duānshàng yì pán cài, lǐbiān yǒu húluóbo dīng, tǔdòu dīng, ròu

丁、 黄瓜 丁、 青椒 丁、……他 皱皱 眉。
dīng, huángguā dīng, qīngjiāo dīng, …… Tā zhòuzhòu méi.

可是 尝 了 一 下儿，他 高兴 地 对 服务员 说：
Kěshì cháng le yì xiàr, tā gāoxìng de duì fúwùyuán shuō:

"辣子七丁 好 极 了!"
"Làziqīdīng hǎo jí le!"

词 语　　New Words and Phrases
Cíyǔ

1. 名　　　(n.)　　míng　　　　name
2. 讲　　　(v.)　　jiǎng　　　　to tell, to talk
3. 笑话　　(n.)　　xiàohua　　　joke
4. 小饭馆　　　　xiǎo fànguǎn　small restaurant
　　小　　(adj.)　xiǎo　　　　small
　　饭馆　　(n.)　　fànguǎn　　restaurant
5. 把　　　(prep.)　bǎ　　　　(a preposition)
6. 说成　　　　　shuōchéng　to turn into, to call
7. 端上　　　　　duānshang　to serve, to bring up
8. 胡萝卜　(n.)　húluóbo　　carrot
9. 土豆　　(n.)　tǔdòu　　　potato

10.	肉	(n.)	ròu	meat
11.	黄瓜	(n.)	huángguā	cucumber
12.	青椒	(n.)	qīngjiāo	green pepper
13.	皱(皱)眉		zhòu(zhòu)méi	to knit one's brows
14.	好极了		hǎo jí le	excellent
	极	(adv.)	jí	extremely

补充词语　Supplementary Words
Bǔchōng cíyǔ　and Phrases

1.	菜单	(n.)	càidān	menu
2.	鸡尾酒	(n.)	jīwěijiǔ	cocktail
3.	牛肉	(n.)	niúròu	beef
4.	羊肉	(n.)	yángròu	mutton
5.	猪肉	(n.)	zhūròu	pork
6.	虾	(n.)	xiā	prawn
7.	果酱	(n.)	guǒjiàng	jam
8.	面包	(n.)	miànbāo	bread
9.	黄油	(n.)	huángyóu	butter
10.	筷子	(n.)	kuàizi	chopsticks
11.	勺	(n.)	sháo	spoon
12.	叉子	(n.)	chāzi	fork
13.	刀子	(n.)	dāozi	knife
14.	餐厅	(n.)	cāntīng	dining room, restaurant

注 解　Notes
Zhùjiě

(1)　"他把'辣子鸡丁'说成'辣子七丁'（Tā bǎ 'làzijīdīng'
　　　shuōchéng 'làziqīdīng'）。"

　A. 汉语里有一种用介词"把"的句子，叫做"把"字句。它的作
　　 用是通过介词"把"将动词的宾语提前，来强调对宾语的
　　 处置。在"把"字句中，动词后边一般有其他成分（如补语、
　　 动词词尾"了"或者重叠动词等）。

　　 In Chinese, a sentence that takes the preposition "把(bǎ)"
　　 is called a "把(bǎ)" sentence. The purpose of the "ba"
　　 sentence is to emphasize the object of the sentence by plac-
　　 ing it before the verb. In a "把(bǎ)" sentence the verb is
　　 generally followed by other elements (such as a comple-
　　 ment, the verbal suffix "了(le)" or a repeated verb). The
　　 word-order of the "把(bǎ)" sentence is as follows:

　　　　主语 ——— "把" ——— 宾语 ——— 动词 ———
　　　　Subject ——— "bǎ" ——— object ——— verb
　　　　其他成分
　　　　other elements

　B. "把(bǎ)"的宾语一般是特指的。

　　 The object of "把(bǎ)" usually refers to something defi-
　　 nite. Compare the following two sentences:

　　　他 买 来 一 本 书。
　　　Tā mǎi lái yì běn shū.
　　　他 把 那 本 书 买 来 了。
　　　Tā bǎ nà běn shū mǎi lái le.

　C. 如果有否定副词或助动词，必须把它们放在"把(bǎ)"的前
　　 边。

　　 If a negative adverb or an auxilary verb is used in a "把

(bǎ)″ sentence, it must be placed before the ″把(bǎ)″.

For example：

他们　没(有)　把　电话　修好。
Tāmen méi(yǒu) bǎ diànhuà xiūhǎo.

我　想　把　中文　学好。
Wǒ xiǎng bǎ Zhōngwén xuéhǎo.

D. 有的句子如果说话人不特别强调处置意义,也可以不用
"把"字句。

If a speaker does not want to emphasize the object of a sentence, the ″把(bǎ)″ construction is not necessary.

For example：

我　想　学　好　中文。
Wǒ xiǎng xué hǎo Zhōngwén.

他　没(有)　看完　这　本　书。
Tā méi(yǒu) kànwán zhè běn shū.

练　习　Exercises
Liànxí

一、读下列拼音 (Read the following syllables)：

1. Tǔdòu, wōsǔn, làqīngjiāo,
   qiézi, biǎndòu, lǜ suànmiáo.
   Hǎo dà de huángguā,
   Nǐmen shéi yào?

2. 把 "妈"　说成　"马",不　知道　说　的　是 "妈"
   Bǎ ″mā″ shuōchéng ″mǎ″, bù zhīdào shuō de shì ″mā″
   还是 "马"。
   háishì ″mǎ″.

   把 "鸡"　说成　"七",不　知道　是 "七 只 鸡 还是
   Bǎ ″jī″ shuōchéng ″qī″, bù zhīdào shì ″qī zhī jī háishì

七十七"。
qīshíqī. "

二、把下列词语译成汉语（Translate the following phrases into Chinese）:

1. to go to a restaurant to have dinner

2. two bottles of beer

3. to like eating Chinese food

4. carrot and potato

5. to tell a joke

三、做下列替换练习（Do the following substitution drills）:

1.

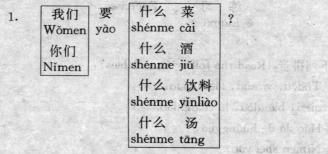

我们 要 什么 菜 ?
Wǒmen yào shénme cài

你们 什么 酒
Nǐmen shénme jiǔ

什么 饮料
shénme yǐnliào

什么 汤
shénme tāng

2. 希望　能　

尝尝
chángchang

看看
kànkan

听听
tīngting

学习　学习
xuéxi xuéxi

。

3. 请　把　汽车　修理　一下儿。
Qǐng bǎ　qìchē　xiūlǐ　yíxiàr.

电话
diànhuà

电视
diànshì

四、把下列句子改成"把"字句（Turn the following into "把（ba）"

sentences）：

例（Model）：

我　喝完　茶　了。→　我　把那　杯　茶　喝完　了。
Wǒ hēwán chá le. →　Wǒ bǎ nà bēi chá hēwán le.

1）他　吃完　菜　了。
Tā chīwán cài le.

2）我　想　学好　中文。
Wǒ xiǎng xuéhǎo Zhōngwén.

3）我　写完　信　了。
Wǒ xiěwán xìn le.

五、完成下列句子（Fill in the blanks）：

1. A：您　二　位　想　＿＿＿＿＿点儿　＿＿＿＿＿？
Nín èr wèi xiǎng ＿＿＿＿ diǎnr ＿＿＿＿？

B：请　＿＿＿＿＿　一　个　糖醋鱼，再　＿＿＿＿＿　三　瓶
Qǐng ＿＿＿＿ yí gè tángcùyú, zài ＿＿＿＿ sān píng

啤酒。
píjiǔ.

2. 这 个 菜 味道 _____, 请 ____。
   Zhè gè cài wèidào _____, qǐng ____.

3. 老 李 _____ 他 _____ 一 个 笑话。
   Lǎo Lǐ _____ tā _____ yí gè xiàohuà.

六、学汉字 (Learn Chinese characters)：

二　　　冷　　凉　　冰
竺　　　答　　算　　等
竺　　　字　　家　　完

第十六课　　Lesson 16
Dì-shíliù kè

你打错了　　Wrong Number
Nǐ dǎcuò le

课文　　Text
Kèwén

(一)

史密斯　先生： 喂！ 出租　汽车站　吗？
Shǐmìsī xiānsheng： Wèi！ Chūzū qìchēzhàn ma？

(一个　小姐)： 对不起，你 打错 了。
(yí ge xiǎojiě)： Duìbuqǐ, nǐ dǎcuò le.

汽车站： 喂！ 我 是 出租　汽车站， 您 在 哪？
Qìchēzhàn： Wèi！ Wǒ shì chūzū qìchēzhàn, nín zài nǎr?

史密斯： 我 是 瑞典　大使馆， 我 想 要 一
Shǐmìsī： Wǒ shì Ruìdiǎn dàshǐguǎn, wǒ xiǎng yào yí

辆 出租 汽车。
liàng chūzū qìchē.

汽车站： 您 去 什么　地方？
Qìchēzhàn： Nín qù shénme dìfang?

史密斯： 去 国际 俱乐部。
Shǐmìsī： Qù Guójì Jùlèbù.

汽车站： 您 贵 姓？
Qìchēzhàn： Nín guì xìng?

史密斯： 我 姓 史密斯。 现在 有 车 吗？
Shǐmìsī： Wǒ xìng Shǐmìsī. Xiànzài yǒu chē ma?

汽车站： 有。 您 是 在 大使馆 上 车 吗？
Qìchēzhàn： Yǒu. Nín shì zài dàshǐguǎn shàng chē ma?

史密斯： 是 的。 车 什么 时候 到？
Shǐmìsī： Shì de. Chē shénme shíhòu dào?

汽车站： 过 十 分钟， 汽车 在 大使馆 门
Qìchēzhàn： Guò shí fēnzhōng, qìchē zài dàshǐguǎn mén

前 等 您。 车号 是 二八三六。
qián děng nín. Chēhào shì èrbāsānliù.

(二)

米勒 先生： 喂！ 你 是 丝绸 公司 吗？
Mǐlè xiānsheng： Wèi! Nǐ shì Sīchóu Gōngsī ma?

王 小姐： 是 的， 你 好！
Wáng xiǎojie： Shì de, nǐ hǎo!

米勒： 请 转 三二五。
Mǐlè： qǐng zhuǎn sān èr wǔ.

王： 对不起， 占线。 请 等 一会儿 再 打。
Wáng： Duìbuqǐ, zhànxiàn. Qǐng děng yíhuìr zài dǎ.

*　　*　　*　　*　　*　　*

米勒： 喂！ 你 是 丝绸 公司 吗？
Mǐlè： Wèi! Nǐ shì Sīchóu Gōngsī ma?

李 小姐： 是 的， 你 是 哪儿？
Lǐ xiǎojiě： Shì de, nǐ shì nǎr?

米勒： 我 是 万达 公司 代表。 我 姓 米勒。
Mǐlè： Wǒ shì Wàndá Gōngsī dàibiǎo. Wǒ xìng Mǐlè.

我 想 明天 去 拜访 王 经理。
Wǒ xiǎng míngtiān qù bàifǎng Wáng jīnglǐ.

李：你 打算 什么 时候 来？
Lǐ：Nǐ dǎsuàn shénme shíhòu lái?

米勒：上午 十 点，可以 吗？
Mǐlè：Shàngwǔ shí diǎn, kěyǐ ma?

* * * * * *

李：米勒 先生， 王 经理 明天 上午
Lǐ：Mǐlè xiānsheng, Wáng jīnglǐ míngtiān shàngwǔ

不 在。你 明天 下午 或者 后天
bú zài. Nǐ míngtiān xiàwǔ huòzhě hòutiān

上午 来，可以 吗？
shàngwǔ lái, kěyǐ ma?

米勒：对不起， 请 你 说得 慢 一点儿[1]。
Mǐlè：Duìbuqǐ, qǐng nǐ shuōde màn yìdiǎnr.

李： 王 经理 说， 请 你 明天 下午
Lǐ：Wáng jīnglǐ shuō, qǐng nǐ míngtiān xiàwǔ

或者 后天 上午 来。
huòzhě hòutiān shàngwǔ lái.

米勒：后天 是 星期四，我 星期四 上午 十
Mǐlè：Hòutiān shì xīngqīsì, wǒ xīngqīsì shàngwǔ shí

点 去 吧？
diǎn qù ba?

李： 欢迎。 星期四 见。
Lǐ：Huānyíng. xīngqīsì jiàn.

词 语　　　New Words and Phrases
Cíyǔ

1. 打错了　　　　　　　dǎ cuò le　　　（to dial the）wrong
number

2. 喂　　　（interj.）wèi　　　　hello

3. 出租（汽）车（n.）　chūzū(qì)chē　taxi

4. 站　　　（n.）　zhàn　　　　station

5. 对不起　　　　　　　duìbuqǐ　　　sorry

6. 辆　　　（m.）　liàng　　　　（a measure word）

7. 国际俱乐部（n.）　Guójì Jùlèbù　International Club

国际　　（n.）　guójì　　　　international

8. 贵姓　　　　　　　　guì xìng　　　surname（polite form）

9. 现在　　（n.）　xiànzài　　　now

10. 上车　　　　　　　　shàngchē　　to get in the car

11. 门前　　　　　　　　ménqián　　　at the gate

门　　　（n.）　mén　　　　　door，gate

前　　　（n.）　qián　　　　front

12. 丝绸　　（n.）　sīchóu　　　silk

13. 转　　　（v.）　zhuǎn　　　to switch to

14. 占线　　　　　　　　zhànxiàn　　　the line is busy

15. 代表　　（n.）　dàibiǎo　　　representative

16. 拜访　　（v.）　bàifǎng　　　to call on，to visit

17. 什么时候　　　　　　shénme shíhòu　when，what time

时候　　（n.）　shíhòu　　　time

18. 后天　　（n.）　hòutiān　　　the day after tomorrow

19. 得　　　　　　　　　de　　　　　（a structural particle）

20. 慢　　　　　（adj.）màn　　　　　slow

（三）

布朗　夫人　给　布朗　先生　打　电话，告诉　他
Bùlǎng fūrén gěi Bùlǎng xiānsheng dǎ diànhuà, gàosù tā

孩子　病　了。布朗　先生　回到　家，可是　连　一个　人
háizi bìng le. Bùlǎng xiānsheng huídào jiā, kěshì lián yí ge rén

也　没有　看到⁽²⁾。布朗　先生　正　想　开　车　去
yě méiyǒu kàndào. Bùlǎng xiānsheng zhèng xiǎng kāi chē qù

找　她们　的　时候⁽³⁾，忽然　一　辆　蓝色　汽车　停　在　他　的
zhǎo tāmen de shíhòu, hūrán yí liàng lánsè qìchē tíng zài tā de

面前，车　里　坐着　布朗　夫人　和　孩子。原来，是
miànqián, chē lǐ zuòzhe Bùlǎng fūrén hé háizi. Yuánlái, shì

邻居　史密斯　夫人　把　她们　送到　医院　的⁽⁴⁾。
línjū Shǐmìsī fūrén bǎ tāmen sòngdào yīyuàn de.

词　语　　　New Words and Phrases
Cíyǔ

1. 连……也……		lián...yě...	even
2. 正（在）	(adv.)	zhèng(zài)	just
3. 开车		kāichē	to drive a car
4. ……的时候		...de shíhòu	while
5. 忽然	(adv.)	hūrán	suddenly
6. 蓝色	(adj.)	lán sè	blue
7. 停	(v.)	tíng	to stop
8. 面前		miànqián	in front of
9. 邻居	(n.)	línjū	neighbour

10. 送　　　　　　(v.)　　sòng　　　　　　to send, to see off

补充词语　　Supplementary Words
Bǔchōng cíyǔ　　　and Phrases

1. 长途电话 （n.）　　chángtú diànhuà　long-distance call
2. 飞机场　 （n.）　　fēijīchǎng　　　　airport
3. 旅行社　 （n.）　　lǚxíngshè　　　　travel service
4. 红　　　 （n.；adj.）hóng　　　　　red
5. 白　　　 （n.；adj.）bái　　　　　white
6. 黄　　　 （n.；adj.）huáng　　　　yellow
7. 黑　　　 （n.；adj.）hēi　　　　　black
8. 棕　　　 （n.；adj.）zōng　　　　brown
9. 紫　　　 （n.；adj.）zǐ　　　　　purple

注　解　　Notes
Zhùjiě

(1) "请你说得慢一点儿 （Qǐng nǐ shuōde màn yìdiǎn）。"

结构助词"的"、"地"、"得"都读作"de"。

The structural particles "的(de)", "地(de)" and "得(de)" are all pronouced as "de".

"的"一般用在名词前,表明它前边的部分是定语。

"的(de)" is usually used before a noun to indicate that what precedes it is an attributive modifier.

For example：

布朗　　先生　　的 孩子 病 了。
Bùlǎng xiānsheng de háizi bìng le.

"地"一般用在动词或形容词前,表示它前面的部分是状语。

"地(de)" is usually used before a verb or an adjective to indicate that what precedes it is an adverbial modifier.

For example：

董事长　　高兴地　说："你 还 是 这么　健康！"
Dǒngshìzhǎng gāoxìngde shuō："Nǐ hái shì zhème jiànkāng！"

"得"一般用在动词和形容词后面,表示它后边的部分是补语。

"得(de)" is usually used after a verb or an adjective to indicate that what follows it is a complement.

For example：

请　你 走得　慢 一点儿。
Qǐng nǐ zǒude màn yìdiǎnr.

(2) "连一个人也没有看到（Lián yí ge rén yě méiyǒu kàndào）。"

"连……也(都)……"表示强调,如果强调宾语,要把宾语提前。

"连......也(都)......(lián...yě(dōu)...)" is an emphatic structure. When an object is stressed, it must be put before the verb.

For example：

我 连　故宫　都　没　去过。
Wǒ lián Gùgōng dōu méi qùguo.

(3) "布朗　　先生　正　想　开车 去 找　她们 的
　"Bùlǎng xiānsheng zhèng xiǎng kāichē qù zhǎo tāmen de
时候。"
shíhòu."

"时间"、"时候"都是表示时间的名词。

"时间(shíjiān)" and "时候(shíhòu)" are both nouns that indicate time.

"时间"一般表示有起止点的一段时间。

"时间(shíjiān)" is used to indicate a period of time.

For example：

很　长　时间　没　见　了。

Hěn cháng shíjiān méi jiàn le.

（参阅第 2 课 See Lesson 2.）

"时候"表示时间里的某一点。

"时候(shíhòu)" is used to indicate a point in time.

For example：

车　什么　时候　来?

Chē shénme shíhòu lái?

"……的时候"表示指定的一段时间,常和别的词在一起做状语。

"...... 的时候 (... de shíhòu)" is usually used to indicate a certain period of time. It is an adverbial modifier and should be preceded by other words.

For example：

他　散步　的　时候,　　常常　　见到　王　　先生。

Tā sànbù de shíhòu, chángcháng jiàndào Wáng xiānsheng.

(4)　"是邻居史密斯夫人把她们送到医院的 (Shì línjū Shǐmìsī fūren bǎ tāmen sòngdào yīyuàn de)。"

主要动词后有"到"、"在"以及表示处所的词语,必须用"把"字句。

The "把(bǎ)" sentence construction should be used when the main verb is followed by "到(dào)" or "在(zài)" and noun of locality.

For example：

他　把　车　开到　楼　下。

Tā bǎ chē kāidào lóu xià.

主要动词后有"成"、"作"以及表示结果的词语,必须用"把"字句。

"把(bǎ)" sentence construction should be used when the main
verb is followed by "成(chéng)" or "作(zuò)" and a phrase
expressive of result.

For example：

他 把"鸡" 说成 "七"。

Tā bǎ "jī" shuōchéng "qī".

主要动词后有"给"以及表示对象的词语,说明受处置的事通
过动作交给某一对象时,在一定条件下也要用"把"字句。

"把(bǎ)" sentence construction is also used when the main
verb is followed by "给(gěi)" and a word or phrase indicating
that something has been handed over to a recipient as the result
of an action performed.

For example：

他 把 书 送给 了 我。

Tā bǎ shū sònggěi le wǒ.

练 习　　Exercises
Liànxí

一、读下列词、词组和句子 (Read the following words, phrases and
sentences)：

1. 汽车

qìchē

出租 汽车

chūzū qìchē

一 辆 出租 汽车

yí liàng chūzū qìchē

我 要 一 辆 出租 汽车。

Wǒ yào yí liàng chūzū qìchē.

我　要　一　辆　出租　汽车　去　友谊　　商店。
Wǒ yào yí liàng chūzū qìchē qù Yǒuyì Shāngdiàn.

2.　公司
gōngsī

丝绸　公司
Sīchóu Gōngsī

我　找　丝绸　公司。
Wǒ zhǎo Sīchóu Gōngsī.

我　找　丝绸　公司　王　　处长。
Wǒ zhǎo Sīchóu Gōngsī Wáng chùzhǎng.

3.　病
bìng

病　了
bìng le

孩子　病　了。
Háizi bìng le.

布朗　　先生　的　孩子　病　了。
Bùlǎng xiānsheng de Háizi bìng le.

4.　错
cuò

错　了
cuò le

打　错　了。
Dǎ cuò le.

你　打　错　了。
Nǐ dǎ cuò le.

对不起，你　打　错　了。
Duìbuqǐ, nǐ dǎ cuò le.

二、做下列替换练习 (Do the following substitution drills)：

1.　我　是　万达　　公司　代表，我　想　去　拜访
　　Wǒ shì Wàndá Gōngsī dàibiǎo, wǒ xiǎng qù bàifǎng

王 经理。
Wáng jīnglǐ.

布朗 夫人，	找 布朗 先生
Bùlǎng fūren,	zhǎo Bùlǎng xiānsheng
丝绸 公司 王 处长，	去 看 格林 先生
Sīchóu Gōngsī Wáng chùzhǎng,	qù kàn Gélín xiānsheng
瑞典 大使馆 一秘，	要 一 辆 出租 汽车
Ruìdiǎn dàshǐguǎn yīmì,	yào yí liàng chūzū qìchē

2. 你 下班 以后 常 做 什么?
   Nǐ xiàbān yǐhòu cháng zuò shénme?
   我 常 去 散步。
   Wǒ cháng qù sànbù.

看 书
kàn shū
看 电视
kàn diànshì
去 看 朋友
qù kàn péngyǒu
去 逛 夜市
qù guàng yèshì

3. 你 打算 什么 时候 来 拜访 王 先生?
   Nǐ dǎsuàn shénme shíhou lái bàifǎng Wáng xiānsheng?
   我 想 明天 上午 十点 去。
   Wǒ xiǎng míngtiān shàngwǔ shídiǎn qù.

后天 下午 两 点
hòutiān xiàwǔ liǎng diǎn
星期二 上午
xīngqī'èr shàngwǔ
星期四 上午 十 点
xīngqīsì shàngwǔ shí diǎn

三、做下列填空练习 (Fill in the blanks)：

1. 我 是 _____ 大使馆，我 姓 _____。
   Wǒ shì _____ dàshǐguǎn, wǒ xìng _____.

2. 你 打算 _____ 来?
   Nǐ dǎsuàn _____ lái?

3. 请 等 _____，我 去 _____。
   Qǐng děng _____, wǒ qù _____.

4. 布朗 先生 到 医院 去 找 _____。
   Bùlǎng xiānsheng dào yīyuàn qù zhǎo _____.

5. 史密斯 夫人 是 布朗 夫人 的 _____。
   Shǐmìsī fūren shì Bùlǎng fūren de _____.

四、将下列句子译成英文 (Translate the following sentences into
   English)：

1. 喂! 我 是 瑞典 大使馆。
   Wèi! Wǒ shì Ruìdiǎn dàshǐguǎn.

2. 对不起，你 打 错 了。
   Duìbuqǐ, nǐ dǎ cuò le.

3. 后天 是 星期四 吗?
   Hòutiān shì xīngqīsì ma?

4. 布朗 夫人 打 电话 说，孩子 病 了。
   Bùlǎng fūren dǎ diànhuà shuō, háizi bìng le.

5. 他 等 了 十 几 分钟，连 一 辆 出租车 都
   Tā děngle shí jǐ fēnzhōng, lián yí liàng chūzūchē dōu
   没有。
   méiyǒu.

6. 史密斯 夫人 有 一 辆 蓝色 汽车。
   Shǐmìsī fūren yǒu yí liàng lánsè qìchē.

五、学汉字（Learn Chinese characters）：

人　　　今　　　合　　　会
灬　　　热　　　点　　　然
火　　　烟　　　烧　　　烦

去　琉璃厂　街　怎么　走？
Qù Liúlìchǎng Jiē zěnme zǒu?

Which Way to
Liulichang Street?

课　文　　Text
Kèwén

（一）

格林　　先生：　张　小姐，　听说　北京　有　条
Gélín　xiānsheng：Zhāng　xiǎojie, tīngshuō Běijīng yǒu tiáo

琉璃厂　街，是　吗？
Liúlìchǎng Jiē, shì ma?

张　小姐：是　的。那　条　街　上，　书店、　画店
Zhāng xiǎojie：Shì de. Nà tiáo jiē shang, shūdiàn, huàdiàn

和　文物　商店　都　不　少，是　一　条
hé wénwù shāngdiàn dōu bù shǎo, shì yì tiáo

有　名　的　文化　街。
yǒu míng de wénhuà jiē.

格林：这个　周末　我　打算　去　看看。去　那儿
Gélín：Zhège zhōumò wǒ dǎsuàn qù kànkan. Qù nàr

怎么　走[1]？
zěnme zǒu?

张：　从　前门　大街　一直　往　西，到
Zhāng：Cóng Qiánmén Dàjiē yìzhí wǎng xī, dào

和平门　十字路口　往　南　拐。
Hépíngmén shízìlùkǒu wǎng nán guǎi.

格林：是 有 全聚德 烤鸭店 的 路口 吗？
Gélín：Shì yǒu Quánjùdé Kǎoyādiàn de lùkǒu ma?

张： 是 的。从 那里 往 南，就 不 太 远
Zhāng：Shì de. Cóng nàli wǎng nán, jiù bú tài yuǎn
了。
le.

词 语　　New Words and Phrases
Cíyǔ

1. 琉璃厂街	(n.)	Liúlìchǎng Jiē	(name of a street)
街	(n.)	jiē	street
2. 怎么	(pron.)	zěnme	how
3. 走	(v.)	zǒu	to walk, to leave, to go
4. 条	(m.)	tiáo	(a measure word)
5. 书店	(n.)	shūdiàn	bookstore
6. 画店	(n.)	huàdiàn	art store
7. 文物	(n.)	wénwù	antique
8. 有名	(adj.)	yǒumíng	famous
9. 文化	(n.)	wénhuà	culture
10. 从	(prep.)	cóng	from
11. 前门大街	(n.)	Qiánmén Dàjiē	(name of an avenue)
大街	(n.)	dàjiē	avenue
12. 往	(prep.)	wàng	toward
13. 西	(n.)	xī	west
14. 和平门	(n.)	Hépíngmén	(name of a place)
15. 十字路口		shízì lùkǒu	intersection
16. 南	(n.)	nán	south
17. 拐	(v.)	guǎi	to turn

18. 全聚德 (n.)   Quánjùdé   Quanjude Roast Duck
     烤鸭店   Kǎoyādiàn   Restaurant
19. 远   (adj.)   yuǎn   far

（二）

在　北京，　大多数　街道　和　胡同　的　方向　是　从
Zài Běijīng, dàduōshù jiēdào hé hútòng de fāngxiàng shì cóng

东　往　西，　或者　从　北　往　南　的。你　向　人　问
dōng wǎng xī, huòzhě cóng běi wàng nán de. Nǐ xiàng rén wèn

路，他　会　告诉　你：往　南　走，再　往　西　拐。有人
lù, tā huì gàosù nǐ: wǎng nán zǒu, zài wǎng xī guǎi. Yǒurén

在 屋里 挪 一 张　桌子，也　说："把　桌子　往　东　挪
zài wū lǐ nuó yì zhāng zhuōzi, yě shuō: "Bǎ zhuōzi wǎng dōng nuó

一　挪。"
yì nuó."

词　语   New Words and Phrases
     Cíyǔ

1. 大多数   dàduōshù   majority, most
2. 街道 (n.)   jiēdào   street
3. 胡同 (n.)   hútòng   lane
4. 方向 (n.)   fāngxiàng   direction
5. 东 (n.)   dōng   east
6. 北 (n.)   běi   north
7. 向 (prep.)   xiàng   to, for
8. 问路   wènlù   to ask the way
9. 屋里   wū lǐ   in the room

10. 挪	(v.)	nuó	to move
11. 桌子	(n.)	zhuōzi	table, desk

补充词语   Supplementary Words
Bǔchōng cíyǔ   and Phrases

1. 左	(n.)	zuǒ	left
2. 右	(n.)	yòu	right

注 解   Notes
Zhùjiě

(1)　"去那儿怎么走（Qù nàr zěnme zǒu）？"

"怎么"和"怎么样"都是疑问代词。"怎么样"一般在句子中用做谓语（请参阅第4课），而"怎么"一般放在动词前做状语。

Both "怎么(zěnme)" and "怎么样(zěnmeyàng)" are interrogative pronouns, "怎么样(zěnmeyàng)" is usually used as the predicate of a sentence (see Lesson 4), but "怎么(zěnme)" is usually used as an adverbial modifier and comes before the verb.

For example：

去　英国　大使馆　怎么　走？
Qù Yīngguó dàshǐguǎn zěnme zǒu?

这　种　药　怎么　吃？
Zhè zhǒng yào zěnme chī?

练习 Exercises
Liànxí

一、读下列词、词组和句子（Read the following words, phrases and sentences）：

1. 琉璃厂 街
   Liúlìchǎng jiē

   有 条 琉璃厂 街
   yǒu tiáo Liúlìchǎng jiē

   北京 有 条 琉璃厂 街。
   Běijīng yǒu tiáo Liúlìchǎng jiē.

   听 说 北京 有 条 琉璃厂 街。
   Tīng shuō Běijīng yǒu tiáo Liúlìchǎng jiē.

   听 说 北京 有 条 琉璃厂 街，是 吗？
   Tīng shuō Běijīng yǒu tiáo Liúlìchǎng jiē, shì ma?

2. 大使馆
   dàshǐguǎn

   法国 大使馆
   Fǎguó dàshǐguǎn

   去 法国 大使馆
   qù Fǎguó dàshǐguǎn

   去 法国 大使馆 怎么 走？
   qù Fǎguó dàshǐguǎn zěnme zǒu?

3. 南
   nán

   往 南
   wǎng nán

   往 南 走
   wǎng nán zǒu

   一直 往 南 走。
   Yìzhí wǎng nán zǒu.

一直　往　南　走，再　往　东　拐。
Yìzhí wǎng nán zǒu, zài wǎng dōng guǎi.

二、选择适当的词填空（Fill in the blanks with the following words or phrases）：

一直、　明天、　怎么、　拐、　不太　远
yìzhí, míngtiān, zěnme, guǎi, bú tài yuǎn

_____ 是　周末，我　打算　去　琉璃厂，我　问　小
_____ shì zhōumò, wǒ dǎsuàn qù Liúlìchǎng, wǒ wèn xiǎo

张："去　琉璃厂 _____ 走？"他　说："琉璃厂
Zhāng: "Qù Liúlìchǎng _____ zǒu?" Tā shuō: "Liúlìchǎng

_____ _____，你 _____ 往　西　走，再　往　南
_____ _____, nǐ _____ wǎng xī zǒu, zài wǎng nán

_____，就　到　了。"
_____, jiù dào le."

三、将下列句子翻译成汉语（Translate the following sentences into Chinese）：

1. It is said that you can speak Chinese, as well as French.

2. There are quite a number of bookstores, art shops and antique stores on Liulichang Street.

3. If you ask Beijing locals to show you the way, they may tell you: "Go straight south, then turn east."

4. Most of the streets and lanes in Beijing run from north to south, or from east to west.

四、根据地图，回答下面的问题（Answer the following questions according to the map）：

1. 从　外交　公寓　到　天安门　怎么　走？
   Cóng Wàijiāo Gōngyù dào Tiān'ānmén zěnme zǒu?

2. 从　前门　大街　到　琉璃厂　远　不　远？
   Cóng Qiánmén Dàjiē dào Liúlìchǎng yuǎn bu yuǎn?

3. 从　琉璃厂　到　烤鸭店　怎么　走？
   Cóng Liúlìchǎng dào Kǎoyādiàn zěnme zǒu?

4. 从　琉璃厂　到　烤鸭店　远　吗？
   Cóng Liúlìchǎng dào Kǎoyādiàn yuǎn ma?

| | 天安门　Tiān'ānmén | 外交公寓　Wàijiāo Gōngyù |

长　安　街　Cháng'ānjiē　　建国门大街　Jiànguómén Dàjiē

前　门　大　街　　　Qiánmén Dàjiē

全聚德烤鸭店
Quánjùdé Kǎoyādiàn

琉　璃　厂　街　　Liúlìchǎng jiē

五、学汉字 (Learn Chinese characters)：

口　　因　　国　　园

纟　　纺　　经　　给

彳　　行　　很　　街

第十八课　　Lesson 18
Dì-shíbā kè

大使 的 住宅 在 后面
Dàshǐ de zhùzhái zài hòumiàn
The Ambassador's Residence Is at
the Back of the Embassy

课 文　　Text
Kèwén

（一）

格林　小姐：我 来 介绍 一下儿，这 是 一秘 布朗
Gélín xiǎojie：Wǒ lái jièshào yíxiàr, zhè shì yīmì Bùlǎng

先生，　这 是 新 来 的 翻译 李
xiānsheng, zhè shì xīn lái de fānyì Lǐ

先生。
xiānsheng.

布朗　　先生：你 好！李　先生。　见到 你 很
Bùlǎng xiānsheng：Nǐ hǎo！Lǐ xiānsheng. Jiàndào nǐ hěn

高兴。
gāoxìng.

李　先生：你 好，布朗　先生。　见到 你 我 也
Lǐ xiānsheng：Nǐ hǎo, Bùlǎng xiānsheng. Jiàndào nǐ wǒ yě

很 高兴。 我 刚 到 这个 使馆，
hěn gāoxìng. Wǒ gāng dào zhège shǐguǎn,

在 工作 上 还 请 你 多 帮助[1]。
zài gōngzuò shang hái qǐng nǐ duō bāngzhù.

· 145 ·

布朗：不 要 客气。格林 小姐 可以 给 你 介绍
Bùlǎng：Bú yào kèqì. Gélín xiǎojie kěyǐ gěi nǐ jièshào
一下儿 使馆 的 情况。
yíxiàr shǐguǎn de qíngkuàng.

格林：好，给 李 先生 介绍 一下儿 使馆 的
Gélín：Hǎo, gěi Lǐ xiānsheng jièshào yíxiàr shǐguǎn de
办公楼。 这 间 是 你 和 张 小姐 的
bàngōnglóu. Zhè jiān shì nǐ hé Zhāng xiǎojie de
办公室， 领事部 在 走廊 的 西边，
bàngōngshì, Lǐngshìbù zài zǒuláng de xībiān,
对面 的 门 通往 客厅， 客厅 旁边
duìmiàn de mén tōngwǎng kètīng, kètīng pángbiān
是 餐厅 和 厨房。 楼上 是 外交官
shì cāntīng hé chúfáng. Lóushang shì wàijiāoguān
的 办公室[2]。
de bàngōngshì.

李：大使 的 办公室 也 在 楼上 吗？
Lǐ：Dàshǐ de bàngōngshì yě zài lóushàng ma?

格林：也 在 楼上。 大使 的 住宅 在 后面， 你
Gélín：Yě zài lóushàng. Dàshǐ de zhùzhái zài hòumiàn, nǐ
的 办公桌 上 有 使馆 电话 分机
de bàngōngzhuō shang yǒu shǐguǎn diànhuà fēnjī
的 号码， 有 事 可以 打 电话。
de hàomǎ, yǒu shì kěyǐ dǎ diànhuà.

李：好 的。
Lǐ：Hǎo de.

词 语　　New Words and Phrases
Cíyǔ

1. 大使　　(n.)　dàshǐ　　　　ambassador
2. 住宅　　(n.)　zhùzhái　　　residence

3. 后面	(n.)	hòumian	back，rear
4. 情况	(n.)	qíngkuàng	situation，circumstance
5. 先	(adv.)	xiān	first
6. 办公楼	(n.)	bàngōnglóu	office building
7. 办公室	(n.)	bàngōngshì	office
8. 间	(m.)	jiān	(a measore word)
9. 领事部	(n.)	lǐngshìbù	consular section
10. 走廊	(n.)	zǒuláng	corridor
11. 对面	(n.)	duìmiàn	opposite
12. 通往		tōngwǎng	lead to
13. 客厅	(n.)	kètīng	drawing room
14. 旁边	(n.)	pángbiān	beside
15. 餐厅	(n.)	cāntīng	dining room
16. 厨房	(n.)	chúfáng	kitchen
17. 楼上		lóushàng	upstairs
18. 外交官	(n.)	wàijiāoguān	diplomat
19. 在……上		zài...shàng	on，at
20. 办公桌	(n.)	bàngōngzhuō	desk
21. 电话分机	(n.)	diànhuà fēnjī	telephone extension
22. 号码	(n.)	hàomǎ	number

(二)

我们 的 大使馆 在 三里屯。 大使馆 的 院子
Wǒmen de dàshǐguǎn zài Sānlǐtún. Dàshǐguǎn de yuànzi
虽然 不大，但是 种了 不少 树。 大门 里边 和
suīrán bú dà, dànshì zhòngle bù shǎo shù. Dàmén lǐbiānr hé
外边 还 有 很 多 漂亮 的 花。
wàibiānr hái yǒu hěn duō piàoliang de huā.

院子　里，　前边　是　办公楼，　　后边　是　大使

Yuànzi lǐ, qiánbiān shì bàngōnglóu, hòubiān shì dàshǐ

住宅。　大门　右边　有　汽车库，　左边　有　一　个

zhùzhái. Dàmén yòubiān yǒu qìchēkù, zuǒbiān yǒu yí gè

网球场。　　大使馆　　周围　很　安静，　交通　也　很

wǎngqiúchǎng. Dàshǐguǎn zhōuwéi hěn ānjìng, jiāotōng yě hěn

方便。　我　很　喜欢　我们　的　大使馆。

fāngbiàn. Wǒ hěn xǐhuan wǒmen de dàshǐguǎn.

词　语　　New Words and Phrases
Cíyǔ

1.	三里屯	(n.)	Sānlǐtún	(name of a place)
2.	院子	(n.)	yuànzi	courtyard
3.	虽然……	(conj.)	suīrán...	although..., ...
	但是……		dànshì...	
4.	种	(v.)	zhòng	to plant
5.	大门	(n.)	dàmén	gate
6.	里边	(n.)	lǐbian	inside
7.	外边	(n.)	wàibian	outside
8.	漂亮	(adj.)	piàoliang	pretty, beautiful
9.	右边	(n.)	yòubiān	right side
	右		yòu	right
10.	汽车库	(n.)	qìchēkù	garage
11.	左边	(n.)	zuǒbiān	left side
	左		zuǒ	left
12.	网球场	(n.)	wǎngqiúchǎng	tennis court
	网球	(n.)	wǎngqiú	tennis
13.	周围	(n.)	zhōuwéi	surroundings

14. 安静　　(adj.)　　ānjìng　　quiet
15. 交通　　(n.)　　jiāotōng　　traffic, location
16. 方便　　(adj.)　　fāngbiàn　　convenient

补充词语　Supplementary Words
Bǔchōng cíyǔ　and Phrases

1. 上边　(n.)　shàngbian　above, on top of
2. 下边　(n.)　xiàbian　below
3. 中间　(n.)　zhōngjiān　middle, centre
4. 游泳池　(n.)　yóuyǒngchí　swimming pool
5. 国旗　(n.)　guóqí　national flag
6. 国徽　(n.)　guóhuī　national emblem

注　解　Notes
Zhùjiě

(1)　"在工作上还请你多帮助 (Zài gōngzuò shàng hái qǐng nǐ duō bāngzhù)。"

　　"在……上"表示某一物体位于另外一件物体的上面。

　　"在......上 (zài... shàng)" can be used to indicate something is on or on top of something else.

　　For example:

　　书　在　办公桌　上。
　　Shú zài bàngōngzhuō shàng.

　　"在……上"有时用做状语,表示范围或方面。

　　"在......上 (zài... shàng)" can also be used as an adverbial modifier to indicate a certain scope, aspect or area.

For example：

在 学习 上 请 你 多 帮助。
Zài xuéxí shàng qǐng nǐ duō bāngzhù.

（2） "楼上是外交官的办公室（Lóu shàng shì wàijiāoguān de bàngōngshì）。"

"上"、"下""里"、"外"作方位词时，一般不单用，附在名词后边表示方位处所。

When "上(shàng)", "下(xià)", "里(lǐ)" and "外(wài)" are used to indicate locality, they are generally not used independently but are used in affiliation with nouns.

For example：

楼上　　　　院子 里
lóushàng　　　yuànzi lǐ

"上边"、"下边"、"里边"、"外边"等可以单用，也可以用在名词后边。

"上边(shàngbiān)", "下边(xiàbiān)", "里边(lǐbiān)" and "外边(wàibiān)" can be used independently and can also be used in affiliation with nouns.

For example：

里边 有 办公室。
Lǐbiān yǒu bàngōngshì.

大门 旁边 有 汽车 库。
Dàmén pángbiān yǒu qìchē kù.

练 习　　Exercises
Liànxí

一、做下列替换练习（Do the following substitution drills）：

1.

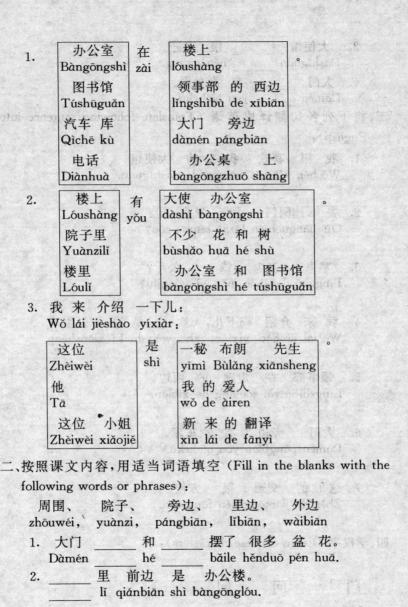

办公室 Bàngōngshì	在 zài	楼上 lóushàng	。
图书馆 Túshūguǎn		领事部 的 西边 lǐngshìbù de xībiān	
汽车 库 Qìchē kù		大门 旁边 dàmén pángbiān	
电话 Diànhuà		办公桌 上 bàngōngzhuō shàng	

2.

楼上 Lóushàng	有 yǒu	大使 办公室 dàshǐ bàngōngshì	。
院子里 Yuànzilǐ		不少 花 和 树 bùshǎo huā hé shù	
楼里 Lóulǐ		办公室 和 图书馆 bàngōngshì hé túshūguǎn	

3. 我 来 介绍 一下儿：
Wǒ lái jièshào yíxiàr：

这位 Zhèiwèi	是 shì	一秘 布朗 先生 yīmì Bùlǎng xiānsheng	。
他 Tā		我 的 爱人 wǒ de àiren	
这位 小姐 Zhèiwèi xiǎojiě		新 来 的 翻译 xīn lái de fānyì	

二、按照课文内容，用适当词语填空（Fill in the blanks with the following words or phrases）：

周围、 院子、 旁边、 里边、 外边
zhōuwéi， yuànzi， pángbiān， lǐbiān， wàibiān

1. 大门 _____ 和 _____ 摆了 很多 盆 花。
   Dàmén _____ hé _____ bǎile hěnduō pén huā。

2. _____ 里 前边 是 办公楼。
   _____ lǐ qiánbiān shì bàngōnglóu。

3. 大使馆 _____ 很 安静。
   Dàshǐguǎn _____ hěn ānjìng.

4. 大门 _____ 有 汽车库。
   Dàmén _____ yǒu qìchēkù.

三、将下列各句翻译成英语（Translate following sentence into English）：

1. 我 很 喜欢 我们 的 大使馆。
   Wǒ hěn xǐhuan wǒmen de dàshǐguǎn.

2. 去 建国门 大街 怎么 走？
   Qù Jiànguómén Dàjiē zěnme zǒu?

3. 苹果 多少 钱 一 公斤？
   Píngguǒ duōshǎo qián yì gōngjīn?

4. 我 来 介绍 一下儿，这 位 是 李 先生。
   Wǒ lái jièshào yíxiàr, zhèi wèi shì Lǐ xiānsheng.

5. 领事部 在 走廊 的 西边。
   Lǐngshìbù zài zǒuláng de xībiān.

6. 大门 旁边 有 汽车库。
   Dàmén pángbiān yǒu qìchēkù.

7. 这儿 的 交通 很 方便。
   Zhèr de jiāotōng hěn fāngbiàn.

四、学汉字（Learn Chinese characters）：

门   问   间

学　辆

孩　较

子　车

第十九课　　Lesson 19
Dì-shíjiǔ kè

春节　快　到　了　　It Will Soon Be
Chūnjié kuài dào le　　Spring Festival

课　文　　Text
Kèwén

（一）

中国　有　很多　传统　节日，春节　是　最
Zhōngguó yǒu hěnduō chuántǒng jiérì, Chūnjié shì zuì
重要　的。春节　的　时候，大人们　忙　着　买
zhòngyào de. Chūnjié de shíhòu, dàrénmen máng zhe mǎi
东西[1]、做　好吃的、　走亲访友；　孩子们　做　游戏、
dōngxi, zuò hǎochī-de, zǒuqīn-fǎngyǒu; háizimen zuò yóuxì,
放　鞭炮。除夕　晚上，家里人　在　一起　吃　晚饭，
fàng biānpào. Chúxī wǎnshang, jiā lǐ rén zài yìqǐ chī wǎnfàn,
高兴地　等待　新年　第一　天。要是　赶上　下雪，
gāoxìngde děngdài xīnnián dì-yī tiān. Yào shì gǎnshàng xiàxuě,
春节　就　更　有　意思　了。
Chūnjié jiù gèng yǒu yìsi le.

（二）

奈尔斯　先生：　张　先生，很　久　没　见　了，你在
Nài'ěrsī xiānsheng：Zhāng xiānsheng, hěn jiǔ méi jiàn le, nǐ zài

忙　什么?

máng shénme?

张　先生：　春节　快　到　了，准备　年货。

Zhāng xiānsheng：Chūnjié kuài dào le，zhǔnbèi niánhuò.

奈尔斯：春节　是　中国　最大的节日，是

Nài'ěrsī：Chūnjié shì Zhōngguó zuì dà de jiérì，shì

吗?

ma?

张：　是　的，它　和　你们　的　圣诞节　一样

Zhāng：Shì de，tā hé nǐmen de Shèngdànjié yíyàng

热闹(2)。

rènao.

奈尔斯：　今年　春节　是　几月几号?

Nài'ěrsī：Jīnnián Chūnjié shì jǐ yuè jǐ hào?

张：　今年　春节　是　在　阳历　二　月　五

Zhāng：Jīnnián Chūnjié shì zài yánglì èr yuè wǔ

号。

hào.

奈尔斯：春节　你们　休息　几　天?

Nài'ěrsī：Chūnjié nǐmen xiūxi jǐ tiān?

张：　三、四　天。欢迎　你　春节　的

Zhāng：Sān，sì tiān. Hānyíng nǐ Chūnjié de

时候　来　我　家　玩儿。

shíhòu lái wǒ jiā wánr.

奈尔斯：谢谢。

Nài'ěrsī：Xièxie.

词　语　　New Words and Phrases

Cíyǔ

1. 春节　（n.）　　Chūnjié　　　Spring Festival

2. 传统	(adj.; n.)	chuántǒng	traditional; tradition
3. 节日	(n.)	jiérì	festival, holiday
4. 重要	(adj.)	zhòngyào	important
5. 着		zhe	(an aspect particle)
6. 好吃的		hǎo chī de	delicious food
7. 走亲访友		zǒuqīn-fǎngyǒu	to see relatives and visit friends
8. 游戏	(n.)	yóuxì	game
9. 放鞭炮		fàngbiānpào	to let off firecrackers
10. 除夕	(n.)	chúxī	New Year's Eve
11. 家里人		jiā lǐ rén	family members
12. 等待	(v.)	děngdài	to wait, to await
13. 第一		dì-yī	first
14. 要是……就……		yàoshì...jiù	if...then...
15. 赶上	(v.)	gǎnshàng	to run into (a situation)
16. 下雪	(v.)	xiàxuě	to snow
17. 更	(adv.)	gèng	more, even more
18. 准备	(v.)	zhǔnbèi	to prepare, to get ready
19. 年货	(n.)	niánhuò	special purchase for the New Year
20. 它	(pron.)	tā	it
21. 和…一样		hé...yíyàng	to be like
22. 圣诞节	(n.)	Shèngdànjié	Christmas
23. 热闹	(adj.)	rènao	lively, festive
24. 阳历	(n.)	yánglì	solar calendar

老　赵　回　到　家，他　妻子　说：　"后天　就是
Lǎo Zhào huí dào jiā, tā qīzi shuō: "Hòutiān jiù shì

春节　了，我们　收拾　一下儿　房间　吧。""好　吧。"老
Chūnjié le, wǒmen shōushi yíxiàr fángjiān ba." "Hǎo ba." Lǎo

赵　回答　说。妻子　去　收拾　衣服，老　赵　正在　擦
Zhào huídá shuō. Qīzi qù shōushi yīfu, Lǎo Zhào zhèngzài cā

玻璃。忽然，"砰"　的　一　声，老　赵　吓了一跳，
bōli. Hūrán, "pēng" de yì shēng, Lǎo Zhào xià le yí tiào,

往　楼　下　一　看，他的　儿子　正在　楼下　放　鞭炮
wǎng lóu xià yí kàn, tā de érzi zhèngzài lóuxià fàng biānpào

呢！
ne!

词　语　　　New Words and Phrases
Cíyǔ

1. 妻子	(n.)	qīzi	wife
2. 收拾	(v.)	shōushi	to put in order, to tidy
3. 房间	(n.)	fángjiān	room
4. 回答	(v.; n.)	huídá	to respond, to answer; answer
5. 擦	(v.)	cā	to rub, to wipe
6. 玻璃	(n.)	bōli	glass
7. 砰		pēng	(an onomatopoeic word)
8. 吓了一跳		xiàle yí tiào	to give (someone) a start, to scare
9. 儿子	(n.)	érzi	son

10. 楼下　　　　　　lóuxià　　　downstairs

补充词语　Supplementary Words
Bǔchōng cíyǔ　and Phrases

1. 端午节　(n.)　Duānwǔjié　Dragon Boat Festival
2. 中秋节　(n.)　Zhōngqiūjié　Mid-autumn Festival
3. 汤圆　　(n.)　tāngyuán　sweet dumpling
4. 年夜饭　(n.)　niányèfàn　New Year's Eve dinner
5. 地毯　　(n.)　dìtǎn　carpet
6. 窗户　　(n.)　chuānghu　window
7. 去年　　(n.)　qùnián　last year

注　解　Notes
Zhùjiě

(1)　"大人们忙着买东西 (Dàrénmen mángzhe mǎi dōngxi)。"
　　"着"附在动词后,表示动作和行为在某一特定时间内还在进
　　行或处于某种状态,或某种状态在持续。
　　When added to a verb, the particle "着(zhe)" indicates that an
　　action is in progress or in a certain state.

　　For example:
　　他　看着　电视,　说着　话。
　　Tā kànzhe diànshì, shuōzhe huà.

　　他　坐着　看　书。
　　Tā zuòzhe kàn shū.

　　门　开着。
　　Mén kāizhe.

(2)　"……和(跟)……一样 (...hé(gēn)...yíyàng)"

"和（hé）…一样（yíyàng）"或"跟（gēn）…一样（yíyàng）"表示两种事物比较的结果是同样的或类似的。

"和（hé）... 一样（yíyàng）or "跟（gēn）... 一样（yíyàng）is used to compare two things that are identical or similar.

练 习　　　Exercises
Liànxí

一、根据课文，用汉语回答下列问题（Using Chinese，answer the following the questions about the text）：

1. What do people do during the Spring Festival?

2. What is the meaning of the word "走（zǒu）" in the phrase " 走亲访友（zǒuqīnfǎngyǒu)"?

3. What is the most important holiday or festival in your country?

二、读下列词、词组和句子（Read the following words，phrases and sentences）：

1. 做
   zuò

   做 饭
   zuò fàn

   做 衣服
   zuò yīfu

   做 游戏
   zuò yóuxì

做　好吃的
zuò hǎo chī de

2. 准备
zhǔnbèi

准备　招待会
zhǔnbèi zhāodàihuì

准备　国庆　招待会
zhǔnbèi guóqìng zhāodàihuì

准备　今年　的　国庆　招待会
zhǔnbèi jīnnián de guóqìng zhāodàihuì

三、做下列替换练习 (Do the following substitution drills)：

1. 要是　　| 有　时间 | 　就　好　了。
Yàoshì　| yǒu shíjiān | 　jiù hǎo le.
　　　　　| 明天　休息 |
　　　　　| míngtiān xiūxi |
　　　　　| 见　到　他 |
　　　　　| jiàn dào tā |

2. 要是　| 汽车　坏了 | 　，你们　就去　找　修理　公司。
Yàoshì　| qìchē huài le | 　nǐmen jiù qù zhǎo xiūlǐ gōngsī.
　　　　| 电话　坏　了 |
　　　　| diànhuà huài le |

3. 欢迎　你　| 星期六 | 　来　我　家　玩儿。
Huānyíng nǐ　| xīngqīliù | 　lái wǒ jiā wánr.
　　　　　　　| 圣诞节　的　时候 |
　　　　　　　| Shèngdànjié de shíhòu |
　　　　　　　| 春节　的　时候 |
　　　　　　　| Chūnjié de shíhòu |

四、选择适当的词语填空 (Fill in the blanks with the appropriate words or phrases)：

· 160 ·

1. 他 的 汽车 跟 _____ 一样。
   Tā de qìchē gēn _____ yíyàng.
   (1) 汽车　　(2) 我 的 汽车
   　　qìchē　　　　wǒ de qìchē

2. 今天 和 _____ 一样 _____。
   Jiāntiān hé _____ yíyàng _____.
   (1) 昨天，热　　(2) 明天，　下雪
   　　zuótiān，rè　　　　míngtiān，xiàxuě

3. _____ 跟 玛丽 的 汉语 一样 _____。
   _____ gēn Mǎlì de Hànyǔ yíyàng _____.
   (1) 他 的，学 好　　(2) 她 的 汉语，好
   　　tā de，xué hǎo　　　　tā de Hànyǔ，hǎo

4. 这个 房间 和 _____ 不 一样。
   Zhège fángjiān hé _____ bù yíyàng.
   (1) 房间　　(2) 那个 房间
   　　fángjiān　　　nàge fángjiān

5. 他 的 衣服 和 _____ 不 一样。
   Tā de yīfu hé _____ bù yíyàng.
   (1) 王 小姐 的（衣服）　　(2) 王 小姐
   　　Wáng xiǎojie de（yīfu）　　　Wáng xiǎojiě

五、学汉字（Learn Chinese characters）：

走　　　起　　　赵

土　　　地　　　坐

夂　　　教　　　放

第二十课　　Lesson　20
Dì-èrshí kè

飞 机 票 丢 了　　The Plane Ticket Is Lost
Fēijī piào diū le

课　文　　Text
Kèwén

（一）

小　　王：　放假 了，你 打算 回 国 吗？
Xiǎo Wáng：Fàngjià le, nǐ dǎsuàn huí guó ma?

奈尔斯：不，我 想 去 南方 看看。 为了 多 去 几
Nài'ěrsī：Bù, wǒ xiǎng qù nánfāng kànkan. Wèile duō qù jǐ

　　　　个 地方， 我 想 坐 飞机 去。可是 第一 次
　　　　ge dìfang, wǒ xiǎng zuò fēijī qù. Kěshì dì-yī cì

　　　　在 中国 坐 飞机， 连 怎么 办 手续 都
　　　　zài Zhōngguó zuò fēijī, lián zěnme bàn shǒuxù dōu

　　　　不 知道。
　　　　bù zhīdào.

小　　王：　没 关系， 我 去 机场 送 你。
Xiǎo Wáng：Méi guānxi, wǒ qù jīchǎng sòng nǐ.

奈尔斯：好， 谢谢。
Nài'ěrsī：Hǎo, xièxie.

小　王：　我们　来　早　了。飞机　起飞　前　一　小时　开始
Xiǎo Wáng：Wǒmen lái zǎo le. Fēijī qǐfēi qián yì xiǎoshí kāishǐ

　　　　　办　手续。
　　　　　bàn shǒuxù.

奈尔斯：　我们　　等一等　吧。
Nài'ěrsī：Wǒmen děngyìděng ba.

（机场广播 jīchǎng guǎngbō）：

　　　　　乘坐　CA6565 次　航班　的　旅客，请　办理
　　　　　Chéngzuò CA6565 cì bānjī de lǚkè, qǐng bànlǐ

　　　　　登机　手续。
　　　　　dēngjī shǒuxù.

小　王：　来　吧！我们　先　去　托运　行李，再　去　领
Xiǎo Wáng：Lái ba! Wǒmen xiān qù tuōyùn xíngli, zài qù lǐng

　　　　　登机牌。
　　　　　dēngjīpái.

奈尔斯：　好。……　小　王，你　看，我　的　座位　是
Nài'ěrsī：Hǎo. ... Xiǎo Wáng, nǐ kàn, wǒ de zuòwèi shì

　　　　　不　是　靠　窗口　的？
　　　　　bú shì kào chuāngkǒu de?

小　王：　可能　是。
Xiǎo Wáng：Kěnéng shì.

　　　　词　语　　New Words and Phrases
　　　　　Cíyǔ

1. 飞机票　（n.）　　fēijīpiào　　airline ticket

　　飞机　（n.）　　fēijī　　　　aeroplane

	票	(n.)	piào	ticket
2.	丢	(v.)	diū	to lose, to be lost
3.	放假		fàng jià	to have a holiday
4.	为了		wèile	in order to, for
5.	可是	(conj.)	kěshì	but
6.	第		dì	(a prefix)
7.	知道	(v.)	zhīdao	to know
8.	陪	(v.)	péi	to accompany
9.	早	(adj.)	zǎo	early
10.	起飞	(v.)	qǐfēi	to take off
11.	开始	(v.)	kāishǐ	to start
12.	乘坐	(v.)	chéngzuò	to take (a train, plane etc.)
13.	次	(m.)	cì	(a measure word for trains, planes, etc.)
14.	航班	(n.)	hángbān	flight
15.	旅客	(n.)	lǚkè	passenger
16.	先……再		xiān...zài	first...then
17.	托运	(v.)	tuōyùn	to check in
18.	行李	(n.)	xíngli	luggage, baggage
19.	领	(v.)	lǐng	to receive, to get, to draw
20.	登机	(v.)	dēngjī	to board
	登机牌	(n.)	dēngjī pái	boarding card
21.	座位	(n.)	zuòwèi	seat
22.	靠	(prep.;v.)	kào	near, by; lean against
23.	窗口	(n.)	chuāngkǒu	window
24.	可能		kěnéng	possible, probable, maybe

(三)

在　机场　的　大厅　里，米勒　先生　握着　司机　的
Zài jīchǎng de dàtīng lǐ, Mǐlè xiānsheng wòzhe sījī de

手，用　汉语　说：“太　感谢　了!”　原来，今天
shǒu, yòng Hànyǔ shuō: "Tài gǎnxiè le!" Yuánlái, jīntiān

下午　两　点　米勒　先生　要　坐　飞机　去　广州.
xiàwǔ liǎng diǎn Mǐlè xiānsheng yào zuò fēijī qù Guǎngzhōu.

他　坐　出租　汽车　来　到　机场　以后，发现　飞机　票　丢
Tā zuò chūzū qìchē lái dào jīchǎng yǐhòu, fāxiàn fēijī piào diū

了。他　正在　着急，听　到　了　广播[1]：乘坐　CA3672
le. Tā zhèngzài zháojí, tīng dào le guǎngbō: chéngzuò CA3672

的　米勒　先生，请　到　广播室　来　一下儿，有　人
de Mǐlè xiānsheng, qǐng dào guǎngbōshì lái yíxiàr, yǒu rén

找。他　来到　广播室，看到　了　送　他　来　的　那个
zhǎo. Tā láidào guǎngbōshì, kàndào le sòng tā lái de nà ge

司机，司机　说：“这　是　您　的　飞机票　吧。您　把　它
sījī, sījī shuō: "Zhè shì nín de fēijīpiào ba. nín bǎ tā

忘在　车　里　了。”
wàngzài chē lǐ le."

词　语　　New Words and Phrases
Cíyǔ

1. 在……里　　　　zài...lǐ　　　in
2. 大厅　　(n.)　　dàtīng　　hall
3. 握手　　　　　wòshǒu　　to shake hands
4. 太感谢了　　　tài gǎnxiè le　thanks a lot
5. 广州　　(n.)　　Guǎngzhōu　Guangzhou
6. 以后　　　　　yǐhòu　　　after

7.	发现	(v.)	fāxiàn	to find, to discover
8.	着急	(v.)	zháojí	to worry, to feel anxious
9.	听到		tīngdào	to hear
10.	广播室	(n.)	guǎngbōshì	broadcasting room
	广播	(n.; v.)	guǎngbō	broadcast; to broadcast
11.	忘	(v.)	wàng	to forget

补充词语   Supplementary Words
Bǔchōng cíyǔ   and Phrases

1.	火车	(n.)	huǒchē	train
2.	火车站	(n.)	huǒchēzhàn	railway station
3.	地铁	(n.)	dìtiě	underground, subway
4.	地铁站	(n.)	dìtiězhàn	underground station, subway station
5.	候车室	(n.)	hòuchēshì	waiting room (in a railway or bus station)
6.	检查	(v.)	jiǎnchá	to check
7.	特别快车	(n.)	tèbiékuàichē	express (train)

注 解   Notes
Zhùjiě

（1） "他正在着急,听到了广播 (Tā zhèng zài zháojí, tīngdào le guǎngbō)。"

"正在"表示一个动作正在进行,也可以用其他几种形式:

"正在(zhèngzài)" is used to show a progressive action. The following constructions can also be used:

1）"……正在……（呢） 2）"……正……（呢）"
"…zhèngzài…(ne)" "…zhèng…(ne)"
"……在……（呢）" "……呢"
"…zài…(ne)" "…ne"

否定形式用"没（在）"。

The negative form is "没（在）méi(zài)".

For example：

小 王 正在 听 广播 （呢）。
Xiǎo Wáng zhèngzài tīng guǎngbō (ne).

他 在 学习 汉语 （呢）。
Tā zài xuéxí Hànyǔ (ne).

布朗 正 看 电视 呢。
Bùlǎng zhèng kàn diànshì ne.

老师 看 报纸 呢。
Lǎoshī kàn bàozhǐ ne.

老 张 没 在 休息。
Lǎo Zhāng méi zài xiūxi.

练 习　　Exercises
Liànxí

一、做下列替换练习（Do the following substitution drills）：

1. 奈尔斯 要
Nài'ěrsī yào

| 坐 飞机 去 广州 看 朋友 |
| zuò fēijī qù Guǎngzhōu kàn péngyou |
| 坐 汽车 来 经贸部 参加 招待会 |
| zuò qìchē lái Jīngmàobù cānjiā zhāodàihuì |
| 请 赵 老师 到 他 家 教 汉语 |
| qǐng Zhào lǎoshī dào tā jiā jiāo Hànyǔ |

。

2. 他　正在　｜着急　　　｜,　　｜听到　了　广播　　　　｜。
Tā zhèngzài｜zháojí　　　｜　　｜tīngdào le guǎngbō　｜

　　　　　　｜工作　　　｜　　｜布朗　来　了　　　　｜
　　　　　　｜gōngzuò　｜　　｜Bùlǎng lái le　　　　｜

　　　　　　｜散步　　　｜　　｜下雨　了　　　　　　｜
　　　　　　｜sànbù　　｜　　｜xiàyǔ le　　　　　　｜

3. 玛丽｜托运　行李　　　　　｜时,　｜发现　飞机票　丢了　　　　｜。
Mǎlì｜tuōyùn xíngli　　　　｜shí,｜fāxiàn fēijīpiào diū le　　｜

　　　｜到　集贸市场　　　　｜　　｜下雨　了　　　　　　　　｜
　　　｜dào jímàoshìchǎng　｜　　｜xiàyǔ le　　　　　　　　｜

　　　｜学习　汉语　　　　　｜　　｜发现　书　没有　了　　　　｜
　　　｜xuéxí Hànyǔ　　　　｜　　｜fāxiàn shū méiyǒu le　　　｜

　　　｜到　　办公室　　　　｜　　｜看到　布朗　在　工作　　　｜
　　　｜dào bàngōngshì　　｜　　｜kàndào Bùlǎng zài gōngzuò｜

二、选词填空 (Fill in the blanks with the appropriate words or phrases)：

　　1. 到　时候；　有　时候
　　　　dào shíhou；　yǒu shíhou

　　　(1) 你　没　去过　故宫，没　关系 ＿＿＿＿ 我　陪　你
　　　　　Nǐ méi qùguo Gùgōng, méi guānxi ＿＿＿＿ wǒ péi nǐ
　　　　　去。
　　　　　qù.

　　　(2)　晚饭　以后，我 ＿＿＿＿　散步 ＿＿＿＿　看
　　　　　Wǎnfàn yǐhòu, wǒ ＿＿＿＿ sànbù ＿＿＿＿ kàn
　　　　　电视。
　　　　　diànshì.

　　2.　飞往；　飞机
　　　　fēiwǎng；　fēijī

　　　(1) ＿＿＿＿　广州　　的 CA6565 班机，　两　点
　　　　　＿＿＿＿ Guǎngzhōu de CA6565 bānjī, liǎng diǎn

起飞。
qǐfēi.

（2）我 打算 坐 _____ 去 上海。
Wǒ dǎsuàn zuò _____ qù Shànghǎi.

3. 为了； 因为
wèile； yīnwèi

（1）_____ 学习 地道 的 汉语，他 来到 北京。
_____ xuéxí dìdao de Hànyǔ, tā láidào Běijīng.

（2）_____ 时间 不 多，没有 去 逛 小吃
_____ shíjiān bù duō, méiyǒu qù guàng xiǎochī
夜市。
yèshì.

三、用下列词语造句（Make sentences using the following words and phrases）：

1. 连……都……
lián...dōu...

2. 先……再……
xiān...zài...

3. 不但……而且……
búdàn...érqiě...

4. ……时候
...shíhou

5. 又……又……
yòu...yòu...

6. 原来
yuánlái

四、将下列英语译成汉语（Translate the following sentences into Chinese）：

1. "Thanks a lot!" Mr. Brown said in Chinese.

2. The driver gave Mr. Brown the plane ticket that he was looking for.

3. Come on! Let us check in.

4. Smith plans to fly to southern China during his vacation.

5. "You left your ticket in my car," the driver said.

6. Mr. Miller discovered he had lost his ticket when he arrived at the airport.

7. It's the first time I have flown in China; I do not even know how to check in at the airport.

五、根据课文回答问题（Answer the following questions about the text）：

1. 米勒　先生　握着 司机 的 手，用　汉语 说了
   Mǐlè xiānsheng wòzhe sījī de shǒu, yòng Hànyǔ shuōle
   什么?
   shénme?

2. 米勒　先生　为什么(why)　感谢 司机?
   Mǐlè xiānsheng wèishénme gǎnxiè sījī?

3. 奈尔斯　打算　怎么 去　南方?
   Nài'ěrsī dǎsuàn zěnme qù nánfāng?

4. 什么　时候 可以 办 登机 手续?
   Shénme shíhou kěyǐ bàn dēngjī shǒuxù?

5. 奈尔斯　喜欢 他的　座位 吗?
   Nài'ěrsī xǐhuān tā de zuòwèi ma?

六、学汉字（Learn Chinese characters）：

广　　　库　　　度　　　座

院

疼都

病陪

广下

再 接 再 厉
Zài jiē-zài lì
Keep Trying!

一、读下列拼音（Read the following）：

1. Xiǎo Wáng fāshāo sānshibā dù wǔ.
2. Bùlǎng yījiǔbāqī nián lái Běijīng gōngzuò.
3. Yījiǔjiǔ'èr nián chūnjié shì èr yuè sì hào, xīngqīsì.
4. Dào èrlínglínglíng nián, wǒ de háizi jiù shí suì le.
5. Běijīng de xiàtiān zuìrè dào sānshíliù dù.

二、用下列字组词或词组（Make phrases）：

办 （　　） 　　参 （　　） 　　打 （　　）
bàn （　　） 　　cān （　　） 　　dǎ （　　）

大 （　　） 　　方 （　　） 　　公 （　　）
dà （　　） 　　fāng （　　） 　　gōng （　　）

节 （　　） 　　开 （　　） 　　上 （　　）
jié （　　） 　　kāi （　　） 　　shàng （　　）

晚 （　　） 　　下 （　　） 　　一 （　　）
wǎn （　　） 　　xià （　　） 　　yī （　　）

三、下列词语中哪些词或短语意思相近（Some of the following
phrases are synonymous; match those that are）：

不算 贵 　　但是 　　　还 可以 　　参观
búsuàn guì 　　dànshì 　　hái kěyǐ 　　cānguān

了解	便宜	登机	可是
liáojiě	piányi	dēng jī	kěshì

访问	马马虎虎	知道	非常
fǎngwèn	mǎmǎhūhū	zhīdào	fēicháng

上 飞机	很
shàng fēijī	hěn

四、把下列句子改成"把"字句 (Change the following sentences into "把(bǎ)" sentences)：

1. 我 喝了 那 杯 茶。
   Wǒ hēle nà bēi chá.

2. 他们 没有 修理 好 你 的 电话。
   Tāmen méiyǒu xiūlǐ hǎo nǐ de diànhuà.

3. 阿姨 收拾 完 了 房间。
   Āyí shōushi wán le fángjiān.

4. 小 张 没 带来 法文 书。
   Xiǎo Zhāng méi dàilái Fǎwén shū.

5. 孩子 吃了 感冒 药。
   Háizi chīle gǎnmào yào.

五、把下列"把"字句改成一般句子，如果不能改，讲讲原因 (Change the following "把(bǎ)" sentences into ordinary sentences. If it is not appropriate to do so, indicate the reason)：

1. 他 把 "七" 说成 "鸡"。
   Tā bǎ "qī" shuōchéng "jī".

2. 司机 把 飞机票 送到 了 机场 大厅。
   Sījī bǎ fēijīpiào sòngdào le jīchǎng dàtīng.

3. 小 王 把 花 送给 了 奈尔斯。
   Xiǎo Wáng bǎ huā sònggěi le Nài'ěrsī.

4. 马丁 把 名字 写在 书上 了。
   Mǎdīng bǎ míngzi xiězài shūshang le.

5. 我 把 它 翻译 成 汉语。
   Wǒ bǎ tā fānyì chéng Hànyǔ.

6. 玛丽 把 那 块 西瓜 吃完 了。
   Mǎlì bǎ nà kuài xīguā chīwán le.

7. 阿姨 把 裙子 洗 干净 了。
   Āyí bǎ qúnzi xǐ gānjìng le.

六、选择正确的词和短语填空 (Fill in the blanks with the appropriate phrases)：

时间，   时候，   的 时候，   怎么，
shíjiān,   shíhòu,   de shíhou,   zěnme,

怎么样，   正在，   连···都，   最，
zěnmeyàng,   zhèngzài,   lián...dōu,   zuì,

和···一样，
hé...yíyàng,

1. 我 来 中国 的 _____ 不 长。
   Wǒ lái Zhōngguó de _____ bù cháng.

2. 你 什么 ＿＿＿＿ 能 到 纺织 公司？
   Nǐ shénme ＿＿＿＿ néng dào Fǎngzhī Gōngsī?

3. 布朗 正要 打 电话 ＿＿＿＿ 发现 电话 坏
   Bùlǎng zhèngyào dǎ diànhuà ＿＿＿＿ fāxiàn diànhuà huài
   了。
   le.

4. 最近 身体 ＿＿＿＿？
   Zuìjìn shēntǐ ＿＿＿＿?

5. 请 你 告诉 我 ＿＿＿＿ 学好 汉语。
   Qǐng nǐ gàosù wǒ ＿＿＿＿ xuéhǎo Hànyǔ.

6. 英文 ＿＿＿＿ 中文 ＿＿＿＿ 难。
   Yīngwén ＿＿＿＿ Zhōngwén ＿＿＿＿ nán.

7. 我 ＿＿＿＿ 家里 看 电视。
   Wǒ ＿＿＿＿ jiā lǐ kàn diànshì.

8. 老师 很 忙， ＿＿＿＿ 星期日 ＿＿＿＿ 不 休息。
   Lǎoshī hěn máng, ＿＿＿＿ xīngqīrì ＿＿＿＿ bù xiūxi.

9. 北京 秋天 的 天气 ＿＿＿＿ 好。
   Běijīng qiūtiān de tiānqì ＿＿＿＿ hǎo.

七、把下列句子翻译成中文 (Translate the following sentences into Chinese)：

1. If I am free this weekend，I will go to Shanghai.

2. Our embassy is located at Sanlitun.

3. There are a lot of beautiful flowers outside of our school.

4. Chinese cuisine is more tasty than Western food.

5. Hurry up. Mr. Wang is waiting for us at the airport.

语 法 小 结 （一）

A Brief Summary of Chinese Grammar

句子成分（Sentence Elements）

汉语单句中（主谓句）一般可以分为两个层级，六种成分：

Generally speaking, there are six grammatical elements in a simple sentence （S－P sentence）. They are divided into two classes：

第一级：　　　　主语　　谓语

The first class：　　S　　　P

第二级：　　　　定语　　　　状语　　　　　补语

The second class：　attrib.　　adv. adjunct　　complement

宾语

O

它们在单句中的顺序一般是：

Their order is：

（定语）　主语＋〔状语〕谓语〈补语〉（定语）宾语

（attrib.）S ＋〔adv. adjunct〕P 〈complement〉（attrib.）O

主语部分　　　　　　　谓语部分

the subject section　　　　the predicate section

1. 主语是主语部分的主要词语，谓语是谓语部分的主要词语。主语一般放在谓语前。

The main word（or key word）in the subject section is the subject. The main word（or key word）in the predicate section is the predicate. Generally, the subject section is placed before the predicate section.

2. 定语是修饰、限定主语或宾语的。

An attributive is a word or phrase which modifies or restricts a subject or an object.

3. 状语是修饰、限定谓语的，有些谓语可以放在句首。

An adverbial adjunct is a word or phrase which modifies or restricts a predicate. Adverbial adjuncts are usually placed just before the predicate; however, sometimes they can be placed at the beginning of a sentence.

4. 补语是对谓语的补充说明，有些补语可放在宾语的后边。

A complement is a word or phrase attached to a predicate to complete the meaning of a sentence. Some complements can be placed after the object.

5. 宾语表示动作的对象，产生的结果，或表示动作所达到的处所、动作所用的工具等等。

An object follows a predicate verb and indicates the target or result of an action, the place where the action occurs or the instrument with which the action is done.

For example:

格林　　先生　　学习　历史。
Gélín xiānsheng xuéxí lìshǐ.
　 S　　　　P　　　 O

他 的 夫人 在 北京 大学 学习 了 一 年　　中国
Tā de fūren zài Běijīng Dàxué xuéxí le yì nián Zhōngguó
历史。
lìshǐ.

attrib.　S　adv. adjunct　P　complement　attribe.　O
实际话语交际中，不一定都说六种成分俱全的句子。在特定的言语环境中，我们还常用非主谓句。

Not all S-P sentences contain all six grammatical elements, and in certain situations, non-S-P sentences are used.

For example：

1） 请进! （祈使要求）
   Qǐngjìn! （Expressing a command）

2） 王　　先生! （称呼）
   Wáng xiānsheng! （Indicating a form of address）

3） 真　忙　啊! （感受）
   Zhēn máng a! （indicating one's feelings）

4） 下　雨　了。 （说明天气）
   Xià yǔ le. （indicating weather）

5） 北京　大学。 （名称）
   Běijīng Dàxué. （Indicating place）

汉语中,主谓句中的谓语一般由动词或形容词充当,有时也有用他类词语充当的。

In Chinese，most predicates are verbs or adjectives；however，other kinds of words and phrases can also function as predicates.

For example：

1） 明天　星期日。 （名词）
   Míngtiān xīngqīrì. （noun）

2） 好，就　这样　吧。 （代词）
   Hǎo，jiù zhèyàng ba. （pron.）

第二十一课　　Lesson 21
Dì-èrshí yī kè

后天　请　客　　The Day After Tomorrow We
Hòutiān qǐng kè　　Are Having Guests for Dinner

课　文　　Text
Kèwén

（一）

佐藤　夫人：　张　师傅，后天　有　三　个　客人　来　我　家
Zuǒténg fūrén：Zhāng shīfu, hòutiān yǒu sān gè kèrén lái wǒ jiā

　　吃　晚饭，　请　你　准备　一下儿。
　　chī wǎnfàn, qǐng nǐ zhǔnbèi yíxiàr.

　张　师傅：好　的，吃　中餐　还是　吃　西餐？
Zhāng shīfu：Hǎo de, chī zhōngcān háishì chī xīcān?

　　夫人：吃　　中餐。　请　你　做　一　个　糖醋鱼，
　　Fūrén：Chī zhōngcān. Qǐng nǐ zuò yí gè tángcùyú,

　　另外　再　准备　三　四　个　菜，要　一　个　辣
　　lìngwài zài zhǔnbèi sān sì gè cài, yào yí gè là

　　味　的。
　　wèi de.

　　张：好。做　什么　菜　呢？
Zhāng：Hǎo. Zuò shénme cài ne?

　　夫人：你　看着办。　这　是　二　百　块　钱，需要
　　Fūrén：Nǐ kànzhebàn. Zhè shì èr bǎi kuài qián, xūyào

　　什么　就　买　吧。
　　shénme jiù mǎi ba.

张： 后天　　晚上　几　点　开　饭？
Zhāng：Hòutiān wǎnshang jǐ diǎn kāi fàn？

夫人：七　点，来得及　吗[1]？
Fūren：Qī diǎn，láidejí ma？

张： 来得及。
Zhāng：láidejí.

夫人：我　已经　打了　电话，　让　　使馆　派一个
Fūren：Wǒ yǐjīng dǎle diànhuà ráng shǐguǎn pài yí gè

　　　招待员　　来　　帮忙。
　　　zhāodàiyuán lái bāngmáng.

张： 有　　招待员　来，就　更　好　了。
Zhāng：Yǒu zhāodàiyuán lái，jiù gèng hǎo le.

夫人：今天　　晚上　我　和　丈夫　到　朋友　家
Fūren：Jīntiān wǎnshang wǒ hé zhàngfu dào péngyou jiā

　　　去，晚饭　你　就　不　要　准备　了。午饭
　　　qù，wǎnfàn nǐ jiù bú yào zhǔnbèi le. Wǔfàn

　　　以后，　收拾　一下儿，你　就　可以　回　家　了。
　　　yǐhòu，shōushi yíxiàr，nǐ jiù kěyǐ huí jiā le.

张： 好　的。
Zhāng：Hǎo de.

（二）

阿姨：夫人，玛丽　该　睡觉　了[2]。
Āyí：Fūren，Mǎlì gāi shuìjiào le.

布朗　夫人：好，她　上午　玩　得　怎么样？
Bùlǎng fūren：Hǎo，tā shàngwǔ wán de zěnmeyàng？

阿姨：她　挺　高兴　的，还　吃了　几　块　西瓜和不
Āyí：Tā tǐng gāoxìng de，hái chīle jǐ kuài xīguā hé bù

　　　少　　葡萄。
　　　shǎo pútao.

夫人：她 很 爱 吃 水果。
Fūren：Tā hěn ài chī shuǐguǒ.

阿姨：她的裙子是 早上 换 的[3]，又 脏 了，
Āyí：Tā de qúnzi shì zǎoshang huàn de, yòu zāng le,

我 给 她 洗洗 吧。
wǒ gěi tā xǐxi ba.

夫人：可以，洗 完 衣服， 请 收拾 一下儿 房间。
Fūren：Kěyǐ, xǐ wán yīfu, qǐng shōushi yíxiàr fángjiān.

阿姨：那些 旧 报纸 和 旧 杂志 放在 哪儿？
Āyí：Nàxiē jiù bàozhǐ hé jiù zázhì fàngzài nǎr?

夫人：旧 报纸 扔掉 吧，旧 杂志 可以 放在 书架
Fūren：Jiù bàozhǐ rēngdiào ba, jiù zázhì kěyǐ fàngzài shūjià

上。
shang.

阿姨：好 吧。
Āyí：Hǎo ba.

夫人：今天 你 晚 走 两 个 小时，可以 吗？
Fūren：Jīntiān nǐ wǎn zǒu liǎng gè xiǎoshí, kěyǐ ma?

因为 我们 要 去 朋友 家，想 请 你
Yīnwèi wǒmen yào qù péngyou jiā, xiǎng qǐng nǐ

照看 一下儿 玛丽。
zhàokàn yíxiàr Mǎlì.

阿姨：可以。
Āyí：Kěyǐ.

夫人：谢谢。你 带 玛丽 睡觉 去 吧。
Fūren：Xièxie. Nǐ dài Mǎlì shuìjiào qù ba.

阿姨：好。玛丽， 咱们 睡觉 去 吧。
Āyí：Hǎo. Mǎlì, zánmen shuìjiào qù ba.

词 语　New Words and Phrases
Cíyǔ

1. 请客　　　　　　qǐngkè　　　to invite someone to dinner,
　　　　　　　　　　　　　　　　to entertain guests
2. 客人　（n.）　　kèrén　　　guest
3. 佐藤　（n.）　　zuǒténg　　Sato (a Japanese name)
4. 中餐　（n.）　　zhōngcān　Chinese food
5. 西餐　（n.）　　xīcān　　　Western-style food
6. 另外　（adv.）　lìngwài　　besides, in addition
7. 看着办　　　　　kànzhebàn　to act at one's discretion
8. 百　　（num.）bǎi　　　　hundred
9. 需要　（v.）　　xūyào　　　to need
10. 开饭　　　　　　kāifàn　　　to serve a meal
11. 来得及　　　　　láidejí　　to be able to do something in time,
　　　　　　　　　　　　　　　　not late yet
12. 已经　（adv.）　yǐjīng　　already
13. 让　　（v.）　　ràng　　　to let, to allow, to invite
14. 招待员（n.）　　zhāodàiyuán　waiter or waitress, attendant
15. 丈夫　（n.）　　zhàngfu　　husband
16. 睡觉　（v.）　　shuìjiào　to sleep, to go to bed
17. 挺　　（adv.）　tǐng　　　quite
18. 块　　（m.）　　kuài　　　(a measure word)
19. 西瓜　（n.）　　xīguā　　　watermelon
20. 爱　　（v.）　　ài　　　　to love, to like
21. 裙子　（n.）　　qúnzi　　　skirt

22.	换	(v.)	huàn	to change
23.	脏	(adj.)	zāng	dirty
24.	洗	(x.)	xǐ	to wash
25.	旧	(adj.)	jiù	old, used
26.	杂志	(n.)	zázhì	magazine
27.	放	(v.)	fàng	to put
28.	扔掉		rēngdiào	to throw away
29.	书架	(n.)	shūjià	bookshelf
30.	照看	(v.)	zhàokàn	to look after, to take care of

补充词语   Supplementary Words
Bǔchōng Cíyǔ   and Phrases

1.	扫	(v.)	sǎo	to sweep
2.	刷	(v.)	shuā	to brush, to clean
3.	吸尘器	(n.)	xīchénqì	vacuum cleaner
4.	洗衣粉	(n.)	xǐyīfěn	detergent
5.	毛巾	(n.)	máojīn	towel
6.	卫生纸	(n.)	wèishēngzhǐ	toilet paper

注 解   Notes
Zhùjiě

(1) "七点，来得及吗(qīdiǎn, láidejí ma)"?

"来得及"表示"还有时间"，"还不晚"的意思。它的否定形式是
"来不及"。

"来得及(láidejí)" means "not yet late to do something".

Its negative form is "来不及(láibùjí)".

For example：

七 点 吃 饭 来得及 吗?
Qī diǎn chī fàn láidejí ma?

做 三 个 菜 还 来得及， 要是 做 八 个 菜 就 来不及
Zuò sān gè cài hái láidejí yàoshì zuò bā gè cài jiù láibùjí
了。
le.

(2) "玛丽该睡觉了(Mǎlì gāi shuìjiào le)。"

"该……了"这个结构常用来表示说话人根据情理或经验得出
的结论，表示必须或应该出现的行为或现象。

The construction "该……了(gāi... le)"is used to show that
something ought to be done or that it is time to do something.

For example：

玛丽 该 吃 饭 了。
Mǎlì gāi chī fàn le.

张 师傅该 回 家 了。
Zhāng shīfu gāi huí jiā le.

(3) "她的裙子是早上换的(Tā de qúnzi shì zǎoshang huànde)。"

"是……的"结构起强调作用。"是"放在所强调部分的前边，
"的"一般放在句尾,但是动词带宾语时,也可以放在宾语的前
边。

"是……的(shì... de)"construction is used to show emphasis.
The "是(shì)" is placed before whatever is to be emphasized
while "的(de)" is generally placed at the end of the sentence.
If the verb takes an object，"的(de)" can also be placed before
the object.

For example：

我 是 昨天 来 的。
Wǒ shì zuótiān lái de.

王　小姐　不　是　坐　车　来　的。
Wáng xiǎojie bú shì zuò chē lái de.

我　是　昨天　打　的　电话。
Wǒ shì zuótiān dǎ de diànhuà.

练　习　　Exercises
Liànxí

一、读下列句子（Read the following sentences）：

1. 请　你　　| 收拾　| 一下儿 | 房间　| 。
   Qǐng nǐ | shōushi | yíxiàr | fángjiān |

	收拾 shōushi	一下儿 yíxiàr	房间 fángjiān
请 你 Qǐng nǐ	准备 zhǔnbèi		晚饭 wǎnfàn
	照看 zhàokàn		玛丽 Mǎlì
	洗 xǐ		衣服 yīfu

2.

		睡觉 shuìjiào	
玛丽 Mǎlì	该 gāi	上班 shàngbān	了。 le.
我 Wǒ		学 中文 xué Zhōngwén	
你们 Nǐmen		走 zǒu	
我 Wǒ			

3.

她 Tā	是 shì	坐 飞 机 来 zuò fēijī lái	的。 de.
我 Wǒ		昨天 下午 来 zuótiān xiàwǔ lái	
布朗 夫人 Bùlǎng fūren		上 个 月 回 国 shàng gè yuè huí guó	

二、完成下列句子,用上"该……了"(Rephrase the following sentences by using the construction "gāi...le"):

1. 孩子 上学。
   Háizi shàngxué.

2. 天气 热。
   Tiānqì rè.

3. 我 回 家。
   Wǒ huí jiā.

4. 他 去 大使馆。
   Tā qù dàshǐguǎn.

5. 你 吃 早饭。
   Nǐ chī zǎofàn.

三、用"来得及"或"来不及"完成下列对话(Complete the following dialogues with "láidejí" or "láibùjí"):

1. A: 招待会 七 点 开始, 我们 现在 去 _____
   Zhāodàihuì qī diǎn kāishǐ, wǒmen xiànzài qù _____
   吗?
   ma?

   B: 已经 六点 半 了, 但是 坐 汽车 去 还
   Yǐjīng liùdiǎn bàn le, dànshì zuò qìchē qù hái
   _____。

2. A: 请 你 快 一点儿, 我们 到 机场 _____ 了。
   Qǐng nǐ kuài yìdiǎnr, wǒmen dào jīchǎng _____ le.

   B: 飞机 九点 到, 还 _____
   Fēijī jiǔdiǎn dào, hái _____。

四、将下列句子译成英文 (Translate the following sentences into English)：

1. 王 先生， 请 你 星期 四 下午 到 我 家 吃
   Wáng xiānsheng, qǐng nǐ xīngqī sì xiàwǔ dào wǒ jiā chī
   晚饭。
   wǎnfàn.

2. 格林 小姐 是 四月 来 北京 的。
   Gélín xiǎojie shì sìyuè lái Běijīng de.

3. 我 要 去 商店 买 水果， 一会儿 就 回 来。
   Wǒ yào qù shāngdiàn mǎi shuǐguǒ, yíhuìr jiù huí lai.

4. 洗完 衣服， 请 你 收拾 一下儿 书房。
   Xǐwán yīfu, qǐng nǐ shōushi yíxiàr shūfáng.

5. 你 喜欢 吃 中餐 还是 喜欢 吃 西餐？
   Nǐ xǐhuān chī zhōngcān háishì xǐhuān chī xīcān?

五、学汉字 (Learn Chinese characters)：

酉　　　醋　酒
王　　　玩　琉　璃
一　　　一　上　下　七　来

第二十二课　Lesson　22
Dì-èrshí èr kè

要　不　要　发　请贴？　Shall We Send
Yào bú yào fā qǐngtiě?　Invitations?

课　文 Text
Kèwén

（一）

史密斯　小姐：　王　　先生，　　下　星期三　　晚上　　七　点，
Shǐmìsī xiǎojie：Wáng xiānsheng, xià xīngqīsān wǎnshang qī diǎn

　　　　　　　大使　　想　　请　　这些　　中国　　朋友　　吃
　　　　　　　dàshǐ xiǎng qǐng zhèxiē Zhōngguó péngyou chī

　　　　　　　饭。　请　打　电话　　问问，　看　有　多少
　　　　　　　fàn. Qǐng dǎ diànhuà wènwen, kàn yǒu duōshǎo

　　　　　　　人　能　出席(1)。
　　　　　　　rén néng chūxí.

　　　　王　　先生：　好。　我　想　问　一下儿　在
　　　　wáng xiānsheng：Hǎo. Wǒ xiǎng wèn yíxiàr zài

　　　　　　　　　什么　地方　吃　饭？
　　　　　　　　　shénme dìfang chī fàn?

　　　小姐：　长城　饭店。
　　　Xiǎojie：Chángchéng Fàndiàn.

　　　王：　要　不　要　发　请贴？
　　　Wáng：Yào bú yào fā qǐngtiě?

　　　小姐：　要　发。　这个　星期　就　得　发。　这　是　大使
　　　Xiǎojie：Yào fā. Zhège xīnqī jiù děi fā. Zhè shì dàshǐ

的　讲话稿，　请　翻译　一下儿。
de jiǎnghuàgǎo, qǐng fānyi yíxiàr.

王：　要　打印　吗？
Wáng： Yào dǎyìn ma?

小姐：　要。　英文　和　中文　各　打印　二十
Xiǎojie： Yào. Yīngwén hé Zhōngwén gè dǎyìn èrshi

份，　请　在　明天　下班　以前　交　给
fènr, qǐng zài míngtiān xiàbān yǐqián jiāo gěi

我。
wǒ.

王：　好。
Wáng： Hǎo.

小姐：　今天　下午　三　点，　国家　教委　的　赵
Xiǎojie： Jīntiān xiàwǔ sān diǎn, Guójiā Jiàowěi de Zhào

处长　来　拜会　参赞。　请　告诉
chùzhǎng lái bàihuì cānzàn. Qǐng gàosu

招待员，　把　客厅　布置　一下儿，　准备
zhāodàiyuán, bǎ kètīng bùzhi yíxiàr, zhǔnbèi

好　茶(2)。
hǎo chá.

王：　好　的，我　马上　就　告诉　她。
Wáng： Hǎo de, wǒ mǎshàng jiù gàosu tā.

(二)

怀特　先生：　张　师傅，今天　下午　两　点，我　去
Huáitè xiānsheng： Zhāng shīfu, jīntiān xiàwǔ liǎng diǎn, wǒ qù

接　代表团。　请　在　两　点　以前，把
jiē dàibiǎotuán. Qǐng zài liǎng diǎn yǐqián bǎ

车　开到　我　家。
chē kāidào wǒ jiā.

张　师傅：好。差 五 分 两 点 我 在 楼下 等 你。
Zhāng shīfu：Hǎo. Chà wǔ fēn liǎng diǎn wǒ zài lóuxià děng nǐ.

怀特：办事员 小 刘 不 在 吗？
Huáitè：Bànshìyuán Xiǎo Liú bú zài ma?

张：他 到 房屋 公司 交 房租 去 了。听
Zhāng：Tā dào Fángwū Gōngsī jiāo fángzū qù le. Tīng

说 还 要 到 海关 去 办 手续。
shuō hái yào dào hǎiguān qù bàn shǒuxù.

怀特：他 十一 点 以前 回得来 吗？
Huáitè：Tā shíyī diǎn yǐqián huídelái ma?

张：恐怕 回不来。有 什么 事 吗？
Zhāng：Kǒngpà huíbulái. Yǒu shénme shì ma?

怀特：刚才 外交部 来 电话，说 签证
Huáitè：Gāngcái Wàijiāobù lái diànhuà shuō qiānzhèng

办好 了。他 回来 以后，让 他 去 取，好
bànhǎo le. Tā huílai yǐhòu ràng tā qù qǔ hǎo

吗？
ma?

张：好，我 一定 告诉 他。
Zhāng：Hǎo, wǒ yídìng gàosu tā.

词 语　New Words and Phrases
Cíyǔ

1. 发	(v.)	fā	to send, to distribute
2. 请帖	(n.)	qǐngtiě	invitation card
3. 下星期三		xià xīngqīsān	next Wednesday
下星期		xià xīngqī	next week
4. 看	(v.)	kàn	to see, to find out
5. 出席	(v.)	chūxí	to attend, to be present

6.	长城饭店	(n.)	Chángchéng Fàndiàn	the Great Wall Sheraton Hotel
	饭店	(n.)	fàndiàn	hotel
7.	得	(aux. v.)	děi	to have to, must
8.	讲话稿	(n.)	jiǎnghuà gǎo	draft or text of a speech
9.	打印	(v.)	dǎyìn	to cut a stencil and mimeograph, to make copies
10.	各	(pron.)	gè	each, every
11.	份	(m.)	fèn	(a measure word)
12.	以前	(m.)	yǐqián	before, ago
13.	交	(v.)	jiāo	to hand in, to pay
14.	国家教委 (国家教育委员会)	(n.)	Guójiā Jiàowěi (Guójiā Jiàoyù Wěiyuánhuì)	State Education Commission
15.	处长	(n.)	chùzhǎng	director
16.	拜会	(v.)	bàihuì	to pay a visit
17.	参赞	(n.)	cānzàn	counsellor
18.	布置	(v.)	bùzhi	to fix up, to decorate
19.	接	(v.)	jiē	to meet, to welcome
20.	代表团	(n.)	dàibiǎotuán	delegation
21.	开	(v.)	kāi	to drive
22.	差		chà	less
23.	办事员	(n.)	bànshìyuán	office worker, clerk
24.	房屋公司	(n.)	Fángwū Gōngsī	Housing Corporation
25.	房租	(n.)	fángzū	rent for a house or flat
26.	海关	(n.)	hǎiguān	customs, customhouse
27.	恐怕	(v.)	kǒngpà	I'm afraid, perhaps

28.	刚才	(adv.)	gāngcái	just now, a moment ago
29.	外交部	(n.)	Wàijiāobù	Ministry of Foreign Affairs
30.	来	(v.)	lái	to come, to call
31.	签证	(n.)	qiānzhèng	visa
32.	取	(v.)	qǔ	to take, to fetch
33.	一定	(adv.)	yídìng	certainly

补充词语　Supplementary Words
Bǔchōng Cíyǔ　　　and Phrases

1.	上（个）月		shàng (ge) yuè	last month
2.	主人	(n.)	zhǔrén	host, hostess
3.	菜单	(n.)	càidān	menu

注　解 Notes
Zhùjiě

(1)　"看有多少人能出席(kàn yǒu duōshǎo rén néng chūxí)"
　　　"看"在这里的意思是"弄清楚"、"搞确实"。

In this sentence, the word "看(kàn)" means to see in the sense of finding out.

For example：

　请　给　机场　打　个　电话，　看 CA1199　航班　几
　Qǐng　gěi　jīchǎng　dǎ　ge　diànhuà，kàn CA1199 hángbān　jǐ
　点　起飞。
　diǎn　qǐfēi.

(2)　"准备好茶(Zhǔnbèi hǎo chá)。"
　　　"好"在这里说明动作的结果，是结果补语。结果补语放在动
　　　词的后边，可以是动词，也可以是形容词。

"好(hǎo)" is used here as a resultative complement which indicates the result of an action and is placed directly after the verb. Both verbs and adjectives can serve as resultative complements.

For example:

洗完 衣服, 请 收拾 一下儿 房间。
Xǐwán yīfu, qǐng shōushi yíxiàr fángjiān.

签证 办好 了。
Qiānzhèng bànhǎo le.

练 习 Exercises
Liànxí

一、读下列、词组和句子 (Read the following words, phrases and sentences):

1. 衣服
   yīfu

   洗 衣服
   xǐ yīfu

   洗完 衣服
   xǐwán yīfu

   洗完 衣服, 请 收拾 一下儿 房间。
   Xǐwán yīfu, qǐng shōushi yíxiàr fángjiān.

2. 签证
   qiānzhèng

   办 签证
   bàn qiānzhèng

   签证 办好 了。
   Qiānzhèng bànhǎo le.

外交部　说　　签证　　办好　了。
Wàijiāobù shuō qiānzhèng bànhǎo le.

3. 拜会
bàihuì

拜会　参赞
bàihuì cānzàn

今天　下午　拜会　参赞。
Jīntiān xiàwǔ bàihuì cānzàn.

今天　下午　三　点　拜会　参赞。
Jīntiān xiàwǔ sān diǎn bàihuì cānzàn.

4. 发
fā

发　请贴
fā qǐngtiě

要　发　请贴
yào fā qǐngtiě

要　不　要　发　请贴？
yào bú yào fā qǐngtiě?

明天　就　要　发　请贴。
Míngtiān jiù yào fā qǐngtiě.

二、做下列替换练习(Do the following substitution drills)：

1. 这　几　件　衣服　你
　 Zhè jǐ jiàn yīfu nǐ

洗完　了　吗？
xǐwán le ma?

我　洗完　了。
Wǒ xǐwán le.

| 一杯　茶，喝完 |
| yì bēi chá, hēwán |
| 两　本　书，　看完 |
| liǎng běn shū, kànwán |
| 一　瓶　啤酒，喝完 |
| yì píng píjiǔ, hēwán |
| 几　份　请帖，打好 |
| jǐ fèn qǐngtiě, dǎhǎo |

2. 请　你　打　电话　问　一下儿，看　有　多少　人　能
　 Qǐng nǐ dǎ diànhuà wèn yíxiàr, kàn yǒu duōshǎo rén néng

出席。
chūxí.

签证	办	好 了	没有	
qiānzhèng	bàn	hǎo le	méiyǒu	
飞机	几	点	到	北京
fēijī	jǐ	diǎn	dào	Běijīng
打印	多少	张	请帖	
dǎyìn	duōshǎo	zhāng	qǐngtiě	
王	先生	来 不 来		
Wáng	xiānsheng	lái bù lái		

3. A：王　　先生，　今天　下午　五　点　我　要　用
　　　Wáng　xiānsheng,　jīntiān xiàwǔ wǔ diǎn wǒ yào yòng
　　　车。
　　　chē.

　　B：你 去 哪?
　　　Nǐ qù nar?

　　A：我 去 机场 接 代表团。
　　　Wǒ qù jīchǎng jiē dàibiǎotuán.

长城	饭店	参加	招待会
Chángchéng	Fàndiàn	cānjiā	zhāodàihuì
北京	大学	接	留学生
Běijīng	Dàxué	jiē	liúxuéshēng
海关	办	手续	
hǎiguān	bàn	shǒuxù	

4. A：刚才 外交部 来 电话 了。
　　　Gāngcái Wàijiāobù lái diànhuà le.

　　B：说 什么?
　　　Shuō shénme?

　　A：说 签证 已经 办好 了。
　　　Shuō qiānzhèng yǐjīng bànhǎo le.

张　　先生，　机票　买到
Zhāng xiānsheng,　jīpiào mǎidào

大使　　代表团　　到　北京
dàshǐ,　dàibiǎotuán dào Běijīng

布朗　小姐，　她 的　病　好　多
Bùlǎng Xiǎojie,　tā de bìng hǎo duō

三、用"完"、"到"、"好"、"懂"，完成下列句子(Complete the following sentences using "wan","dao","hao" and "dong")：

1. 昨天　我　在　友谊　商店　看 ＿＿＿＿ 李　明　了。
   Zuótiān wǒ zài Yǒuyì Shāngdiàn kàn ＿＿＿＿ Lǐ míng le.

2. 你　说　的　汉语，我　已经　听 ＿＿＿＿ 了。
   Nǐ shuō de Hànyǔ wǒ yǐjing tīng ＿＿＿＿ le.

3. 办公室　的　电话　我　已经　修理 ＿＿＿＿ 了。
   Bàngōngshì de diànhuà wǒ yǐjing xiūlǐ ＿＿＿＿ le.

4. 这　本　书我　已经　看 ＿＿＿＿ 了，你　看　吧。
   Zhè běn shū wǒ yǐjing kàn ＿＿＿＿ le, nǐ kàn ba.

四、回答下列问题(Answer the following questions)：

1. 你　贵姓，　叫　什么　名字？
   Nǐ guìxìng, jiào shénme míngzi?

2. 你　住在　什么　地方？
   Nǐ zhùzài shénme dìfang?

3. 你　周末　常　到　哪　去　玩儿？
   Nǐ zhōumò cháng dào nǎr qù wánr?

4. 你　喜欢　吃　中餐　吗？为　什么？
   Nǐ xǐhuan chī zhōngcān ma? Wèi shénme?

五、学汉字(Learn Chinese characters)：

白　　　的　　百

委　霜
利　雨
和　雪
禾　雨

第二十三课 Lesson 23
Dì-èrshísān kè

我们　　好象　　见过　面　　It Seems That
Wǒmen hǎoxiàng jiànguo miàn　We've Met Before

课 文　　Text
Kèwén

（一）

布朗　先生：　你 好，　先生。
Bùlǎng xiānsheng：Nǐ hǎo, xiānsheng.

刘　先生：　啊，你 好。 见到 你 很　高兴。
Liú xiānsheng：A, Nǐ hǎo. Jiàndao nǐ hěn gāoxìng.

（交换　　名片）
(jiāohuàn míngpiàn)

布朗：　哦，你 在　经贸部　工作，太 好 了，
Bùlǎng：O, nǐ zài Jīngmàobù gōngzuò, tài hǎo le,

我们　今后 要 多 联系。
wǒmen jīnhòu yào duō liánxi.

刘：　是的。 你们 公司 很 有　名。 我
Liú：Shìde. Nǐmen gōngsī hěn yǒu míng. Wǒ

去年　到　贵国　访问，　曾经
qùnián　dào　guìguó fǎngwèn,　céngjīng

参观 过 你们 的　工厂[1]。
cānguān guo nǐmen de gōngchǎng.

布朗： 是 去年 九月 吗？
Bùlǎng： Shì qùnián jiǔ yuè ma?

刘： 是 的。
Liú： Shì de.

布朗： 那 时候 我 正在 工厂 里， 还
Bùlǎng： Nà shíhou wǒ zhèngzài gōngchǎng li hái

参加 了 接待 中国 代表团 的
cānjiā le jiēdài Zhōngguó dàibiǎotuán de

工作。
gōngzuò.

刘： 是 吗？ 我 觉得 我们 好象 见过
Liú： Shì ma? Wǒ juéde Wǒmen hǎoxiàng jiànguo

面。
miàn.

布朗： 真 是 太 巧 了。
Bùlǎng： Zhēn shì tài qiǎo le.

（二）

张 先生： 布朗 先生， 今天 天气 不 错，是
Zhāng xiānsheng： Bùlǎng xiānsheng, jīntiān tiānqì bú cuò, shì

不 是？
bú shì?

布朗 先生： 是 啊， 张 先生。 感谢 你 邀请
Bùlǎng xiānsheng： Shì A, Zhāng xiānsheng. Gǎnxiè nǐ yāoqǐng

我 参加 招待会， 我 认识 了 不 少
wǒ cānjiā zhāodàihuì, wǒ rènshi le bù shǎo

新 朋友。
xīn péngyou.

张： 你 到 北京 有 一 个 多 月 了 吧？
Zhāng： Nǐ dào Běijīng yǒu yí ge duō yuè le ba?

布朗： 到 这个 星期四 正 好 一 个 月。
Bùlǎng：Dào zhège xīngqīsì zhèng hǎo yī gè yuè.

张： 工作 顺利 吧？
Zhāng：Gōngzuò shùnlì ba?

布朗： 还 不 错。 签定 了 两 千 多 万
Bùlǎng：Hái bú cuò. Qiāndìng le liǎng qiān dūo wàn

元 的 合同⁽²⁾， 现在 正 和 一 些
yuán de hétóng, xiànzài zhèng hé yì xiē

公司 洽谈 新 的 项目。
gōngsī qiàtán xīn de xiàngmù.

张： 祝 你 成功！
Zhāng：Zhù nǐ chénggōng!

布朗： 谢谢。
Bùlǎng：Xièxie.

词 语　　New Words and Phrases
Cíyǔ

1. 好象（v.）　hǎoxiàng　to be like，to seem
2. 见面（v.）　jiànmiàn　to meet
3. 过　　　　guo　　　（an aspect particle）
4. 交换（v.）　jiāohuàn　to exchange
5. 名片（n.）　míngpiàn　calling card
6. 今后　　　jīnhòu　　from now on，later
7. 联系（v.）　liánxi　　to contact，to get in touch
8. 去年　　　qùnián　　last year
9. 贵国　　　guìguó　　your country
10. 曾经　　　céngjīng　（an auxiliary，indicating something
　　　　　　　　　　　　happened in the past）
11. 工厂（n.）　gōngchǎng　factory

12. 接待（v.）	jiēdài	to receive
13. 巧	qiǎo	coincidental
14. 邀请（v.）	yāoqǐng	to invite
15. 到	dào	reach，arrive；until，up to
16. 正好（adv.）	zhènghǎo	just，just right，just in time
17. 顺利（adj.）	shùnlì	smooth
18. 签定（v.）	qiāndìng	to sign（an agreement，etc.）
19. 千 （n.）	qiān	thousand
20. 万 （num.）	wàn	ten thousand
21. 合同（n.）	hétóng	contract
22. 洽谈（v.）	qiàtán	to hold talks
23. 项目（n.）	xiàngmù	item，project
24. 成功（n.）	chénggōng	success

（三）

佐藤　先生　要　回　国　了。为了　向　朋友们
Zuǒténg xiānsheng yào huí guó le. Wèile xiàng péngyoumen

告别　和　介绍　新　到任　的　田中　先生，　他　举行
gàobié hé jièshào xīn dàorèn de Tiánzhōng xiānsheng, tā jǔxíng

了　一　个　招待会。　在　招待会　上，　他　用　汉语
le yí ge zhāodàihuì. Zài zhāodàihuì shang, tā yòng Hànyǔ

说："女士们，　先生们：　再　有　一　个　多　星期，我
shuō："Nǚshìmen, xiānshengmen：Zài yǒu yí ge duō xīngqī, wǒ

就　要　离任　了。借　这个　机会，　向　各　位　朋友　表示
jiù yào lírèn le. Jiè zhèige jīhuì xiàng gè wèi péngyou biǎoshì

感谢！　两　年　多　时间　里　我们　在　各位　的　合作　下，
gǎnxiè! Liǎng nián duō shíjiān lǐ wǒmen zài gè wèi de hézuò xià

工作 上 很 顺利。 现在 我 向 大家 介绍 新
gōngzuò shang hěn shùnlì. Xiànzài wǒ xiàng dàjiā jièshào xīn

到任 的 田中 先生， 希望 继续 得到 各 位 的
dàorèn de Tiánzhōng xiānsheng, xīwàng jìxù dédào gè wèi de

关照。 我 建议： 为 今后 更 好 的 合作，为 各 位
guānzhào. Wǒ jiànyì: wèi jīnhòu gèng hǎo de hézuò, wèi gè wèi

的 健康， 干 杯(3)!" 听了 他 的 话，大家 都 鼓起
de jiànkāng, gān bēi!" Tīngle tā de huà, dàjiā dōu gǔqǐ

掌 来。
zhǎng lai.

词 语　　New Words and Phrases
Cíyǔ

1. 回国　　　　huíguó　　to return to one's country
2. 告别（v.）　gàobié　　to take leave of
3. 到任　　　　dàorèn　　to arrive at one's post
4. 女士（n.）　nǚshì　　lady
5. 离任　　　　lírèn　　to leave one's post
6. 借　（v.）　jiè　　　to take (an opportunity),to borrow
7. 机会（n.）　jīhuì　　opportunity, chance
8. 合作（v.）　hézuò　　to work together, to cooperate
9. 表示（v.）　biǎoshì　to show, to express
10. 在……下　　zài...xià under
11. 继续（v.）　jìxù　　to go on, to continue
12. 关照（v.）　guānzhào to look after
13. 建议（v.;n.）jiànyì　to suggest; suggestion
14. 干杯　　　　gānbēi　cheers; to toast
15. 鼓掌　　　　gǔzhǎng to applaud

16. ……起　　　…qǐ　　　(a verbal complement)

注　解 Notes
Zhùjiě

（1）	"曾经参观过你们的工厂（céngjīng cānguān guo nǐmen de gōngchǎng）"

"过"附在动词后面，表示动作已经成为过去，有的也表示经历。

When it follows a verb, "过（guo）" indicates that the action has taken place in the past or has been experienced.

For example：
我　去过　法国。
Wǒ qùguo Fǎguó.
你　见过　张　先生　吗？
Nǐ jiànguo Zhāng xiānsheng ma?

（2）	数字的读法（Reading numerals）

10 十　80 八十　99 九十九
　　shí　　bāshí　　jiǔshijiǔ

125 一　百　二十五　207 二　百　零　七
　　yì bǎi èrshiwǔ　　　 èr bǎi líng qī

1070 一　千　零　七十　6004 六　千　零　四
　　yī qiān líng qīshí　　liù qiān líng sì

18500 一　万　八　千　五　百　480025 四十　万　零
　　yí wàn bā qiān wǔ bǎi　　sìshi wàn líng

二十五
èrshiwǔ

38.5 三十八　点　五　5.58 五　点　五　八
　　sānshibā diǎn wǔ　　　wǔ diǎn wǔ bā

（3）	"为各位的健康，干杯（Wèi gè wèi de jiànkāng, gānbēi）！"

"为……干杯！"是中国人常用的祝酒词。用于其他场合的祝词有："祝……"或"祝贺……"。

"为……干杯（wèi……gānbēi）" is used to propose a toast.
Other expressions of good wishes are "祝（zhù）" or "祝贺
（zhùhè）".

For example：

为　布朗　　先生　　和　夫人　的　健康，　干杯！
Wèi Bùlǎng xiānsheng hé fūren de jiànkāng gānbēi!

祝　你　一　路　顺　风！
Zhù nǐ yí lù shùn fēng!　(Have a pleasant journey!)

祝贺　你们　的　节日！
Zhùhè nǐmen de jiérì!　(Congratulations on your success!)

练　习　Exercises
Liànxí

一、读下列词组（Read the following phrases）：

工人　　代表团　　贸易　　代表团　　教育　代表团
gōngrén dàibiǎotuán　màoyì dàibiǎotuán　jiàoyù dàibiǎotuán

欢迎　　你们　　欢迎　　代表团　　欢迎　各　国
huānyíng nǐmen　huānyíng dàibiǎotuán　huānyíng gè guó

朋友
péngyou

逛　琉璃厂　逛　集贸　市场　逛　前门　大街
guàng Liúlichǎng guàng jímào shìchǎng guàng Qiánmén dàjiē

访问　　中国　　访问　　北京　　参观　　工厂
fǎngwèn Zhōngguó　fǎngwèn Běijīng　cānguān gōngchǎng

参观　大学　打　电话　给　小　李　打　电话
cānguān dàxué　dǎ diànhuà　gěi Xiǎo Lǐ dǎ diànhuà

二、用下列词语组成句子（Make sentences with the following words
and phrases）：

1. 先生、 过、了、布朗、来、已经
   xiānsheng, guo, le, Bùlǎng, lái, yǐjing

2. 参观、 格林 小姐、过、去年、北京 大学
   cānguān, Gélín xiǎojie, guo, qùnián, Běijīng Dàxué

3. 吃、我、过、了、北京 烤鸭
   chī, wǒ, guo, le, Běijīng Kǎoyā

4. 她、 电话、 已经、打、过、了
   tā, diànhuà, yǐjing dǎ guo, le

三、读下列数字(Read the following numbers)：

27   38   49   100   108

274   1000 1800   2060   26000

3.2   0.1   20.87   89.90   210.14

四、作下列替换练习(Do the following substitution drills)：

1. 我 去年   参观   过 他 的   工厂。
   Wǒ qùnián cānguān guo tā de gōngchǎng.

上 个 月	去	家
shàng ge yuè	qù	jiā
最近	到	公司
zuìjìn	dào	gōngsī
以前	访问	大学
yǐqián	fǎngwèn	dàxué

2. A：你 喜欢 不 喜欢 吃 苹果?
      Nǐ xǐhuan bù xǐhuan chī píngguǒ?

   B：我 喜欢。
      wǒ xǐhuan.

喜欢 xǐhuan	看　电视 kàn diànshì	
习惯 xíguàn	吃　中餐 chī zhōngcān	
想 xiǎng	逛　商店 guàng shāngdiàn	
会 huì	游泳 yóuyǒng	

3. 为　王　先生　的　健康，干杯!
   Wèi Wáng xiānsheng de jiànkāng, gānbēi!

两　国　人民　的　友谊 liǎng guó rénmín de yǒuyì			
我们　更　好　的　合作 wǒmen gèng hǎo de hézuò			
我们　工作　顺利 wǒmen gōngzuò shùnlì			

五、将下列句子译成汉语(Translate the following sentences into Chinese)：

1. We've met before, haven't we?

2. I have read that Chinese book. It is quite interesting.

3. At 3 o'clock tomorrow afternoon, we'll sign a contract.

4. Thank you for inviting me to this reception. I have made a lot of new friends here.

5. I propose a toast to our friendship. Cheers!

六、根据课文内容，回答问题（Answer the following questions about the text）：

1. 刘　先生　是　在　外交部　工作　吗？
   Liú xiānsheng shì zài Wàijiāobù gōngzuò ma?
2. 布朗　先生　来　北京　多　久　了？
   Bùlǎng xiānsheng lái Běijīng duō jiǔ le?
3. 布朗　先生　在　北京　工作　顺利　吗？
   Bùlǎng xiānsheng zài Běijīng gōngzuò shùnlì ma?
4. 佐藤　先生　举行　的　是　什么　招待会？
   Zuǒténg xiānsheng jǔxíng de shì shénme zhāodàihuì?
5. 佐藤　先生　最后　说了　什么？
   Zuǒténg xiānsheng zuìhòu shuōle shénme?

七、学汉字（Learn Chinese characters）：

十　　　南　卖　真

鸟　　　鸡　鸭

八　　　公　半

第二十四课 Lesson 24
Dì-èrshísì kè

还 要 麻烦 你　　Could I Trouble
Hái yào máfan nǐ　　You Again?

课 文 Text
Kèwén

(一)

参赞： 好久 没 见 了。你 好 啊!
Cānzàn： Hǎojiǔ méi jiàn le. Nǐ hǎo a!

经理：你 好。
Jīnglǐ： Nǐ hǎo.

参赞： 我 又 来 打扰 你 了。
Cānzàn： Wǒ yòu lái dǎrǎo nǐ le.

经理：哪里哪里， 欢迎 你来。请 坐。请 喝 茶。
Jīnglǐ： Nǎli-nǎli, Huānyíng nǐ lái. Qǐng zuò. Qǐng hē chá.

参赞： 谢谢。
Cānzàn： Xièxie.

经理： 听说 你 回 国 休假 了，是 什么 时候 回
Jīnglǐ： Tīngshuō nǐ huí guó xiūjià le, shì shénme shíhou huí

来 的?
lái de?

参赞： 是 上 星期 回 来 的[1]。
Cānzàn： Shì shàng xīngqī huí lái de.

(二)

经理： 最近 忙 吗？
Jīnglǐ： Zuìjìn máng ma?

参赞： 忙 极 了。 每天 都 忙 着 准备 工业
Cānzàn： máng jí le. Měitiān dōu máng zhe zhǔnbèi gōngyè
展览会。
zhǎnlǎnhuì.

经理： 准备 工作 顺利 吧？
Jīnglǐ： Zhǔnbèi gōngzuò shùnlì ba?

参赞： 很 顺利。 多亏 你们 的 帮助， 我们
Cānzàn： Hěn shùnlì. Duōkuī nǐmen de bāngzhù, wǒmen
非常 感谢。
fēicháng gǎnxiè.

经理： 没什么， 这 是 我们 应该 做 的。
Jīnglǐ： Méishénme, zhè shì wǒmen yīnggāi zuò de.

参赞： 这 次 展览会 项目 比较 多， 所以， 还 要
Cānzàn： Zhè cì zhǎnlǎnhuì xiàngmù bǐjiào duō, suǒyǐ, hái yào
麻烦 你， 能 不 能 再 给 我们 派 两 名
máfan nǐ, néng bù néng zài gěi wǒmen pài liǎng míng
翻译？ 最 好 懂 计算机。
fānyì? Zuì hǎo dǒng jìsuànjī.

经理： 现在 有 点儿 困难。 我们 想想 办法，
Jīnglǐ： Xiànzài yǒu diǎnr kùnnan. Wǒmen xiǎngxiǎng bànfǎ,
尽快 给 你们 派 去。
jǐnkuài gěi nǐmen pài qù.

参赞： 谢谢。 展览会 下 月 二 号 开幕， 欢迎 你
Cānzàn： Xièxiè. Zhǎnlǎnhuì xià yuè èr hào kāimù, huānyíng nǐ
参加 开幕式。
cānjiā kāimùshì.

经理： 好。 我 一定 去。 还 有 什么 事 需要 帮
Jīnglǐ： Hǎo. wǒ yídìng qù. Hái yǒu shénme shì xūyào bāng

忙， 可以 打 电话 告诉 我们。
máng, kěyǐ dǎ diànhuà gàosù wǒmen

参赞： 好 吧， 时间 不 早 了，我 该 走 了。再见！
Cānzàn： Hǎo ba, shíjiān bù zǎo le, wǒ gāi zǒu le. Zàijiàn！

经理： 再见！
Jīnglǐ： Zàijiàn！

词 语　New Words and Phrases
Cíyǔ

1. 麻烦　（v.；adj.）　máfan　　　to trouble，to bother；
   trouble some，inconvenient

2. 打扰　（v.）　dǎrǎo　　　to bother，to disturb

3. 哪里哪里　nǎli-nǎli　is nothing；not at all

4. 休假　（v.）　xiūjià　　to have a holiday or vacation

5. 上星期　shàng xīngqī　last week

6. 工业　（n.）　gōngyè　industry

7. 展览会　zhǎnlǎnhuì　exhibition

8. 多亏　duōkuī　thanks to，luckily

9. 帮助　（n.；v.）　bāngzhù　help；to help

10. 没什么　méishénme　nothing

11. 计算机　（n.）　jìsuànjī　computer，calculator

12. 困难　（n.；adj.）　kùnnan　difficulty；difficult

13. 办法　（n.）　bànfǎ　way，means

14. 尽快　jǐnkuài　as quickly as possible

15. 下月　xià yuè　next month

16. 开幕　（v.）　kāimù　to open，to inaugurate

开幕式（n.）　　　kāimùshì　　opening ceremony

（三）

日本　使馆　一秘　田中　　昨天　拜会　了　农业部
Rìběn shǐguǎn yīmì Tiánzhōng zuótiān bàihuì le Nóngyèbù

王　　处长，　就　日本　农业　代表团　访　华　一　事
Wáng Chùzhǎng, jiù Rìběn Nóngyè Dàibiǎotuán fǎng Huá yí shì

进行　了　商谈。　双方　确定　了　代表团　访
jìnxíng le shāngtán. Shuāngfāng quèdìng le Dàibiǎotuán fǎng

华　的　时间　和　日程　安排。他们　为　代表团　的　到来
Huá de shíjiān hé rìchéng ānpái Tāmen wèi Dàibiǎotuán de dàolái

做好　了　准备。
zuòhǎo le zhǔnbèi.

词　语　　New Words and Phrases
Cíyǔ

1. 农业部（n.）　　Nóngyèbù　　Ministry of Agriculture
2. 就　　（prep.）　jiù　　　　on
3. 访华　　　　　fǎng Huá　　to visit Chian
4. 进行　（v.）　　jìnxíng　　　to go on, to carry on,
　　　　　　　　　　　　　　　to be in progrees
5. 商谈　（v.）　　shāngtán　　to exchange views, to confer
6. 双方　（n.）　　shuāngfāng　both sides, the two parties
7. 确定　（v.）　　quèdìng　　to determine, to decide on
8. 日程　（n.）　　rìchéng　　programme, schedule
9. 安排　（v.；n.）ānpái　　　to arrange; arrangement

补充词语　Supplementary Words
Bǔchōng Cíyǔ　　and Phrases

1. 拜访　（v.）　bàifǎng　　to pay a visit，to pay a call on
2. 讨论　（v.）　tǎolùn　　to discuss
3. 工程师　（n.）　gōngchéngshī　engineer
4. 会见　（n.）　huìjiàn　　to meet with
5. 会谈　（v.）　huìtán　　to talk
6. 闭幕　（v.）　bìmù　　to close
7. 电子　（n.）　diànzǐ　　electron
8. 产品　（n.）　chǎnpǐn　　product

注　解 Notes
Zhùjiě

（1）　"是上星期回来的(shì shàng xīngqī huí lái de)"

"上"和"下"常表示次序，时间的先后，"上"表示在前，"下"表示在后。

"上（shàng）" and "下（xià）" can be used to indicate time sequence. "上（shàng）" means "last" or "previous"；"下（xià）" means "next".

For example：

上　次	上　月	上　星期二
shàng cì	shàng yuè	shàng xīngqī'èr
下　次	下　月	下　星期二
xià cì	xià yuè	xià xīngqī'èr

练 习　　Exercises
Liànxí

一、熟读下列词语（Read the following phrases）：

回　国　休假　　　　　回　家　休息
huí guó xiūjià　　　　huí jiā xiūxi

有　点儿　困难　　　　有　点儿　麻烦
yǒu diǎnr kùnnàn　　　yǒu diǎnr máfan

想想　　办法　　　　　学学　计算机
xiǎngxiǎng bànfǎ　　　xuéxue jìsuànjī

进行　　商谈　　　　　进行　　访问
jìnxíng shāngtán　　　jìnxíng fǎngwèn

二、做下列替换练习（Do the following substitution drills）：

1.　忙　着　准备　　　　　　　　　　　　　。
　　Máng zhe zhǔnbèi

工业　展览会
gōngyè zhǎnlǎnhuì
国庆　招待会
guóqìng zhāodàihuì
下　星期三　的　开幕式
xià xīngqīsān de kāimùshì
今天　的　午饭
jīntiān de wǔfàn

2.　就　　　　　　　　　　　　　进行　　商谈。
　　Jiù　　　　　　　　　　　　jìnxíng shāngtán.

国际　问题
guójì wèntí
贸易　（trade）　问题
màoyì　　　　wèntí
展览会　的　时间　一　事
zhǎnlǎnhuì de shíjiān yí shì

3.

	为 wèi	代表团 的 到来 dàibiǎotuán de dàolái
他们 Tāmen		代表团 的 到来 dàibiǎotuán de dàolái
学校 Xuéxiào		孩子们 入学 háizimen rùxué
他 和 小 李 Tā hé Xiǎo Lǐ		去 英国 访问 qù Yīngguó fǎngwèn
汽车 公司 Qìchē gōngsī		旅客 的 到来 lǔkè de dàolái

做好 了 准备。
zuòhǎo le zhǔnbèi.

三、选择词语填空 (Fill in the blanks with the appropriate words or phrases)：

1. A：听说 你 回国 _____ 了，什么 时候 回
　　Tīngshuō nǐ huí guó _____ le, shénme shíhou huí
　　来 的？
　　lái de?

　B：_____ 回 来 的。
　　　_____ huí lái de.

　　休息 xiūxi　　　　上星期 shàng xīngqī
　　休假 xiūjià　　　　下星期 xià xīngqī

2. 我 打算 _____ 去 商店 _____。
　　Wǒ dǎsuàn _____ qù shāngdiàn _____.
　　再　　　　看
　　zài　　　　kàn
　　又　　　　看看
　　yòu　　　　kànkan

3. 他 汉语 说 得 _____，我 _____。
　　Tā Hànyǔ shuō de _____, wǒ _____.

尽快	听 不 懂
jǐnkuài	tīng bù dǒng
很 快	听 得 懂
hěn kuài	tīng de dǒng

四、用"因为……所以"连结下列句子(Connect the following pairs of sentences with "yīnwéi. . . suǒyǐ"):

1. 每天 都 忙 着 上班， 做 家务。 没有
    Měitiān dōu máng zhe shàngbān, zuò jiāwù. Méiyǒu
    时间 学 英语。
    shíjiān xué Yīngyǔ.

2. 这 次 展览会 项目 比较 多。 我们 需要
    Zhè cì zhǎnlǎnhuì xiàngmù bǐjiào duō. Wǒmen xūyào
    更 多 的 翻译。
    gèng duō de fānyì.

3. 春节 快 到 了。 很 多 人 去 商店 买
    Chūnjié kuài dào le. Hěn duō rén qù shāngdiàn mǎi
    东西。
    dōngxī.

五、学汉字(Learn Chinese characters):

又	友	欢
夕	名	多
月	月	朋	服

第二十五课 Lesson 25
Dì-èrshíwǔ kè

做 一 套 衣服 要 几 天?
Zuò yí tào yīfu yào jǐ tiān?

How Long Will It Take to Make a Suit?

课 文 Text
Kèwén

（一）

服务员：   您 好，做 衣服 吗?
Fúwùyuán：Nín hǎo, zuò yīfu ma?

布朗   先生： 对，我 想 做 一 套 西服，秋天
Bùlǎng xiānsheng：duì, wǒ xiǎng zuò yí tào xīfú, qiūtiān

穿 的。
chuān de.

服务员：   您 先 看 一下儿 料子。您 喜欢
Fúwùyuán：Nín xiān kàn yíxiàr liàozi. Nín xǐhuān

什么 颜色 的?
shénme yánsè de?

布朗：   这 种 灰 颜色 的 不错，但是 厚
Bùlǎng：Zhè zhǒng huī yánsè de bú cuò, dànshì hòu

了 一点儿，有 薄 一点儿 的 吗?
le yìdiǎnr, yǒu báo yì diǎnr de ma?

服务员： 有。您 看 这 种 怎么样?
Fúwùyuán：Yǒu. Nín kàn zhè zhǒng zěnmeyàng?

布朗： 行， 就 要 这 种。
Bùlǎng： Xíng, jiù yào zhè zhǒng.

服务员： 您 想 做 什么 式样 的？ 您 看，
Fúwùyuán： Nín xiǎng zuò shénme shìyàng de? Nín kàn
　　　　　 这 种 现在 比较 时兴。
　　　　　 zhè zhǒng xiànzài bǐjiào shíxīng.

布朗： 好， 就 做 这样 的 吧。 做 一套 要
Bùlǎng： Hǎo, jiù zuò zhèyàng de ba. Zuò yī tào yào
　　　　 几 米 料子？
　　　　 jǐ mǐ liàozi?

服务员： 大概 两 米 七 就 够 了。 我 给 您
Fúwùyuán： Dàgài liǎng mǐ qī jiù gòu le. Wǒ gěi nín
　　　　　 量 一下儿 尺寸。
　　　　　 liáng yíxiàr chǐcùn.

布朗： 我 喜欢 上衣 长 一点儿[1]。
Bùlǎng： Wǒ xǐhuan shàngyī cháng yìdiǎnr.

服务员： 好。 裤子 这么 长 可以 吗？
Fúwùyuán： Hǎo. Kùzi zhème cháng kěyǐ ma?

布朗： 可以。 我 什么 时候 来 试 样子？
Bùlǎng： Kěyǐ. wǒ shénme shíhòu lái shì yàngzi?

服务员： 您 下 星期五 来 吧。
Fúwùyuán： Nín xià xīngqīwǔ lái ba.

布朗： 好， 再见。
Bùlǎng： Hǎo, zàijiàn.

（二）

布朗： 今天 我 来 试 样子， 不 知道 好 了 没有？
Bùlǎng： Jīntiān wǒ lái shì yàngzi, bù zhīdào hǎo le méiyǒu?

服务员： 好 了。 请 穿上 试试， 看 合适 不 合适。
Fúwùyuán： Hǎo le. Qǐng chuānshang shìshi, kàn héshì bù héshì.

那儿 有 镜子。
Nàr yǒu jìngzi.

布朗： 我 觉得 上衣 有 一 点儿 瘦。
Bùlǎng： Wǒ juéde shàngyī yǒu yì diǎnr shòu.

服务员： 别 的 地方 合适 吗？
Fúwùyuán： Bié de dìfang héshì ma?

布朗： 合适。 还 要 再 来 试 样子 吗？
Bùlǎng： héshì. Hái yào zài lái shì yàngzi ma?

服务员： 不 用 了。 请 您 五 天 以后 来 取 吧。
Fúwùyuán： Bú yòng le. Qǐng nín wǔ tiān yǐhòu lái qǔ ba.

布朗： 好， 谢谢。 再见！
Bùlǎng： Hǎo, xièxie. Zàijiàn!

词 语 New Words and Phrases
Cíyǔ

1. 套 (m.) tào (a measure word)
2. 西服 (n.) xīfú Westen-style clothes
3. 穿 (v.) chuān to wear
   穿上 (v.) chuānshang to put on
4. 料子 (n.) liàozi material for making
5. 灰（色） huī(se) grey
6. 颜色 (n.) yánsè colour
7. 厚 (adj.) hòu thick
8. 薄 (adj.) báo thin
9. 行 (v.) xíng to be all right
10. 式样 (n.) shìyàng style, type, model
11. 时兴 (adj.) shíxīng fashionable, popular
12. 米 (m.) mǐ metre (a measure word)

13.	大概	(adv.)	dàgài	roughly, probably, about
14.	够	(adj.)	gòu	enough
15.	量	(v.)	liáng	to measure
16.	尺寸	(n.)	chǐcùn	measurement, size
17.	上衣	(n.)	shàngyī	jacket, coat
18.	裤子	(n.)	kùzi	trousers, pants
19.	这么		zhème	so, such, like this
20.	样子	(n.)	yàngzi	pattern, model
21.	合适	(adj.)	héshì	suitable, appropriate
22.	镜子	(n.)	jìngzi	mirror
23.	瘦	(adj.)	shòu	tight

(三)

人　常　说：“人　配　衣服　马　配　鞍”。人们　都
Rén cháng shuō "rén pèi yīfu mǎ pèi ān". Rénmen dōu

希望　有　自己　喜欢　的　衣服。有些　衣服　买着　穿
xīwàng yǒu zìjǐ xǐhuān de yīfu. Yǒuxiē yīfu mǎizhe chuān

方便，　象　裙子、　衬衫；　有　些　衣服　定做　更
fāngbiàn, xiàng qúnzi、chènshān; Yǒu xiē yīfu dìngzuò gèng

合适，　象　　上衣、　裤子　等。　但是　不管　是　买还是
héshì, xiàng shàngyī、kùzi děng. Dànshì bùguǎn shì mǎi hái shì

做，　只要　料子、颜色、　式样　合适，　您　穿上　就会
zuò, zhǐyào liàozi、yánsè、shìyàng héshì, nín chuānshang jiù huì

显得　精神。　您　说　是　不　是？
xiǎnde jīngshén. Nín shuō shì bú shì?

词　语　　New Words and Phrases
Cíyǔ

1.	人配衣服马配鞍	rén pèi yīfu mǎ pèi ān	Fine clothes make the man.
	马　　(n.)	mǎ	horse
	鞍　　(n.)	ān	saddle
2.	有些	yǒuxiē	some
3.	象	xiàng	such as
4.	衬衫　(n.)	chènshān	shirt
5.	定做　(v.)	dìngzuò	to have made to order
6.	不管	bùguǎn	no matter
7.	只要	zhǐyào	so long as
8.	显得　(v.)	xiǎnde	to look, to seem, to appear
9.	精神　(adj.;n.)	jīngshén	lively, spirited; vigour, vitality

补充词语　Supplementary Words
Bǔchōng Cíyǔ　　and Phrases

1.	扣子	(n.)	kòuzi	button
2.	帽子	(n.)	màozi	hat, cap
3.	手套	(n.)	shǒutào	gloves
4.	围巾	(n.)	wéijīn	muffler, scarf
5.	手绢	(n.)	shǒujuàn	handkerchief
6.	皮鞋	(n.)	píxié	leather shoes
7.	夹克	(n.)	jiákè	jacket

8.	大衣	(n.)	dàyī	overcoat
9.	风衣	(n.)	fēngyī	windbreaker
10.	服装	(n.)	fúzhuāng	dress, costume

注　解 Notes
Zhùjiě

(1) "我喜欢上衣长一点儿(Wǒ xǐhuān shàngyī cháng yì diǎnr)"
"上衣长一点儿"在句中作宾语。

"上衣长一点儿(shàngyī cháng yì diǎnr)" is a complete sentence, but it functions as an objective phrase here.

For example:

我　听说　他　明天　来。
Wǒ tīngshuō tā míngtiān lái.

练　习 Exercises
Liànxí

一、读下列词语,注意其中的量词(Read the following and pay attention to the measure words):

一 套 衣服　　一 件　上衣
yí tào yīfu　yí jiàn shàngyī

一 条 裤子　　一 辆 汽车
yì tiáo kùzi　yí liàng qìchē

一 盘 菜　　　一 份 请帖
yì pán cài　yí fèn qǐngtiě

一 本 书
yì běn shū

二、做下列替换练习(Do the following substitution drills)：

1. 您看　　这 种 料子　　　　　　　怎么样?
　 Nín kàn　zhè zhǒng liàozi　　　　　　zěnmeyàng?

　　　　　 这 种 颜色
　　　　　 zhè zhǒng yánsè

　　　　　　 先 去 机场，再去 饭店
　　　　　　 xiān qù jīchǎng zài qù fàndiàn

　　　　　　 先 给 他 打个 电话
　　　　　　 xiān gěi tā dǎ gè diànhuà

2.　　 这 种 式样　　　　　　　 比较 好。
　　　 Zhè zhǒng shìyàng　　　　　　 bǐjiào hǎo

　　　 这 种 办法
　　　 Zhè zhǒng bànfǎ

　　　 绿色 的
　　　 Lǜsè de

　　　 他 昨天 买 的 那件 上衣
　　　 Tā zuótiān mǎi de nà jiàn shàngyī

3.　 做 一 套 西服　　　　　大概　几 米 料子　　?
　　 Zuò yí tào xīfú　　　　　dàgài　jǐ mǐ liàozi

　　　 从 这儿到 广州 坐飞机　要　　多长 时间
　　　 Cóng zhèr dào Guǎngzhōu zuò fēijī　yào　duōcháng shíjiān

　　　 招待会　　　　　　　　　　　　来 多少 人
　　　 Zhāodàihuì　　　　　　　　　　　lái duōshǎo rén

　　　 展览会　　　　　　　　　　　　多少 翻译
　　　 Zhǎnlǎnhuì　　　　　　　　　　　duōshǎo fānyì

4. 我 觉得
   Wǒ juéde

| 这 种 水果 不错 |
| zhè zhǒng shuǐguǒ bú cuò |
| 那 件 衬衫 比较 便宜 |
| nà jiàn chènshān bǐjiào piányi |
| 你 应该 给 他 写 信 |
| nǐ yīnggāi gěi tā xiě xìn |
| 身体 不 太 舒服 |
| shēntǐ bú tài shūfu |

。

三、读下列各词，然后造句(Read the following words and use them to make sentences)：

1. 多 ······ 少
   duō   shǎo

2. 薄 ······ 厚
   báo   hòu

3. 长 ······ 短
   cháng   duǎn

4. 大 ······ 小
   dà   xiǎo

5. 好 ······ 坏
   hǎo   huài

6. 前 ······ 后
   qián   hòu

7. 对 ······ 错
   duì   cuò

8. 上 ······ 下
   shàng   xià

9. 快 ······ 慢
   kuài   màn

10. 买 ······ 卖
    mǎi   mài

11. 冷 ······ 热
    lěng   rè

四、学汉字(Learn Chinese characters)：

凵　参　去

· 224 ·

旁衫 放裙 房裤 方衤

第二十六课 Lesson 26
Dì-èrshíliù kè

把 空调器 安在 客厅 Installing an Air Conditioner
Bǎ kōngtiáoqì ānzài kètīng　in the Living-Room

课 文 Text
Kèwén

(一)

工人： 这 是 格林 先生 家 吗？
Gōngrén：Zhè shì Gélín xiānsheng jiā ma?

格林 先生： 是。你 是……？
Gélín xiānsheng：Shì. Nǐ shì……?

工人： 我 是 修理 公司 的。接到 了 你 的
Gōngrén：Wǒ shì Xiūlǐ Gōngsī de. Jiēdào le nǐ de

电话， 今天 来 帮助 你 安装
diànhuà, jīntiān lái bāngzhù nǐ ānzhuāng

空调器。
kōngtiáoqì.

格林：哦， 请进。 空调器 在 这儿。
Gélín：O, qǐngjìn. Kōngtiáo zài zhèr.

工人： 你 想 把 它 安装 在 什么 地方？
Gōngrén：Nǐ xiǎng bǎ tā ānzhuāng zài shénme dìfang?

格林：我 想 把 它 安在 客厅。
Gélín：Wǒ xiǎng bǎ tā ānzài kètīng.

工人： 好。
Gōngrén：Hǎo.

（二）

工人： 格林　先生，　　空调器　安　好　了。
Gōngrén： Gélín xiānsheng, Kōngtiáo ān hǎo le.

格林： 谢谢。　我　还　有　一　些　东西　需要　修理。
Gélín： Xièxie. Wǒ hái yǒu yì xiē dōngxi xūyào xiūlǐ.

工人： 什么　东西？
Gōngrén： Shénme dōngxi?

格林： 卧室　里　的　电灯　开关　不　太　好　用，　请
Gélín： Wòshì lǐ de diàndēng kāiguān bú tài hǎo yòng, qǐng

你　看看。
nǐ kànkan.

工人： 好，我　来　检查　一下儿。
Gōngrén： Hǎo, wǒ lái jiǎnchá yíxiàr.

格林： 还　有　厨房　里　的　水龙头　有　点儿　漏　水。
Gélín： Hái yǒu chúfáng lǐ de shuǐlóngtóu yǒu diǎnr lòu shuǐ.

工人： 我　回去　以后，让　水暖工　来　看看。
Gōngrén： Wǒ huíqù yǐhòu ràng shuǐnuǎngōng lái kànkan.

格林： 顺便　问　一下儿，要　是　沙发、椅子、桌子
Gélín： Shùnbiàn wèn yíxiàr, yào shì shāfā, yǐzi, zhuōzi

这些　家具　坏　了，哪儿　可以　修理？
zhèxiē jiājù huài le, nǎr kěyǐ xiūlǐ?

工人： 离　这儿　不　远[1]　有　个　家具　修理部，你　可以　跟
Gōngrén： Lí zhèr bù yuǎn yǒu gè jiājù xiūlǐbù, nǐ kěyǐ gēn

他们　联系。
tāmen liánxi.

词 语　New Words and Phrases
Cíyǔ

1. 空调（器）（n.）　kōngtiáo(qì)　air conditioner
2. 安（装）　（v.）　ān(zhuāng)　to install，to fix
3. 接到　（v.）　jiēdào　to receive
4. 卧室　（n.）　wòshì　bedroom
5. 电灯　（n.）　diàndēng　light，lamp
6. 开关　（n.）　kāiguān　switch
7. 检查　（v.）　jiǎnchá　to check
8. 水龙头　（n.）　shuǐlóngtóu　tap，faucet
9. 漏　（v.）　lòu　to leak
10. 水暖工　（n.）　shuǐnuǎngōng　plumber
11. 顺便　　shùnbiàn　by the way
12. 沙发　（n.）　shāfā　sofa
13. 椅子　（n.）　yǐzi　chair
14. 家具　（n.）　jiājù　furniture
15. 离　（prep.）　lí　from
16. 修理部　（n.）　xiūlǐbù　repair shop

（三）

　　"哦，　快　到　了。今　晚　的　音乐会　一定　很　好。"
　　"O, kuài dào le. Jīn wǎn de yīnyuèhuì yídìng hěn hǎo."
布朗　先生　一边　开着　汽车，一边　想。到了一个
Bùlǎng xiānsheng yìbiān kāizhe qìchē, yìbiān xiǎng. Dàole yí gè
十字路口，　正　赶上　红灯，一刹车，停了。好，
shízìlùkǒu, zhèng gǎnshang hóngdēng. Yì shā chē, tíngle. Hǎo,

绿灯 亮 了。"吭哧, 吭哧", 怎么 发动 不 起来 了?
lǜdēng liàng le. "Kēngchī, kēngchī", zěnme fādòng bù qǐlái le?

后边 的 汽车 不 停 地 叫。 怎么 办? 这时, 一 个
Hòubiān de qìchē bù tíng de jiào. Zěnme bàn? Zhèshí, yí gè

交通 警察 走来, 布朗 先生 下了 车, 对 他
jiāotōng jǐngchá zǒu lái, Bùlǎng xiānsheng xiàle chē, duì tā

说:"对 不 起, 车 出了 毛病。" 说着, 布朗
shuō: "Duì bù qǐ, chē chūle máobìng." Shuōzhe, Bùlǎng

先生 和 警察 一起 把 车 推到 路边。 看着 热闹 的
xiānsheng hé jǐngchá yìqǐ bǎ chē tuīdào lùbiān. Kànzhe rènào de

路口, 布朗 先生 不 知道 是 去 听 音乐, 还是 去
lùkǒu, Bùlǎng xiānsheng bù zhīdào shì qù tīng yīnyuè, hái shì qù

修 车。
xiū chē.

词 语　　New Words and Phrases
Cíyǔ

1. 音乐会	(n.)	yīnyuèhuì	concert
音乐	(n.)	yīnyuè	music
2. 一边…一边…		yìbiān...yìbiān	simultaneously, while
3. 红(绿)灯	(n.)	hóng(lǜ)dēng	traffic light
红	(adj.)	hóng	red
4. 刹车	(v.)	shāchē	to brake, to stop
5. 亮	(v.)	liàng	to light
6. 吭哧		kēngchī	(an onomatopoeic word)
7. 发动	(v.)	fādòng	to start
发动不起来		fādòng bù qǐlái	can not start
8. 叫	(v.)	jiào	to blow

9.	警察	(n.)	jǐngchá	police, policeman
10.	下车		xiàchē	get off (a car, a bus)
11.	对	(prep.)	duì	to, for
12.	出	(v.)	chū	to happen
13.	毛病	(n.)	máobìng	breakdown
14.	和⋯⋯一起		hé...yìqǐ	together with
15.	推	(v.)	tuī	to push
16.	路边		lù biān	side of street

补充词语　Supplementary Words
Bǔchōng Cíyǔ　　　and Phrases

1.	车胎	(n.)	chētāi	tyre
2.	收音机	(n.)	shōuyīnjī	radio
3.	录音机	(n.)	lùyīnjī	recorder
4.	激光唱片	(n.)	jīguāng chàngpiān	laser disc
5.	打气		dǎqì	to inflate, to pump up
6.	自行车	(n.)	zìxíngchē	bicycle
7.	电冰箱	(n.)	diànbīngxiāng	refrigerator
8.	电熨斗	(n.)	diànyùndǒu	electric iron
9.	发动机	(n.)	fādòngjī	engine, motor
10.	录像机	(n.)	lùxiàngjī	video recorder
11.	插头	(n.)	chātóu	plug

注 解 Notes
Zhùjiě

（1） "离这儿不远(lí zhèr bù yuǎn)"

介词"离"和一些方位词，时间词组成介词结构，这种介词结构常表示空间或时间上的距离。

The prepositional phrase formed by the preposition"离(lí)"followed by a noun of locality or of time denotes distance of locality or time.

For example：

北京　离　广州　很　远。
Běijīng　lí　Guǎngzhōu　hěn　yuǎn.

离　春节　还　有　一　个　星期。
Lí　Chūnjié　hái　yǒu　yí　gè　xīngqī.

练 习 Exercises
Liànxí

一、划出下列句子中的动词,并用这些动词造句(Underline the verbs of the following sentences；then make new sentences using those verbs)：

1. 一　辆　红色　汽车　停在　路边。
   Yí　liàng　hóngsè　qìchē　tíngzài　lùbiān.

2. 我　打算　下　月　回　国　休假。
   Wǒ　dǎsuàn　xià　yuè　huí　guó　xiūjià.

3. 明天　你　上班　吗?
   Míngtiān　nǐ　shàngbān　ma?

4. 这 件 事 我们 要 跟 他 商量 一下儿。
   Zhè jiàn shì wǒmen yào gēn tā shāngliáng yíxiàr.

二、做下列替换练习(Do the following substitution drills)：

1. 我 来 帮助 你
   Wǒ lái bāngzhù nǐ

安装 空调
ānzhuāng kōngtiáo
办理 入学 手续
bànlǐ rùxué shǒuxù
学习 汉语
xuéxí Hànyǔ
把 汽车 推到 路边
bǎ qìchē tuīdào lùbiān

。

2. 顺便 问 一下儿，
   Shùnbiàn wèn yíxiàr,

使馆 离这儿 远 不 远
shǐguǎn lí zhèr yuǎn bù yuǎn
你 什么 时候 回国
nǐ shénme shíhou huí guó
你 看见 老 王 了 吗
nǐ kànjiàn Lǎo Wáng le ma
明天 的 会 还 开不开
míngtiān de huì hái kāi bù kāi

?

3. 他 一边
   Tā yìbiān

吃饭
chī fàn
喝茶
hē chá
打 电话
dǎ diànhuà
听 广播
tīng guǎngbō

一边
yìbiān

看 电视
kàn diànshì
跟 小 王 说话
gēn Xiǎo Wáng shuōhuà
看 书
kàn shū
做 饭
zuò fàn

。

三、改正下列病句(Correct the following sentences)：

1. 这 是 王　先生　在　办公室　吗？
   Zhè shì Wáng xiānsheng zài bàngōngshì ma?
2. 我 来 检查　开关　一下儿。
   Wǒ lái jiǎnchá kāiguān yíxiàr.
3. 警察 走 过 来 向 他。
   Jǐngchá zǒu guò lái xiàng tā.
4. 他们 推 车 到 路边。
   Tāmen tuī chē dào lùbiān.
5. 机场 离开 这儿 很　远。
   Jīchǎng líkāi zhèr hěn yuǎn.

四、把下列句子译成汉语(Translate the following into Chinese)：

1. Where would you like to put this table?

2. There is something wrong with the switch.

3. By the way, where is the hospital?

4. How did you like the concert yesterday?

五、读下列汉字(Read the following)：

打电话　　看电视　　下星期休假

· 233 ·

第二十七课 Lesson 27
Dì-èrshíqī kè

邮费 是 多少? What Is the Postage?
Yóufèi shì duōshǎo?

课 文 Text
Kèwén

(一)

格林 夫人: 王 先生, 下 月 三 号 是 我 妈妈
Gélín Fūren: Wáng xiānsheng, xià yuè sān hào shì wǒ māma
的 生日, 我 想 给 她 寄 份 礼物。提前
de shēngrì, wǒ xiǎng gěi tā jì fèn lǐwù. Tíqián
几 天 寄 合适?
jǐ tiān jì héshì?

王 先生: 你 妈妈 住在 哪儿?
Wáng xiānsheng: Nǐ māma zhùzài nǎr?

夫人: 纽约。
Fūren: Niǔyuē.

王: 提前 十 几 天 就 行。
Wáng: Tíqián shí jǐ tiān jiù xíng.

夫人: 你 知道 每 公斤 的 邮费 是 多少
Fūren: Nǐ zhīdào měi gōngjīn de yóufèi shì duōshǎo
吗?
ma?

王: 不 太 清楚, 不过 我 可以 给 你
Wáng: Bú tài qīngchū, búguò wǒ kěyǐ gěi nǐ

· 234 ·

问问。
wènwen.

夫人：不 用 了。我 自己 去 邮局 吧。
Fūren：Bú yòng le. Wǒ zìjǐ qù yóujú ba.

(二)

格林 夫人：小姐， 寄往 纽约 的 包裹 每 公斤
Gélín Fūren：Xiǎojiě, jìwǎng Niǔyuē de bāoguǒ měi gōngjīn

多少 钱？
duōshǎo qián?

服务员：两 公斤 以内 二十一 块。
Fúwùyuán：Liǎng gōngjīn yǐnèi èrshíyī kuài.

夫人：你 看 这个 包裹 要 多少 邮费？
Fūren：Nǐ kàn zhège bāoguǒ yào duōshǎo yóufèi?

服务员：里边 是 什么？
Fúwùyuán：Lǐbiān shì shénme?

夫人：一件 丝绸 衬衫 和 一个 玩具。
Fūren：Yí jiàn sīchóu chènshān hé yí ge wánjù.

服务员：一 公斤 半，二十一 块。
Fúwùyuán：Yì gōngjīn bàn, èrshíyī kuài.

夫人：另外， 我 想 寄 封 信。这儿 可以 办
Fūren：Lìngwài, wǒ xiǎng jì fēng xìn. zhèr kěyǐ bàn

吗？
ma?

服务员：国际 的 还是 国内 的？
Fúwùyuán：Guójì de háishì guónèi de?

夫人：国内 的。
Fūren：Guónèi de.

服务员：请 去 六号 窗口。
Fúwùyuán：Qǐng qù liù hào chuāngkǒu.

(三)

格林 夫人： 先生， 我 要 寄 封 信。
Gélín Fūren: Xiānsheng, wǒ yào jì fēng xìn.

服务员： 航空 信 还是 平信？
Fúwùyuán: Hángkōng xìn háishì píngxìn?

夫人： 航空 信。几天 可以 到 上海？
Fūren: Hángkōng xìn. Jǐtiān kěyǐ dào Shànghǎi?

服务员： 两、三 天。要 挂号 吗？
Fúwùyuán: Liǎng、sān tiān. Yào guàhào ma?

夫人：不 要。
Fūren: Bú yào.

服务员： 你 的 信 超重 了，要 贴 五 毛 的
Fúwùyuán: Nǐ de xìn chāozhòng le, yào tiē wǔ máo de

邮票。
yóupiào.

夫人： 我 正好 有 一 张。
Fūren: Wǒ zhènghǎo yǒu yì zhāng.

词 语   New Words and Phrases
Cíyǔ

1.	邮费	(n.)	yóufèi	postage
2.	生日	(n.)	shēngri	birthday
3.	寄	(v.)	jì	to mail, to send
4.	礼物	(n.)	lǐwù	gift
5.	提前		tíqián	in advance
6.	天	(n.)	tiān	day, sky

7.	纽约	(n.)	Niǔyuē	New York
8.	清楚	(adj.)	qīngchu	clear
9.	不过	(conj.)	búguò	but，yet
10.	邮局	(n.)	yóujú	post office
11.	包裹	(n.)	bāoguǒ	parcel
12.	以内		yǐnèi	within，less than
13.	玩具	(n.;adj.)	wánjù	toy
14.	封	(m.)	fēng	(a measure word for letters)
15.	国内	(n.)	guónèi	internal，domestic
16.	航空信		hángkōngxìn	air mail letter
17.	航空	(n.)	hángkōng	aviation
18.	平信	(n.)	píngxìn	ordinary mail
19.	上海	(n.)	Shànghǎi	Shanghai
20.	挂号	(v.)	guàhào	to register
21.	超重		chāozhòng	overweight
22.	贴	(v.)	tiē	to paste，to stick
23.	邮票	(n.)	yóupiào	stamp
24.	张	(m.)	zhāng	(a measure word)

（四）

奈尔斯　来　中国　半　年　了。他　学会　了　不　少
Nàiěrsī lái Zhōngguó bàn nián le. Tā xuéhuì lè bù shǎo

汉字⁽¹⁾，也　认识　了　不　少　中国　朋友。　他们
Hànzì, yě rènshi le bù shǎo Zhōngguó péngyou. Tāmen

经常　通信。　上　星期，他　给　朋友　写了　一　封
jīngcháng tōngxìn. Shàng xīngqī, tā gěi péngyou xiěle yì fēng

信。星期日　寄出，星期一　收到　了　一　封　信。仔细　一
xìn. Xīngqīrì jìchū, xīngqīyī shōudào le yì fēng xìn. Zǐxì yí

看，这 不 是 昨天 寄出 的 那 封 信 吗(2)？他 感到
kàn, zhè bú shì zuótiān jìchū de nà fēng xìn ma? Tā gǎndào
很 奇怪。 原来， 他 写倒 了 寄信人 和 收信人 的
hěn qíguài. Yuánlái tā xiědào le jìxìnrén hé shōuxìnrén de
地址。
dìzhǐ.

（正确写法）

5 1 0 2 7 6
广州市中山路 12 号   邮 票

张 学 中   先 生 （收）

北京大学中文系
1 0 0 8 7 1

（zhèngquè xiěfǎ）

5 1 0 2 7 6
Guǎngzhōu Shì Zhōngshān Lù 12 Hào   yóupiào

Zhāng Xuézhōng   xiānsheng （shōu）

Běijīng Dàxué Zhōngwén Xì
1 0 0 8 7 1

词 语　New Words and Phrases
Cíyǔ

1.	汉字	(n.)	Hànzì	Chinese character
2.	通信	(v.)	tōngxìn	to correspond, to write to each other
3.	收到	(v.)	shōudào	to receive
4.	感到	(v.)	gǎndào	to feel, to find
5.	奇怪	(adj.)	qíguài	surprising, strange
6.	仔细	(adv.)	zǐxì	carefully
7.	倒		dào	upside down, inverted
8.	寄信人		jìxìnrén	sender
9.	收信人		shōuxìnrén	addressee
10.	地址	(n.)	dìzhǐ	address

补充词语　Supplementary Words
Bǔchōng Cíyǔ　　and Phrases

1.	信封	(n.)	xìnfēng	envelope
2.	信纸	(n.)	xìnzhǐ	writing paper
3.	加急		jiājí	urgent
4.	电报	(n.)	diànbào	telegram
5.	信筒	(n.)	xìntǒng	mail box
6.	电传	(n.)	diànchuán	telex
7.	传真	(n.)	chuánzhēn	fax
8.	发	(v.)	fā	to send
9.	快速专递		kuàisù zhuāndì	express mail service

注 解 Notes
Zhùjiě

(1)　"他学会了不少汉字(Tā xuéhuì le bù shǎo Hànzì)。"

　　"了"在句子中动词后表示动作已完成。

　　When it follows a verb，"了 (le)" indicates that the action has already been completed.

　　For example：

　　吃了　午饭　去　　上班。
　　Chīle wǔfàn qù shàngbān.

　　他　学完　了 一 百 个 汉字。
　　Tā xuéwán le yì bǎi gè Hànzì.

(2)　"仔细一看,这不是昨天寄出的那封信吗(Zǐxì yí kàn, zhè bú shì zuótiān jìchū de nà fēng xìn ma)?"

　A. 某些动词前边加"一"表示动作一发生即产生某种结果或出现某种情况。

　　When "一 (yī)" comes before a verb，it indicates an immediate result or consequence.

　　For example：

　　仔细 一 看 这 不 是 自已 的 书 吗?
　　Zǐxì yí kàn zhè bú shì zìjǐ de shū ma?

　　他 下 车 一 问，已经 到 北京 大学 了。
　　Tā xià chē yí wèn, yǐjing dào Běijīng Dàxué le.

　B. "不是……吗(bú shì...ma)?"

　　"不是……吗"常表示反问,有强调的意思。

　　The rhetorical "不是……吗 (búshì...ma)" is often used for emphasis.

　　For example：

这 不 是 我 的 书 吗? （这 是 我 的 书。）
Zhè bú shì wǒ de shū ma? (Zhè shì wǒ de shū.)

你 不 是 会 汉语 吗? 为 什么 还 要 学 呢?
Nǐ bú shì huì Hànyǔ ma? Wèi shénme hái yào xué ne?

练 习 Exercises
Liànxí

一、读下列词组（Read the following phrases）：

学会 不 少 汉字
xuéhuì bù shǎo Hànzì

做完 一 条 裙子
zuòwán yì tiáo qúnzi

收到 一 封 信
shōudào yì fēng xìn

学完 一 本 书
xuéwán yì běn shū

见到 一 位 朋友
jiàndào yí wèi péngyou

听懂 了 他 的 话
tīngdǒng le tā de huà

翻译 完 讲话稿
fānyì wán jiǎnghuàgǎo

看完 电视
kànwán diànshì

打印 好 请帖
dǎyìn hǎo qǐngtiě

看懂 中文 报纸
kàndǒng Zhōngwén bàozhǐ

安装 好 空调器
ānzhuāng hǎo kōngtiáoqì

修理 完 一 辆 汽车
xiūlǐ wán yí liàng qìchē

二、做下列替换练习（Do the following substitution drills）：

1. A：寄 包裹 提前 几 天 寄 合适?
Jì bāoguǒ tíqián jǐ tiān jì héshì?

B：提前 十 几 天 就 行。
Tíqián shí jǐ tiān jiù xíng.

去 上海,	几 天,	买 票,	三 天
qù Shànghǎi,	jǐ tiān,	mǎi piào,	sān tiān
接 代表团,	几 个 小时	到 机场,	半 个 小时
jiē dàibiǎotuán,	jǐ gè xiǎoshí	dào jīchǎng bàn gè xiǎoshí	
去 大使馆	多 长 时间,	从 家 走,	十五
qù dàshǐguǎn	duō cháng shíjiān,	cóng jiā zǒu,	shíwǔ
分钟			
fēnzhōng			
参加 招待会,	几 分钟,	到 那儿,	五 分钟
cānjiā zhāodàihuì,	jǐ fēnzhōng,	dào nàr,	wǔ fēnzhōng

2. A：我 要 寄 一 个 包裹。
　　　Wǒ yào jì yí gè bāoguǒ.

　　B：包裹 里面 是 什么？
　　　Bāoguǒ lǐmiàn shì shénme?

　　A：一 条 丝绸 裙子 和 一 个 玩具。
　　　Yì tiáo sīchóu qúnzi hé yí ge wánjù.

一 件 衬衫,	一 条 裤子
yí jiàn chènshān,	yì tiáo kùzi
一 个 玩具 飞机,	一 张 画
yí gè wánjù fēijī,	yì zhāng huàr
一 辆 玩具 汽车,	一 套 西服
yí liàng wánjù qìchē.	yí tào xīfú
一 瓶 药,	一 封 信
yì píng yào	yì fēng xìn

3. 他 仔细 一 看 这 不 是 昨天 寄出 的 那 封 信
　　Tā zǐxì yí kàn zhè bú shì zuótiān jìchū de nà fēng xìn

　　吗？
　　ma?

一 听， 听过 的 笑话
yì tīng, tīngguò de xiàohua

一 想， 学过 的 汉字
yì xiǎng, xuéguò de Hànzì

一 看，认识 的 新 朋友
yí kàn, rènshi de xīn péngyou

一 尝， 吃过 的 糖醋鱼
yì cháng, chīguo de tángcùyú

4. A：你 知道 每 公斤 的 邮费 是 多少 吗?
　　 Nǐ zhīdào měi gōngjīn de yóufèi shì duōshǎo ma?

　 B：不 太 清楚，不过 我 可以 给 你 问问。
　　　Bú tài qīngchū, búguò wǒ kěyǐ gěi nǐ wènwen.

这 辆 汽车 的 价钱
zhè liàng qìchē de jiàqián

这个 月 的 电话 费
zhège yuè de diànhuà fèi

每 公斤 西红柿 的 价钱
měi gōngjīn xīhóngshì de jiàqián

做 一 套 西服 的 钱
zuò yí tào xīfú de qián

三、把下列词、词组连成句子(Make sentences with the following
words and phrases)：

1. 安装， 多少， 电话 的 钱，知道，你，是，
ānzhuāng, duōshǎo diànhuà de qián, zhīdào, nǐ, shì,
吗
ma

2. 一个，丝绸 裙子，一 条，玩具，和，是 包裹
yí gè, sīchóu qúnzi, yì tiáo, wánjù, hé, shì bāoguǒ
里面
lǐmiàn

3. 你 的 信，五 毛 的，要，贴， 邮费
   nǐ de xìn, wǔ máo de, yào, tiē, yóupiào

4. 汉字， 学会， 了，他， 不少
   Hànzì, xuéhuì, le, tā, bùshǎo

四、用量词填空（Fill in the blanks with the appropriate measure
   words）：

   1. 他 给 妈妈 寄了 _____ 包裹。
      Tā gěi māma jìle _____ bāoguǒ.

   2. 上 星期 小 张 给 朋友 写了 三 _____
      Shàng xīngqī Xiǎo Zhāng gěi péngyou xiěle sān _____
      信。
      xìn.

   3. 我们 大使馆 一共 有 八 _____ 司机、 十
      Wǒmen dàshǐguǎn yígòng yǒu bā _____ sījī, shí
      _____ 汽车。
      _____ qìchē.

   4. 这 _____ 办公室 是 大使 的。
      Zhè _____ bàngōngshì shì dàshǐ de.

   5. 妈妈 给 我 的 生日 礼物 是 一 _____ 裙子。
      Māma gěi wǒ de shēngrì lǐwù shì yì _____ qúnzi.

   6. 一 _____ 从 北京 到 上海 的 飞机票 是 400
      Yì _____ cóng Běijīng dào Shànghǎi de fēijīpiào shì sìbǎi
      元。
      yuán.

   7. 小 张 把 三十 _____ 请柬 准备 好 了。
      Xiǎo Zhāng bǎ sānshí _____ qǐngtiě zhǔnbèi hǎo le.

   8. 这 _____ 西服 是 布朗 买 的。
      Zhè _____ xīfú shì Bùlǎng mǎi de.

五、根据课文内容回答问题（Answer the following questions about

the text)：

1. 格林 夫人 想 给 谁 寄 生日 礼物？礼物 是
   Gélín fūren xiǎng gěi shéi jì shēngrì lǐwù? Lǐwù shì
   什么？
   shénme?

2. 寄往 纽约 的 包裹 每 公斤 多少 钱？
   Jìwǎng Niǔyuē de bāoguǒ měi gōngjīn duōshǎo qián?

3. 格林 夫人 的 信 超重 了 吗？要 贴 多少
   Gélín fūren de xìn chāozhòng le ma? Yào tiē duōshǎo
   钱 邮票？
   qián yóupiào?

4. 奈尔斯 给 谁 写 信？
   Nàiěrsī gěi shéi xiě xìn?

5. 奈尔斯 为什么 收到 了 自己 写 的 信？
   Nàiěrsī wèishénme shōudào le zìjǐ xiě de xìn?

六、读出下列汉字(Read the following Chinese characters)：

汉语 学习 你们 他们

这是小张。

那儿有一个孩子，他是小学生。

第二十八课 Lesson 28
Dì-èrshíbā kè

预订　房间　Booking a Rome
Yùdìng fángjiān

课 文 Text
Kèwén

（一）

（打电话 Dǎ diànhuà）

服务员：　您　好，这里　是　京伦　饭店。
Fúwùyuán：Nín hǎo! Zhèlǐ shì Jīnglún Fàndiàn.

大使馆：　您　好！我　是　英国　大使馆。我们　有
Dàshǐguǎn：Nín hǎo! Wǒ shì Yīngguó dàshǐguǎn. Wǒmen yǒu
　　　　　两　位　客人　要　来　北京，需要　预　订
　　　　　liǎng wèi kèrén yào lái Běijīng, xūyào yù dìng
　　　　　两　个　单人　房间。
　　　　　liǎng gè dān rén fángjiān.

服务员：　请　告诉我　他们　的　姓名。
Fúwùyuán：Qǐng gàosù wǒ tāmen de xìngmíng.

大使馆：　一个　叫　麦克　史密斯，一个　叫　马丁
Dàshǐguǎn：Yí gè jiào Màikè Shǐmìsī, yí gè jiào Mǎdīng
　　　　　布朗。
　　　　　Bùlǎng.

服务员：　他们　什么　时候　到　饭店？
Fúwùyuán：Tāmen shénme shíhou dào fàndiàn?

大使馆：　下　月　二十一　号。
Dàshǐguǎn：Xià yuè èrshíyī hào.

服务员： 打算 住 多 长 时间[1]？
Fúwùyuán： Dǎsuàn zhù duō cháng shíjiān?

大使馆： 差不多 两 个 星期。
Dàshǐguǎn： Chàbùduō liǎng gè xīngqī.

服务员： 好。 还 有 别 的 要求 吗？
Fúwùyuán： Hǎo. Hái yǒu bié de yāoqiú ma?

大使馆： 没有 了。谢谢。
Dàshǐguǎn： Méiyǒu le. Xièxie.

服务员： 不 客气。
Fúwùyuán： Bú kèqi.

（二）

服务员： 早上 好， 先生们！
Fúwùyuán： Zǎoshàng hǎo, xiānshengmen!

史密斯、布朗： 早上 好！
Shǐmìsī、Bùlǎng： Zǎoshàng hǎo!

史密斯： 英国 大使馆 上 星期 给 我们
Shǐmìsī： Yīngguó dàshǐguǎn shàng xīngqī gěi wǒmen
预订 了 两 个 房间。
yùdìng le liǎng ge fángjiān.

服务员： 请问 两 位 姓名。
Fúwùyuán： Qǐngwèn liǎng wèi xìngmíng.

史密斯： 我 叫 麦克 史密斯， 他 叫 马丁
Shǐmìsī： Wǒ jiào Màikè Shǐmìsī, tā jiào Mǎdīng
布朗。
Bùlǎng.

服务员： 请 等一等。 对， 有 你们 的 预订
Fúwùyuán： Qǐng děngyìděng. Duì, yǒu nǐmen de yù dìng
登记。 请 把 这 张 表 填 一下儿。
dēngjì. Qǐng bǎ zhè zhāng biǎo tián yíxiàr.

我 可以 看看 你们 的 护照 吗？
Wǒ kěyǐ kànkan nǐmen de hùzhào ma?

布朗： 没问题。
Bùlǎng： Méiwèntí.

服务员： 先 交 一下儿 定金 吧。 你们 用
Fúwùyuán： Xiān jiāo yíxiàr dìngjīn ba. Nǐmen yòng

现金 还是 用 信用卡？
xiànjīn háishi yòng xìnyòngkǎ?

史密斯： 现金。 不过， 我们 得 先 把 旅行
Shǐmìsī： Xiànjīn. Bú guò, wǒmen děi xiān bǎ lǚxíng

支票 换成 人民币。 这儿 可以
zhīpiào huànchéng Rénmínbì. Zhèr kěyǐ

换 钱 吗？
huàn qián ma?

服务员： 那儿 有 中国 银行 办事处。
Fúwùyuán： Nàr yǒu Zhōngguó Yínháng bànshìchù.

但是 九 点 后 才 能 知道 今天
Dànshì jiǔ diǎn hòu cái néng zhīdào jīntiān

的 外汇 比价。
de wàihuì bǐjià.

史密斯： 没关系， 我们 可以 等 一会儿。
Shǐmìsī： Méiguānxi, wǒmen kěyǐ děng yíhuìr.

服务员： 这样 吧，你们 先 到 房间 里 休息
Fúwùyuán： Zhèyàng ba, nǐmen xiān dào fángjiān lǐ xiūxi

一 会儿。 换了 钱 再 交 定金。
yí huìr. Huànle qián zài jiāo dìngjīn.

布朗： 那 太 好 了。
Bùlǎng： Nà tài hǎo le.

服务员： 这 是 钥匙。 房间 都 在 六 层。
Fúwùyuán： Zhè shì yàoshi. Fángjiān dōu zài liù céng.

电梯 在 右边。 行李 随后 就 到。
Diàntī zài yòubiān. Xíngli suíhòu jiù dào.

史密斯、 布朗： 谢谢。
Shǐmìsī、 Bùlǎng：Xièxie.

词 语　　New Words and Phrases
Cíyǔ

1. 预订	(v.)	yùdìng	to book，to reserve
2. 单人房间	(n.)	dānrén fángjiān	single room
单人		dānrén	single
3. 姓名	(n.)	xìngmíng	full name
4. 要求	(n.；v.)	yāoqiú	request，demand；to ask for，to require
5. 登记	(v.)	dēngjì	to register
6. 表	(n.)	biǎo	form
7. 填	(v.)	tián	to fill in
8. 护照	(n.)	hùzhào	passport
9. 没问题		méiwèntí	no problem
问题	(n.)	wèntí	problem，question
10. 定金	(n.)	dìngjīn	deposit
11. 现金	(n.)	xiànjīn	cash
12. 信用卡	(n.)	xìnyòngkǎ	credit card
13. 支票	(n.)	zhīpiào	cheque
14. 换成	(v.)	huànchéng	to change into
15. 人民币	(n.)	Rénmínbì	Renminbi
16. 银行	(n.)	yínháng	bank
17. 才	(adv.)	cái	only，just

18. 外汇	(n.)	wàihuì	foreign currency
19. 比价	(n.)	bǐjià	rate of exchange
20. 钥匙	(n.)	yàoshi	key
21. 电梯	(n.)	diàntī	lift, elevator
22. 随后	(adv.)	suíhòu	soon, afterwards

（三）

北京 的 饭店 越 建 越 多, 式样 越来越
Běijīng de fàndiàn yuè jiàn yuè duō, shìyàng yuèláiyuè
漂亮⁽²⁾, 级别 也 越来越 高。 这么 多 饭店, 这么 好
piàoliang, jíbié yě yuèláiyuè gāo. Zhème duō fàndiàn, zhème hǎo
的 服务, 带来 了 方便, 但 也 带来 了 麻烦: 哪 一 家
de fúwù, dài lái le fāngbiàn, dàn yě dàilái le máfan: Nǎ yì jiā
又 好 又 便宜? 哪 一 家 又 方便 又 舒适? 谁
yòu hǎo yòu piányi? Nǎ yì jiā yòu fāngbiàn yòu shūshì? Shéi
能 说 得 准 呢?
néng shuō de zhǔn ne?

词 语 New Words and Phrases
Cíyǔ

1. 越……越……		yuè…yuè…	the more… the more…
2. 建	(v.)	jiàn	to build
3. 级别	(n.)	jíbié	level, rank, grade
4. 家	(m.)	jiā	(a measure word)
5. 舒适	(adj.)	shūshì	comfortable, cozy
6. 准	(adj.)	zhǔn	exact, accurate

· 250 ·

补充词语　Supplementary Words
Bǔchōng Cíyǔ　　and Phrases

1.	中餐厅	(n.) zhōngcāntīng	Chinese-food dining hall
2.	西餐厅	(n.) xīcāntīng	western-food dining hall
3.	宴会厅	(n.) yànhuìtīng	banquet hall
4.	健身房	(n.) jiànshēnfáng	gymnasium
5.	卡拉 OK 歌厅	(n.) kǎlā'ōukèi gētīng	karaoke hall
6.	咖啡厅	(n.) kāfēitīng	coffee hall
7.	大厅	(n.) dàtīng	lobby
8.	总服务台	zǒng fúwùtái	reception desk
9.	服务费	fúwù fèi	service charge
10.	结帐	(v.) jiézhàng	to check out
11.	小费	(n.) xiǎofèi	tip

注　解 Notes
Zhùjiě

(1) "打算住多长时间(Dǎsuàn zhù duō cháng shíjiān)？"

"多"用来询问数量，程度，后接形容词。

When followed by an adjective, the word "多(duō)" is used to ask a question about quantity or degree.

For example：

今天　气温　有　多　高？
Jīntiān qìwēn yǒu duō gāo?

这个　办公室　有　多　大？
Zhège bàngōngshì yǒu duō dà?

你　今年　多　大　了？
Nǐ jīnnián duō dà le?

（2）　"北京的饭店越建越多（Běijīng de fàndiàn yuè jiàn yuè duō）。"

"式样越来越漂亮（Shìyàng yuèláiyuè piàoliang）。""越……越……"表示某人或某一事物在程度上随着条件的变化而变化，而"越来越……"表示某人或某事物在某方面的程度随时间的推移而产生变化。

"越……越……（yuè...yuè...）"indicates change in degree，while "越来越……（yuèláiyuè...）" indicates continuing change.

For example：

他 的 汉语　越来越　好。
Tā de Hànyǔ yuèláiyuè hǎo

他 越 学习 汉语 越 觉得 有 意思。
Tā yuè xuéxí Hànyǔ yuè juéde yǒu yìsi.

练　习 Exercises
Liànxí

一、读下列词组（Read the following phrases）：

现金	钱	旅行 支票	外汇
xiànjīn	qián	lǚxíng zhīpiào	wàihuì
信用卡	定金	价钱	人民币
xìnyòngkǎ	dìngjīn	jiàqián	Rénmínbì
银行	比价	付	交
yínháng	bǐjià	fù	jiāo

二、做下列替换练习（Do the following substitution drills）：

1. A：你们 打算 住多 长 时间？
　　Nǐmen dǎsuàn zhù duō cháng shíjiān?

　B：两 个 星期。
　　Liǎng gè xīngqī.

想,	在 这儿 工作,	多 长 时间,	四 年
xiǎng,	zài zhèr gōngzuò,	duō cháng shíjiān,	sì nián
知道,	今天 的 气温,	有 多 高,	三十 度
zhīdào,	jīntiān de qìwēn,	yǒu duō gāo,	sānshí dù
知道,	公寓 离 饭店,	有 多 远,	五 百 米
zhīdào,	gōngyù lí fàndiàn,	yǒu duō yuǎn,	wǔ bǎi mǐ

2. A：他们 什么 时候 到 饭店？
　　Tāmen shénme shíhou dào fàndiàn?

　　B：下 星期二。
　　　Xià xīngqī'èr.

到 飞机场,	两 点 半
dào fēijīchǎng,	liǎng diǎn bàn
去 参加 招待会,	七 点 三十
qù cānjiā zhāodàihuì,	qī diǎn sānshí
去过 中国,	一九九零 年
qùguò Zhōngguó,	yījiǔjiǔlíng nián
开始 学习 计算机,	下 个 月
kāishǐ xuéxí jìsuànjī,	xià gè yuè

3. 我 得 先 把 旅行 支票 换成 人民币。
　 wǒ děi xiān bǎ lǚxíng zhīpiào huànchéng Rénmínbì.

汉语,	翻译 成,	法语
Hànyǔ	fānyì chéng,	Fǎyǔ
空调器,	安装 在,	客厅
kōngtiáoqì,	ānzhuāng zài,	kètīng
衣服,	洗完	
yīfu,	xǐwǎn	
桌子, 擦一擦		
zhuōzi cāyicā		

4. 北京 的 饭店 越 建 越 多。
　 Běijīng de fàndiàn yuè jiàn yuè duō.

厨师　小　李　的　西餐，	做，	好
chúshī Xiǎo Lǐ de xīcān,	zuò,	hǎo
出租　汽车，	开，	快
chūzū qìchē,	kāi,	kuài
办公楼，	建，	高
bàngōnglóu,	jiàn,	gāo
中餐，	吃，	爱吃
Zhōngcān,	chī,	ài chī

5. 衣服　的　式样　越来越　漂亮。
   Yīfu de shìyàng yuèláiyuè piàoliang.

他　的　汉语，	地道
tā de Hànyǔ	dìdào
使馆　院子　里　的　树，	多
shǐguǎn yuànzi lǐ de shù,	duō
那　辆　汽车　开　得，	慢
nà liàng qìchē kāi de,	màn
这　几　年　的　天气，	暖和
zhè jǐ nián de tiānqì,	nuǎnhuo

三、翻译下列短文 (Translate the following)：

田中　　先生　和　夫人，第一次　来　中国
Tiánzhōng xiānsheng hé fūren, dì-yī cì lái Zhōngguó
旅游。到了　北京，　人生　地不熟，看到　北京　的
lǚyóu. Dàole Běijīng, rénshēng dì bù shú, kàndào Běijīng de
饭店　这么　多，　真　不　知道　住　哪一家　最　好。
fàndiàn zhème duō, zhēn bù zhīdào zhù nǎ yì jiā zuì hǎo.

四、回答下列问题 (Answer the following questions)：

1. 你　住过　北京　的　哪些　饭店？　这些　饭店
   Nǐ zhùguo Běijīng de nǎxiē fàndiàn? Zhèxiē fàndiàn
   怎么样？
   zěnmeyàng?

2. 你 最 喜欢 中国 的 哪 一 家 饭店？ 为
Nǐ zuì xǐhuan Zhōngguó de nǎ yì jiā fàndiàn? Wèi
什么？
shénme?

3. 你 喜欢 用 信用卡 还是 现金？
Nǐ xǐhuan yòng xìnyòngkǎ háishì xiànjīn?

4. 你 住 饭店 的 时候 遇到 过 哪些 有 意思 的
Nǐ zhù fàndiàn de shíhou yùdào guo nǎxiē yǒu yìsi de
事？
shì?

（遇到 to encounter）

五、读下列汉字（Read the following Chinese characters）：
休息　　汉字　　进来　　客人
她是我的汉语老师。
她叫常红。

第二十九课 Lesson 29
Dì-èrshíjiǔ kè

设备　安装　得　差不多　了　The Equipment
Shèbèi ānzhuāng de chàbùduō le Has Been Installed

课　文 Text
Kèwén

(一)

米勒　先生：　张　先生，　明天　上午　我们　去
Mǐlè xiānsheng：Zhāng xiānsheng, míngtiān shàngwǔ wǒmen qù
食品　公司　继续　商谈。
Shípǐn Gōngsī jìxù shāngtán.

张　先生：　谈　哪　方面　的　问题？
Zhāng xiānsheng：Tán nǎ fāngmiàn de wèntí?

米勒：　设备　安装　和　技术　培训。这儿　有
Mǐlè：Shèbèi ānzhuāng hé jìshù péixùn. Zhèr yǒu
一些　资料，你　看看。
yìxiē zīliào, nǐ kànkan.

张：　好。
Zhāng：Hǎo.

(二)

米勒　先生：　王　经理，设备　安装　得　怎么样
Mǐlè xiānsheng：Wáng jīnglǐ, Shèbèi ānzhuāng de zěnmeyàng
了？
le?

王　经理：差不多　了。多亏　有　德国　专家
Wáng jīnglǐ：Chàbùduō le. Duōkuī yǒu Déguó zhuānjiā
　　　　　帮助。
　　　　　bāngzhù.

米勒：你太客气了。还是　中国　技术　人员
Mǐlè：Nǐ tài kèqi le. Háishi Zhōngguó jìshù rényuán
　　　能干。在德国学习了三个月[1]。就
　　　néng gàn. Zài Déguó xuéxí le sān ge yuè, jiù
　　　学会了安装技术，真让人难以
　　　xuéhuì le ānzhuāng jìshù, zhēn ràng rén nán yǐ
　　　相信。
　　　xiāngxìn.

王：是啊！看来，在德国的培训是
Wáng：Shì a! Kàn lái, zài Déguó de péixùn shì
　　　非常　必要的，我们正想和
　　　fēicháng bìyào de, wǒmen zhèng xiǎng hé
　　　你们商量一下儿，能不能
　　　nǐmen shāngliang yíxiàr, néng bù néng
　　　延长第二批人员的培训时间？
　　　yáncháng dì-èr pī rényuán de péixùn shíjiān?

米勒：我们的想法和你们不一样。我们
Mǐlè：Wǒmen de xiǎngfǎ hé nǐmen bù yíyàng. Wǒmen
　　　想缩短培训时间，让更多的
　　　xiǎng suōduǎn péixùn shíjiān, ràng gèng duō de
　　　人尽快掌握操作技术。
　　　rén jǐnkuài zhǎngwò cāozuò jìshù.

王：除了学习操作以外，我们还想让
Wáng：Chúle xuéxí cāozuò yǐwài, wǒmen hái xiǎng ràng
　　　他们学一些修理技术。
　　　tāmen xué yìxiē xiūlǐ jìshù.

米勒：好，我把你们的意见报告总公司，
Mǐlè：Hǎo, wǒ bǎ nǐmen de yìjiàn bàogào zǒng gōngsī,

尽快 给 你 答复。
jǐnkuài gěi nǐ dáfù.

词 语 New Words and Phrases
Cíyǔ

1.	设备	(n.)	shèbèi	equipment
2.	食品	(n.)	shípǐn	foodstuff
3.	谈	(v.)	tán	to discuss, to talk
4.	方面	(n.)	fāngmiàn	aspect
5.	技术	(n.)	jìshù	technology
6.	培训	(v.)	péixùn	to train
7.	资料	(n.)	zīliào	material
8.	专家	(n.)	zhuānjiā	expert
9.	人员	(n.)	rényuán	personnel
10.	能干		nénggàn	capable, competent
11.	难以相信		nányǐ xiāngxìn	incredible, hard to believe
12.	看来		kànlái	it looks as if
13.	必要	(adj.)	bìyào	necessary
14.	延长	(v.)	yáncháng	to prolong
15.	批	(m.)	pī	(a measure word)
16.	想法	(n.)	xiǎngfǎ	idea, opinion
17.	缩短	(v.)	suōduǎn	to shorten, to cut short
18.	掌握	(v.)	zhǎngwò	to master
19.	操作	(v.)	cāozuò	to operate
20.	除了……以外		chúle...yǐwài	besides, except
21.	意见	(n.)	yìjiàn	opinion, suggestion
22.	报告	(v.;n.)	bàogào	to report; report

23. 总公司　　　　　　zǒng gōngsī　　general company

24. 答复　(v.；n.)　dáfù　　　　to réply；reply

(三)

汽车　　公司　　要　　进口　　瑞典　　设备。　洽谈　　后，
Qìchē　Gōngsī　yào　jìnkǒu　Ruìdiǎn　shèbèi.　Qiàtán　hòu,

双方　　同意：设备　的　　安装　　由　　双方　　一起
shuāngfāng　tóngyì：Shèbèi　de　ānzhuāng　yóu　shuāngfāng　yìqǐ

完成。　　三　个　月　后　开始　　生产。　　瑞典　　为
wánchéng.　Sān　ge　yuè　hòu　kāishǐ　shēngchǎn.　Ruìdiǎn　wèi

中国　　提供　技术　培训。　最后　他们　　签定　了　合同。
Zhōngguó　tígōng　jìshù　péixùn.　Zuìhòu　tāmen　qiāndìng　le　hétóng.

词　语　New Words and Phrases
Cíyǔ

1. 进口　(v.；n.)　jìnkǒu　　to import；import

2. 同意　(v.)　　tóngyì　　　to agree

3. 由　　(prep.)　yóu　　　　by

4. 完成　(v.)　　wánchéng　to finish，to complete

5. 生产　(n.；v.)　shēngchǎn　production；to produce

6. 提供　(v.)　　tígōng　　to provide

7. 最后　(adv.)　zuìhòu　　finally

补充词语　Supplementary Words
Bǔchōng Cíyǔ　　and Phrases

1. 机器　(n.)　jīqì　　machine

2. 运输	(v.)	yùnshū	to transport	
3. 出口	(v.;n.)	chūkǒu	to export;export	
4. 关税	(n.)	guānshuì	tariff	
5. 签字	(v.)	qiānzì	to sign	
6. 履行	(v.)	lǚxíng	to carry out	
7. 过期	(v.)	guòqī	to be overdue, to exceed	
			the time limit	
8. 交货	(v.)	jiāohuò	to deliver goods	

注　解 Notes
Zhùjiě

（1）　"在德国学习了三个月……(Zài Déguó xuéxí le sān ge yuè...)"

表示时间数量的词语放在动词后面时叫时量补语,说明动作或状态持续的时间。

A group of words indicating length of time can be used after a verb to denote the duration of an action. It is called complement of duration.

For example：

他 在 北京 住了 三 年。
Tā zài Běijīng zhùle sān nián.

　请 你 休息 一会儿 吧。
Qǐng nǐ xiūxi yíhuìr ba.

如果动词带宾语,要先重复动词,再加时量补语。

If the verb takes an object，the verb must be repeated after the object before taking the complement of duration.

For example：

我 学 汉语 学了 三 个 月。
Wǒ xué Hànyǔ xuéle sān ge yuè.

他 看 电视 看了 一 个 晚上。
Tā kàn diànshì kànle yí ge wǎnshang.

他们 吃 饭 吃了 一 个 小时。
Tāmen chī fàn chīle yí ge xiǎoshí.

如果宾语不是人称代词或方位名词，时量补语还可以放在动词和宾语之间。

If the object is not a personal pronoun or a noun of locality, the complement of duration may also be placed between the verb and the object.

For example：

我 想 学 半 年 （的） 汉语。
Wǒ xiǎng xué bàn nián (de) Hànyǔ.

他 昨天 看了 一 个 晚上 （的） 电视。
Tā zuótiān kànle yí ge wǎnshang (de) diànshì.

星期日， 他们 擦了 半 天 （的） 玻璃。
Xīngqīrì, tāmen cāle bàn tiān (de) bōli.

练 习 Exercises
Liànxí

一、读下列词组(Read the following phrases)：

安装 设备	派 技术 人员	看看 资料
ānzhuāng shèbèi	pài jìshù rényuán	kànkan zīliào
学会 技术	延长 时间	缩短 时间
xuéhuì jìshù	yáncháng shíjiān	suōduǎn shíjiān
掌握 技术	开始 生产	签定 合同
zhǎngwò jìshù	kāishǐ shēngchǎn	qiāndìng hétóng

培训　人员　　提出 意见　　　　完成　　工作
péixùn rényuán　　tíchū yìjiàn　　　wánchéng gōngzuò

二、做下列替换练习(Do the following substitution drills)：

1. 设备　安装　得　怎么样？
Shèbèi ānzhuāng de zěnmèyàng?

　　差不多 了。多亏 有 德国 专家　帮助。
　　Chàbùduō le. Duōkuī yǒu Déguó zhuānjiā bāngzhū.

汉语， Hànyǔ,	学， xué,	张 老师 Zhāng lǎoshī
空调， kōngtiáo,	安装， ānzhuāng,	李 师傅 Lǐ shīfu
西服， xīfú,	做， zuò,	老 师傅 lǎo shīfu
汽车， qìchē,	修理， xiūlǐ,	布朗　先生 Bùlǎng xiānsheng

2. 在 加拿大 学习 了 三 个 月，就 学会 了 安装
Zài Jiā'nádà xuéxí le sān ge yuè, jiù xuéhuì le ānzhuāng

技术，真 让 人 难以 相信。
jìshù, zhēn ràng rén nán yǐ xiāngxìn.

中国　学习， Zhōngguó xuéxí	学会 很多 汉字 xuéhuì hěnduō Hànzì
北京　工作， Běijīng gōngzuò,	签定 三 份 合同 qiāndìng sān fèn hétong
学校 学习， xuéxiào xuéxí,	掌握 计算机 的 操作 zhǎngwò jìsuànjī de cāozuò

3. 我们　想　缩短　培训　时间，尽快　掌握
Wǒmen xiǎng suōduǎn péixùn shíjiān, jǐnkuài zhǎngwò

操作 技术。
cāozuò jìshù.

住 在 北京， zhù zài Běijīng,	了解 中国 liǎojiě Zhōngguó
坐 出租 汽车 去， zuò chūzū qìchē qù,	到 机场 dào jīchǎng
每 星期 学习 六 小时， měi xīngqī xuéxí liù xiǎoshí,	学会 汉语 xuéhuì Hànyǔ

4. 为了 能 顺利 生产， 他们 提出 了 延长
   Wèile néng shùnlì shēngchǎn, tāmen tíchū le yáncháng
   培训 时间， 的 意见。
   péixùn shíjiān, de yìjiàn.

学好 英语， xuéhǎo Yīngyǔ,	延长 学习 时间 yáncháng xuéxí shíjiān
掌握 技术， zhǎngwò jìshù,	请 专家 来 帮助 qǐng zhuānjiā lái bāngzhù
做好 工作， zuòhǎo gōngzuò,	进行 培训 jìnxíng péixùn

三、用所给的词、词组造句子（Make sentences with the following
  words and phrases）：

1. 安装 设备， 三 位， 德国 专家， 帮助，
   ānzhuāng shèbèi, sān wèi, Déguó zhuānjiā, bāngzhù,
   来 北京， 我们 公司
   lái Běijīng, wǒmen gōngsī

2. 继续， 商谈， 同意， 下 月， 双方
   jìxù, shāngtán, tóngyì, xià yuè, shuāngfāng

3. 签定， 食品 公司， 合同， 和， 一 家 美国
   qiāndìng, shípǐn gōngsī, hétóng, hé, yì jiā Měiguó
   公司， 进口 设备
   gōngsī, jìnkǒu shèbèi

4. 学习，技术　人员，　第二 批，下 个 月，去　英国
　　xuéxí, jìshù rényuán, dì-èr pī, xià ge yuè, qù Yīngguó

四、用所给的词语填空（Fill in the blanks with the appropriate
　 words）：

1.　延长　　　　　　缩短
　　yáncháng　　　suōduǎn
　　1）因为　最近　非常　忙，所以 他 打算 ＿＿＿＿
　　　 Yīnwèi zuìjìn fēicháng máng, suǒyǐ tā dǎsuàn ＿＿＿＿
　　　 学习　汉语　的　时间。
　　　 xuéxí Hànyǔ de shíjián.

　　2）要是 ＿＿＿＿ 学习　时间，就 可以 学 得 更
　　　 Yàoshì ＿＿＿＿ xuéxí shíjiān, jiù kěyǐ xué de gèng
　　　 好。
　　　 hǎo.

2.　安装　　　　　修理
　　ānzhuāng　　　xiūlǐ
　　1）我 买了 一 个 新 的　空调，　请　你们 派人
　　　 Wǒ mǎile yí ge xīn de kōngtiáo, qǐng nǐmen pài rén
　　　 来 ＿＿＿＿ 一下儿。
　　　 lái ＿＿＿＿ yíxiàr.

　　2）我 的 电视机 有 点儿　毛病，你 能 不 能
　　　 Wǒ de diànshìjī yǒu diǎnr máobìng, nǐ néng bù néng
　　　 帮 我 ＿＿＿＿ 一下儿。
　　　 bāng wǒ ＿＿＿＿ yíxiàr.

3.　学会　　　　学习
　　xuéhuì　　　xuéxí
　　1）她 ＿＿＿＿ 了 一 年 半 的 汉语。
　　　 Tā ＿＿＿＿ le yì nián bàn de Hànyǔ.

　　2）她 一 年 才 ＿＿＿＿ 修理 汽车。
　　　 Tā yì nián cái ＿＿＿＿ xiūlǐ qìchē.

4.　打扰　　　　顺利
　　dǎrǎo　　　shùnlì

1) 为　我们　的　工作　＿＿＿＿　干杯！
　　Wèi wǒmen de gōngzuò ＿＿＿＿ gānbēi!

2) 为了　不　＿＿＿＿　他　的　工作，　我　没有　去　找
　　Wèile bù ＿＿＿＿ tā de gōngzuò, wǒ méiyǒu qù zhǎo
他。
tā.

五、将下列句子译成汉语(Translate the following sentences into Chinese)：

1. I plan to continue learning computer skills.

2. Mrs. Smith has translated this material into Chinese.

3. We work six hours everyday.

4. The Chinese technical personnel and the American experts have been working for three months to install the equipment.

5. I've called them three times today, but nobody answers.

六、把下面汉字的偏旁写在括号内(Write the radicals of the following characters in the brackets)：

1. 没　沙　治　（　　）

2. 品　哪　吗　（　　）

3. 计　访　订　（　　）

第三十课　Lesson 30
Dì-sānshí kè

你　喜欢　足球　吗？　Do You Like Football?
Nǐ xǐhuān zúqiú ma?

课文　Text
Kèwén

(一)

小　王：老张，昨天　晚上　那　场　足球　比赛
Xiǎo Wáng: Lǎo Zhāng, zuótiān wǎnshang nà chǎng zúqiú bǐsài

　　　　你　看　了　吗？
　　　　nǐ kàn le ma?

老　张：我　看　了。踢　得　真　精彩[1]。你　也　看了　吧？
Lǎo Zhāng: Wǒ kàn le. Tī de zhēn jīngcǎi. Nǐ yě kànle ba?

　　王：我　是　在　电视　上　看　的。你　喜欢　踢　足球
Wáng: Wǒ shì zài diànshì shang kàn de. Nǐ xǐhuān tī zúqiú

　　　　吗？
　　　　ma?

　　张：以前　在　学校　的　时候　爱　踢，现在　年龄
Zhāng: Yǐqián zài xuéxiào de shíhou ài tī, xiànzài niánlíng

　　　　大　了，只　能　打打　太极拳。
　　　　dà le, zhǐ néng dǎda tàijíquán.

　　王：我　在　中学　和　大学　的　时候，爱　打　篮球，
Wáng: Wǒ zài zhōngxué hé dàxué de shíhou, ài dǎ lánqiú,

　　　　打　得　还　不　错。现在　喜欢　游泳。
　　　　dǎ de hái bú cuò. Xiànzài xǐhuān yóuyǒng.

田中　　先生：　李　先生，　　您　对　围棋　感　兴趣
Tiánzhōng xiānsheng：Lǐ xiānsheng，Nín duì wéiqí gǎn xìngqù

　　　　　　　　　　吗？
　　　　　　　　　　ma?

　李　　先生：　我　刚　开始　学，还　不　太　会。
　Lǐ xiānsheng：wǒ gāng kāishǐ xué hái bú tài huì.

　　　田中：　是　吗？我　也　刚　学，有　机会　咱们
　Tiánzhōng：Shì ma? wǒ yě gāng xué，yǒu jīhuì zánmen

　　　　　　　可以　下　一　盘。
　　　　　　　kěyǐ xià yì pán.

　　　　李：　好　啊！我　很　高兴。
　　　　Lǐ：Hǎo a！wǒ hěn gāoxing.

词　语　New Words and Phrases
　　　Cíyǔ

1. 场	(m.)	chǎng	(a measwe word)
2. 足球	(n.)	zúqiú	football
3. 比赛	(n.)	bǐsài	match, competition
4. 精彩	(adj.)	jīngcǎi	brilliant, wonderful
5. 踢	(v.)	tī	to play (football), to kick
6. 年龄	(n.)	niánlíng	age
7. 打	(v.)	dǎ	to play (tennis etc.)
8. 太极拳	(n.)	tàijíquán	*taijiquan* (Chinese shadow boxing)
9. 中学	(n.)	zhōngxué	middle school, high school
10. 篮球	(n.)	lánqiú	basketball

11. 围棋 （n.） wéiqí *weiqi* (a kind of chess)
12. 对……感兴趣 duì...gǎnxìngqù to be interested in
13. 下（棋）（v.） xià(qí) to play (chess)

（三）

乔伊娜 是 德国 体操 运动员， 今年 才 十一 岁。
Qiáoyīnà shì Déguó tǐcāo yùndòngyuán, jīnnián cái shíyī suì.

上 个 月 她 到 中国， 参加 了 国际 体操 比赛。
Shàng ge yuè tā dào Zhōngguó, cānjiā le guójì tǐcāo bǐsài.

乔伊娜 得 了 第一 名。 那 天， 正好 是 她 的
Qiáoyīnà de le dì-yī míng. Nà tiān, zhènghǎo shì tā de

生日。 吃 晚饭 的 时候， 她 看到 饭桌 上
shēngrì. Chī wǎnfàn de shíhòu, tā kàndào fànzhuō shàng

放着 一 个 生日 蛋糕。 朋友们 唱起 了 《祝 你
fàngzhe yí ge shēngrì dàngāo. Péngyǒumen chàngqǐ le 《zhù nǐ

生日 快乐》 这 首 歌。乔伊娜 高兴 极 了，她 用
shēngrì kuàilè》 zhè shǒu gē. Qiáoyīnà gāoxìng jí le, tā yòng

刚 学 的 汉语 说：“谢谢， 我 真 高兴。”
gāng xué de Hànyǔ shuō: "Xièxie, wǒ zhēn gāoxìng."

词语 New Words and Phrases
Cíyǔ

1. 乔伊娜 （n.） Qiáoyīnà （name of a person）
2. 体操 （n.） tǐcāo gymnastics
3. 运动员 （n.） yùndòngyuán sportsman or sportswoman
   运动 （v.；n.） yùndòng to do physical exercise；sport
4. 岁 suì year（of age）

5. 得	(v.)	dé	to get, to obtain
6. 第一名		dì-yī míng	first place
7. 饭桌		fànzhuō	dining table
8. 蛋糕	(n.)	dàngāo	cake
9. 唱	(v.)	chàng	to sing
10. 快乐	(adj.)	kuàilè	happy, joyful
11. 首	(m.)	shǒu	(a measure word)
12. 歌	(n.)	gē	song

补充词语　Supplementary Words
Bǔchōng Cíyǔ　and Phrases

1. 气功	(n.)	qìgōng	*qigong* (deep breathing exercises)
2. 滑雪		huáxuě	skiing
3. 跳水		tiàoshuǐ	diving
4. 排球	(n.)	páiqiú	volleyball
5. 冰球	(n.)	bīngqiú	ice-hockey
6. 裁判员	(n.)	cáipànyuán	referee
7. 教练员	(n.)	jiàoliànyuán	coach, trainer
8. 体育场	(n.)	tǐyùchǎng	stadium

注　解　Notes
Zhùjiě

(1) "踢得真精彩(tī de zhēn jīngcǎi)"。

动词(或形容词)后面有一种用来说明动作或状态所达到的程度的补语,叫程度补语。动词(或形容词)和程度补语之间要用结构助词"得"来连接。程度补语一般由形容词充任。

A complement of degree is used after a verb (or an adjective) and denotes the state or the extent of the action. The structural partical "得(de)" must be inserted between the verb (or adjective) and the complement of degree. Adjectives are often used as complements of degree.

For example：

> 他 来 得 很 早。
> Tā lái de hěn zǎo.
> 你 说 得 很 对。
> Nǐ shuō de hěn duì.

否定式(Negative form)：

> 他 来 得 不 早。
> Tā lái de bù zǎo.
> 你 说 得 不 对。
> Nǐ shuō de bú duì.

疑问式(Interrogative form)：

> 他 来 得 早 吗?
> Tā lái de zǎo ma?
> 你 说 得 对 吗?
> Nǐ shuō de duì ma?
> 他 来 得 早 不 早?
> Tā lái de zǎo bù zǎo?
> 你 说 得 对 不 对?
> Nǐ shuō de duì bú duì?

如果动词带宾语时，必须先重复动词，再加助词"得"和补语。

When the verb takes an object, the verb must be repeated before "得(de)" and the complement of degree.

For example：

> 她 打 篮球 打 得 不 错。
> Tā dǎ lánqiú dǎ de bú cuò

如果不重复动词，就要把宾语放在动词前边或主语前边。

When the object comes before the verb or before the subject, the verb is not repeated.

For example：

她 篮球 打 得 不 错。 → 篮球 她 打 得 不 错。
Tā lánqiú dǎ de bú cuò. → Lánqiú tā dǎ de bú cuò.

练 习　　Exercises
Liànxí

一、用下列词和词组连成句子(Make sentences with the following words and phrases)：

1. 下 围棋， 我 会， 下， 不 好， 得， 但是
   xià wéiqí， wǒ huì， xià， bù hǎo， de， dànshì

2. 我们， 去， 昨天， 了， 得， 很 高兴， 踢
   wǒmen， qù， zuótiān， le， de， hěn gāoxìng， tī
   球， 踢
   qiú， tī

3. 下 雨， 得， 外边， 下， 很 大
   xià yǔ， de， wàibiān， xià， hěn dà

4. 法语， 王 先生， 说 得， 好， 非常
   Fǎyǔ， Wáng xiānsheng， shuō de， hǎo， fēicháng

二、改正下列句子中的错误(Correct the following sentences)：

1. 北京 今年 早 不 早 热 得？
   Běijīng jīnnián zǎo bù zǎo rè de?

2. 半 个 小时 王 小姐 休息 了。
   Bàn ge xiǎoshí Wáng xiǎojiě xiūxi le.

3. 王　　先生　　洽谈　　田中　　　先生。
Wáng xiānsheng qiàtán Tiánzhōng xiānsheng.

4. 代表团　　坐飞机　了去　　中国。
Dàibiǎotuán zuò fēijī le qù Zhōngguó.

5. 展览会　　开幕　几　号？
Zhǎnlǎnhuì kāimù jǐ hào?

三、做下列替换练习(Do the following substitution drills)：

1. 我　去　参加　　展览会，　　顺便　买　点儿　吃　的
Wǒ qù cānguān zhǎnlǎnhuì, shùnbiàn mǎi diǎnr chī de

东西。
dōngxi.

寄 一 个 包裹， jì yí ge bāoguǒ	寄 封 信 jì fēng xìn
看 一 个 朋友， kàn yí ge péngyǒu,	散 散 步 sàn san bù
取 衣服， qǔ yīfu,	买 件 衬衫 mǎi jiàn chènshān
买 水果， mǎi shuǐguǒ,	去 邮局 qù yóujú

2. A：你 吃 苹果 了 吗？
Nǐ chī píngguǒ le ma?

B：我 吃了，吃 得 不 少。
wǒ chīle, chī de bù shǎo.

买 书， mǎi shū,	买， mǎi,	很 多 hěn duō
喝 啤酒， hē píjiǔ,	喝， hē,	很 高兴 hěn gāoxìng
打 篮球， dǎ lánqiú,	打， dǎ,	很 愉快 hěn yúkuài
写 信， xiě xìn,	写， xiě,	很 长 hěn cháng

3. A：请　问，　预定　　房间　怎么 办　手续？
　　Qǐng wèn, yùdìng fángjiān zěnme bàn shǒuxù?

　B：先　登记，再　交　定金。
　　Xiān dēngjì, zài jiāo dìngjīn.

买 飞机票，　预订　　航班，　　填表		
mǎi fēijīpiào, yùdìng hángbān, tiánbiǎo		
看 病，　　　挂号，　　　　 等 大夫 检查		
kàn bìng, guàhào, děng dàifu jiǎnchá		
寄 包裹，　　填表，　　　　付 钱		
jì bāoguǒ, tiánbiǎo, fù qián		

4. A：篮球　你打得　好 吗？
　　Lánqiú nǐ dǎ de hǎo ma?

　B：篮球　我 打 得 不好，可是　喜欢 打。
　　Lánqiú wǒ dǎ de bù hǎo, kěshì xǐhuān dǎ.

围棋，　　　下	
wéiqí, xià	
汉字，　　　写	
Hànzì, xiě	
足球，　　　踢	
zúqiú, tī	
太极拳，　　打	
tàijíquán, dǎ	

5. A：他们　足球　踢 得　好 不　好？
　　Tāmen zúqiú tī de hǎo bù hǎo?

　B：踢 得 很　好。
　　Tī de hěn hǎo.

你， nǐ,	篮球， lánqiú	打， dǎ	马马虎虎 mǎmahūhū
他， tā,	汉语， Hànyǔ,	说， shuō	还 不 错 hái bú cuò
那儿， nàr,	饺子， jiǎozi,	做， zuò	很 好 吃 hěn hǎo chī
她， tā,	汽车， qìchē	开， kāi	不 太 好 bú tài hǎo

四、将下列句子翻译成汉语(Translate the following sentences into Chinese)：

1. Yesterday I watched the football game on TV.

2. Did you enjoy playing basketball in the past?

3. When I was in middle school，I liked swimming very much，but now I take a walk in the morning.

4. She was very happy when her friends sang ″Happy Birthady to You″.

5. He speaks Chinese very well.

五、读下列对话(Read the following dialogues)：

1. 招待 (Entertaining guests)
   Zhāodài

   今天 的 饭 做得 不 错，大家 再 吃 一点儿 吧。
   Jīntiān de fàn zuòde bú cuò, dàjiā zài chī yìdiǎnr ba.

   饭 菜 都 很 好 吃，谢谢。吃 得 不 少 了。
   Fàn cài dōu hěn hǎo chī, xièxie. Chī de bù shǎo le.

2. 告别　　　(Leaving the party)
   Gàobié

   时间　不　早　了，我们　该　走　了。
   Shíjiān bù zǎo le, wǒmen gāi zǒu le.

   还　早　呢，再　玩儿　一会儿　吧。
   Hái zǎo ne. zài wánr yíhuìr ba.

   谢谢　你们　的　招待。
   Xièxie nǐmen de zhāodài.

   欢迎　下　次　再　来。
   Huānyíng xià cì zài lái.

六、把下面汉字的偏旁写在括号内(Write the radicals of the following characters in the brackets)：

   明　　时　　晚　　暖　　（　　）
   给　　纪　　纺　　续　　（　　）
   陈　　阿　　阴　　阳　　（　　）

再 上 一 层 楼　Step by Step
Zài shàng yì céng lóu

一、用汉语解释下列词语（Explain the following in Chinese）：

拜会	开幕	离任	出席
bàihuì	kāimù	lírèn	chūxí

告别	快乐	国内	扔掉
gàobié	kuàilè	guónèi	rēngdiào

二、准确读出下列数字（Read the following numbers）：

440　　709　　123　　8009　　9310

5601　　30001　　29100　　35791

三、填入适当的量词（Fill in the blanks with the appropriate measure words）：

块，　张，　批，　场，　家，　套，　封，　条，　件，　名，

kuài, zhāng, pī, chǎng, jiā, tào, fēng, tiáo, jiàn, míng,

份

fèn

1. 玛丽　今天　吃了　三　_____　西瓜。

   Mǎlì jīntiān chīle sān _____ xīguā.

2. 我　买了　两　_____　票，　我们　一起　去　吧。

   Wǒ mǎile liǎng _____ piào, wǒmen yìqǐ qù ba.

3. 加拿大　派来　四　_____　学生　到　北京　学习。

   Jiā'nádà pàilái sì _____ xuésheng dào Běijīng xuéxí.

4. 他们　　生产　　的　第一 _____ 食品　出口　到了
Tāmen shēngchǎn de dì-yī _____ shípǐn chūkǒu dàole
德国。
Déguó.

5. 每　两　个　星期，我　都　给　妈妈·写　一 _____
Měi liǎng ge xīngqī, wǒ dōu gěi māma xiě yì _____
信。
xìn.

6. 我　知道　一 _____ 去　琉璃厂　的　胡同。
wǒ zhīdào yì _____ qù Liúlichǎng de hútòng.

7. 我　在　商店　买了　一 _____ 西服。
Wǒ zài shāngdiàn mǎile yí _____ xīfú.

8. 星期六　　晚上，　有　一 _____ 足球　比赛。
Xīngqīliù wǎnshang, yǒu yì _____ zúqiú bǐsài.

9. 十　年　以前，在　北京　只有　几 _____ 大　饭店。
Shí nián yǐqián, zài Běijīng zhǐyǒu jǐ _____ dà fàndiàn.

10. 我们　发了　三十 _____ 请帖，来了　五十　个
Wǒmen fāle sānshí _____ qǐngtiě, láile wǔshí ge
客人。
kèrén.

四、用下列短语造句(Make sentences with the following phrases)：

看着　办，　　　太　巧　了，　多亏，　　　听说，
kànzhe bàn,　　　tài qiǎo le,　duōkuī,　　　tīngshuō,
一边……一边…　越来越，　　要不然，　越……越……
yìbiān...yìbiān....　yuèláiyuè,　yàoburán,　yuè...yuè...
顺便，　　　　　为……干杯，
shùnbiàn,　　　　wèi...gānbēi,

五、改正下列句子中的错误(Correct the following sentences)：

1. 他 没 去　商店，　他 去过　邮局。
   Tā méi qù shāngdiàn, tā qùguo yóujú.

2. 我　以前　没 来了　北京。
   Wǒ yǐqián méi láile Běijīng.

3. 你 吃了 饭 还是　没 吃了 饭？
   Nǐ chīle fàn háishì méi chīle fàn?

4. 他 能　说　汉语　一点儿。
   Tā néng shuō Hànyǔ yìdiǎnr.

5. 冬天　我　没有　滑　冰 了。
   Dōngtiān wǒ méiyǒu huá bīng le.

6. 北京 是　上海　远　吗？
   Běijīng shì Shànghǎi yuǎn ma?

六、写出下列反义词或短语（Give the antonyms for the following）：

到　任，　　上，　　大，　　多，　　贵，　　厚，　　长，
dào rèn,　　shàng,　dà,　　duō,　　guì,　　hòu,　　cháng
来得及，　　冷，　好
láidejí,　　lěng,　hǎo

七、找出合适的搭配（Match the words from A with the appropriate
words from B）：

A：踢　做　打　　寄　说　　唱
　　tī　zuò　dǎ　　jì　shuō　chàng

· 278 ·

B：歌　　笑话　　电话　　足球　　包裹　　饭
　　gē　xiàohua dìanhuà zúqiú bāoguǒ　fàn

八、翻译下列句子(Translate the following sentences into Chinese)：

1. Mr. Brown was in Beijing in 1971.

2. He signed two contracts yesterday.

3. After dinner I am going to watch the football match.

4. You can leave after preparing the meal.

5. Our embassy reserved two single rooms for us.

第三十一课　　Lesson 31
Dì-sānshíyī kè

你　愿意　去　看　京剧　吗？　Would You Like to See
Nǐ　yuànyì　qù　kàn　jīngjù　ma?　Peking Opera?

课文　Text
Kèwén

(一)

李　先生：　格林　先生，　　周末　过　得　怎么样？
Lǐ xiānsheng：Gélín　xiānsheng,　zhōumò　guò　de　zěnmeyàng?

格林　先生：　过　得　不错，我们　看了　一　场　芭蕾舞。
Gélín xiānsheng：Guò　de　bú　cuò,　wǒmen　kànle　yì　chǎng　bāléiwǔ.

李：演　得　不　错　吧？
Lǐ：Yǎnde　bú　cuò　ba?

格林：是　的，音乐　和　舞蹈　都　很　好。
Gélín：Shì　de,　yīnyuè　hé　wǔdǎo　dōu　hěn　hǎo.

李：你　对　京剧　感　兴趣　吗？
Lǐ：Nǐ　duì　jīngjù　gǎn　xìngqù　ma?

格林：京剧　我　看　得　不　多。
Gélín：jīngjù　wǒ　kàn　de　bù　duō.

李：我　这儿　有　几　张　京剧　票，你　愿意
Lǐ：Wǒ　zhèr　yǒu　jǐ　zhāng　jīngjù　piào,　nǐ　yuànyì

去　看　吗？
qù　kàn　ma?

格林：是　什么　戏？
Gélín：Shì　shénme　xì?

李：是 关于 孙悟空 的。星期六 晚上
Lǐ：Shì guānyú Sūnwùkōng de. Xīngqīliù wǎnshang

七点 一 刻 开演。
qīdiǎn yí kè kāiyǎn.

格林：我 听 朋友 说 过 孙悟空 的
Gélín：Wǒ tīng péngyǒu shuō guò Sūnwùkōng de

故事， 想 去 看看。 谢谢 你 的
gùshi, xiǎng qù kànkan. Xièxie nǐ de

邀请。
yāoqǐng.

(二)

李 先生：格林 先生， 你 来得 正 好， 再 有
Lǐ xiānsheng：Gélín xiānsheng, nǐ lái de zhèng hǎo, zài yǒu

三 分钟 就 开演 了。
sān fēnzhōng jiù kāiyǎn le.

格林 先生：我 刚 想 从 家 出来(1)，又 接了 一
Gélín xiānsheng：Wǒ gāng xiǎng cóng jiā chūlái, yòu jiēle yí

个 电话。 你 来 得 很 早 吧?
ge diànhuà. Nǐ lái de hěn zǎo ba?

李：我 也 刚 进来。这 是 剧情 说明书。
Lǐ：Wǒ yě gāng jìnlái. Zhè shì jùqíng shuōmíngshū.

格林：谢谢。 昨天 我 夫人 买 回来 一 本
Gélín：Xièxie. Zuótiān wǒ fūren mǎi huílái yì běn

书(2)， 书 上 说， 京剧 到 现在 已经
shū, shū shàng shuō, jīngjù dào xiànzài yǐjīng

有 一百 多 年 了，是 吗?
yǒu yì bǎi duō nián le, shì ma?

李：是 的。不 少 中国人 都 喜欢
Lǐ：Shì de. Bù shǎo Zhōngguórén dōu xǐhuān

京剧。
jīngjù.

格林：那 我们 要 好好 欣赏 了。啊，戏
Gélín：Nà wǒmen yào hǎohāo xīnshǎng le. Ā, xì

开演 了。
kāiyǎn le.

词 语　　New Words and Phrases
Cíyǔ

1. 京剧　　(n.)　　jīngjù　　　　　Peking opera
2. 芭蕾舞　(n.)　　bāléiwǔ　　　　ballet
3. 演　　　(v.)　　yǎn　　　　　　to play, to perform
4. 舞蹈　　(n.)　　wǔdǎo　　　　　dance
5. 戏　　　(n.)　　xì　　　　　　　drama, play
6. 关于　　(prep.)　guānyú　　　　on, about
7. 孙悟空　(n.)　　Sūnwùkōng　　The Monkey King
8. 刻　　　(n.)　　kè　　　　　　a quarter(of an hour)
9. 开演　　(v.)　　kāiyǎn　　　　to start (a play or a movic)
10. 故事　(n.)　　gùshi　　　　　story
11. 只　　(adv.)　zhǐ　　　　　　only
12. 本　　(n.)　　běn　　　　　　(a measure word)
13. 剧情　　n.)　　jùqíng　　　　the plot (of a play)
14. 说明书　(n.)　　shuōmíngshū　synopsis, (a booklet of)
　　　　　　　　　　　　　　　　directions
15. 欣赏　　(v.)　　xīnshǎng　　　to enjoy, to appreciate

（三）

格林　先生　来到　北京　以后，看　过　几　次　京剧。
Gélín xiānsheng lái dào Běijīng yǐhòu, kàn guò jǐ cì jīngjù.

觉得　京剧　很　有　意思。他　对　京剧　里　的　服装　特别
Juéde jīngjù hěn yǒu yìsi. Tā duì jīngjù lǐ de fúzhuāng tèbié

感　兴趣。星期日　格林　先生　到　商店　里，买了　一
gǎn xìngqù. Xīngqīrì Gélín xiānsheng dào shāngdiàn lǐ mǎile yí

件　黄色　龙袍，　穿着　它　照了　一　张　照片。他
jiàn huángsè lóngpáo, chuānzhe tā zhàole yì zhāng zhàopiàn. tā

要　把　照片　寄　回家　去，让　家里　的　人　也　欣赏
yào bǎ zhàopiàn jì huí jiā qù, ràng jiālǐ de rén yě xīnshǎng

一下儿　中国　的　艺术品。
yíxiàr Zhōngguó de yìshùpǐn.

词　语　New Words and Phrases
Cíyǔ

1. 服装　（n.）　　　fúzhuāng　costume, dress

2. 特别　（adv., ; adj.）　tèbié　especially; special

3. 件　（m.）　　　jiàn　（a measure word）

4. 黄色　　　　huángsè　yellow

5. 龙袍　（n.）　　　lóngpáo　imperial robe

　　龙　（n.）　　　lóng　dragon

6. 照　　　　zhào　to take（a picture）

7. 照片　（n.）　　　zhàopiàn　photograph

8. 艺术品（n.）　　　yìshùpǐn　work of art

　　艺术　（n.）　　　yìshù　art

补充词语 Supplementary Words
Bǔchōng Cíyǔ and Phrases

1. 话剧　（n.）　huàjù　　　　drama，play
2. 歌剧　（n.）　gējù　　　　 opera
3. 交响乐（n.）　jiāoxiǎngyuè symphony
4. 舞剧　（n.）　wǔjù　　　　 dance performance
5. 杂技　（n.）　zájì　　　　　acrobatics
6. 演员　（n.）　yǎnyuán　　　actor，actress，performer

注　解　Notes
Zhùjiě

（1）　"我刚想从家出来（Wǒ gāng xiǎng cóng jiā chūlai）"
动词"来"和"去"放在其它动词后边作补语，表示动作的趋向，
叫简单趋向补语。如果动作向着说话人（或所说的事物）进行，
就用"来"，如果动作背着说话人（或所说的事物）进行，就用
"去"。

The verbs "来（lái）" and "去（qù）" are used as complements to
show the direction of an action. This kind of complement is
called a simple directional complement. If an action is toward
the speaker or toward what is being talked about，"来（lái）" is
used；if an action is away from the speaker or away from what
is being talked about，"去（qù）" is used.

For example：

格林　先生　进去　了。
Gélín xiānsheng jìnqù le.　（The speaker is outside.）

格林　先生　进来　了。
Gélín xiānsheng jìnlái le.　（The speaker is inside.）

如果动词带有表示处所或方位的宾语,宾语应该放在动词和
补语之间。

If the verb takes an object of place or locality, the object should
be inserted in between the verb and the simple directional com-
plement.

For example：

　布朗　　先生　　回 国 去 了。
Bùlǎng xiānsheng huí guó qù le.

汽车 开 到 西边 去 了。
Qìchē kāi dào xībiān qù le.

如果宾语表示人或事物,宾语可以放在补语的前边或后边。

An object which refers to a person or a thing can be placed ei-
ther before the simple directional complement or after it.

　王　　小姐　给 妈妈 寄去 了 一 个　包裹。
Wáng xiǎojiě gěi māma jìqù le yí ge bāoguǒ.

他 带 布朗　　先生　来 了。
Tā dài Bùlǎng xiānsheng lái le.

（2）　"昨天我夫人买回来一本书(Zuótiān wǒ fūren mǎi huílái yì
běn shū)。"

由动词"上、下、进、出、回、过、起"分别加上"来"或"去"构成复
合趋向补语。

Verbs such as "上(shàng)", "下(xià)" and "进(jìn)" can be
put before a simple directional complement，e. g. "来(lái)" or
"去(qù)" to form a compound directional complement.

　上来　下来 进来 出来 回来 过来 起来
shànglái xiàlái jìnlái chūlái huílái guòlái qǐlái

　上去　下去 进去 出去 回去 过去
shàngqù xiàqù jìnqù chūqù huíqù guòqù

For example：

老　张　走　回　来　了。
Lǎo Zhāng zǒu huí lái le.

格林　小姐　从　楼上　走　下来　了。
Gélín xiǎojiě cóng lóushàng zǒu xiàlái le.

带复合趋向补语的动词如果有处所或方位宾语,宾语一般放
在复合趋向补语中间。如果宾语表示人和事物,宾语也可以放
在复合趋向补语的后面。

If a verb with a compound directional complement takes an object of place or locality, the object is usually inserted whithin the compound directional complement. If the object refers to a person or a thing, it can also be placed after the compound directional complement.

For example:

王　老师　走进　大使馆　去　了。
Wáng lǎoshī zǒujìn dàshǐguǎn qù le.

玛丽　买　回来　一　瓶　啤酒。
Mǎlì mǎi huílái yì píng píjiǔ.

练　习　Exercises
Liànxí

一、读下列词组、句子和对话(Read the following phrases and sentences):

1. 走　进来　　走　出去　　走　过来　　走　过去
   zǒu jìnlái　　zǒu chūqù　　zǒu guòlái　　zǒu guòqù

2. 上　楼来　　下　楼　去　　回　家　来　　到　办公室
   shàng lóulái　　xià lóu qù　　huí jiā lái　　dào bàngōngshì
   去
   qù

3. 请　　张　　先生　　进来.　　　张　　　先生　　要
Qǐng Zhāng xiānsheng jìnlái.　　Zhāng xiānsheng yào
出去.
chūqù.

坐　飞机　到　　中国　　去.　　坐　汽车　到　　北京
Zuò fēijī dào Zhōngguó qù.　　Zuò qìchē dào Běijīng
大学　去.
dàxué qù.

二、读下列对话(Read the following dialogues)：

1. 欢迎　(Welcome)
Huānyíng
　欢迎　　你，格林　先生。
Huānyíng nǐ, Gélín xiānsheng.
谢谢。
Xièxie.
　请　到　这　边　坐。请　喝　茶。
Qǐng dào zhè biān zuò. Qǐng hē chá.

2. 邀请　(Invitation)
Yāoqǐng
A：张　　先生　　这　个　月　八　号　是　我们
Zhāng xiānsheng zhè ge yuè bā hào shì wǒmen
　国庆日，　请　你　参加　大使馆　的　招待会。
guóqìngrì, qǐng nǐ cānjiā dàshǐguǎn de zhāodàihuì.

B：好　的，谢谢。
Hǎo de, xièxie.

A：这　是　请帖。请　你　一定　参加。
Zhè shì qǐngtiě. Qǐng nǐ yídìng cānjiā.

三、做下列替换练习(Do the following substitution drills)：

1. A：小　李　从　　办公室　　出来　了　吗？
Xiǎo Lǐ cóng bàngōngshì chūlái le ma?

B：出来　了。
chūlái le.

大使馆,	出去
dàshǐguǎn,	chūqù
上海,	回来
Shànghǎi,	huílái
楼上,	下来
lóushàng,	xiàlái
外边,	进来
wàibiān,	jìnlái
楼下,	上来
lóuxià,	shànglái

2. A：这　场　京剧　怎么样？
　　Zhè chǎng jīngjù zěnmeyàng?

　　B：不　错。我　特别　欣赏　这　场　京剧　的
　　　　Bú cuò. Wǒ tèbié xīnshǎng zhè chǎng jīngjù de
　　　　服装。
　　　　fúzhuāng.

个　芭蕾舞,	音乐
gè bāléiwǔ,	yīnyuè
家　餐厅,	服务
jiā cāntīng,	fúwù
条　裙子,	颜色
tiáo qúnzi,	yánsè
个　商店,	手工艺　品
gè shāngdiàn,	shǒugōngyì pǐn

3. A：他　买回　什么　来了？
　　　Tā mǎihuí shénme lái le?

　　B：他　买回　书　来了。
　　　Tā mǎihuí shū lái le.

带 进，	水果
dài jìn，	shuǐguǒ
取 下，	书
qǔ xià，	shū
带 过，	葡萄酒
dài guò，	pútáojiǔ

4. 玛丽 把 汽车 开 过来 了。
   Mǎlì bǎ qìchē kāi guòlái le.

杂志，	带
zázhì	dài
电话，	打
diànhuà，	dǎ
花儿，	送
huār，	sòng
椅子，	挪
yǐzi，	nuó

四、翻译下列句子(Translate the following sentences)：

1. 老 李 很 喜欢 京剧，他 特别 喜欢 京剧 的
   Lǎo Lǐ hěn xǐhuān jīngjù, tā tèbié xǐhuān jīngjù de
   服装。
   fúzhuāng.

2. 史密斯 先生 听 了 周末 的 音乐会。 他 说
   Shǐmìsī xiānsheng tīng le zhōumò de yīnyuèhuì. Tā shuō
   他 是 第一 次 在 北京 欣赏 法国 音乐。
   tā shì dìyī cì zài Běijīng xīnshǎng Fǎguó yīnyuè.

3. 你 觉得 "人 配 衣服 马 配 鞍" 说得 对 不 对？
   Nǐ juéde "Rén pèi yīfu mǎ pèi ān" shuōde duì bú duì?

4. 布朗 夫人 上 星期 坐 飞机 到 上海 去 了。
   Bùlǎng fūren shàng xīngqī zuò fēijī dào Shànghǎi qù le.

5. 北京 的 秋天 很 好，天气 不 冷 也 不 热，
Běijīng de qiūtiān hěn hǎo, tiānqi bù lěng yě bú rè,
街上 花儿 特别 漂亮。
jiēshàng huār tèbié piàoliang.

五、用下列词语组成句子（Make sentences with the following words
and phrases）：

1. 格林 夫人，客厅，去 了，进
   Gélín fūren, kètīng, qù le, jìn

2. 他，没有，啤酒，买，回来
   tā, méiyǒu, píjiǔ, mǎi, huílái

3. 参加，老 张，去 了，开幕式
   cānjiā Lǎo Zhāng, qù le, kāimùshì

4. 玛丽，楼下，从，上来，了
   Mǎlì, lóuxià, cóng, shànglái, le

5. 电工，电视，检查，的 毛病，出来，了
   diàngōng, diànshì, jiǎnchá, de máobìng, chūlái, le

6. 回 国，他，休假，什么 时候
   huí guó, tā, xiūjià, shénme shíhou

7. 芭蕾舞，我，这个，很 喜欢，的 音乐。
   bāléiwǔ, wǒ zhège, hěn xǐhuān, de yīnyuè.

六、学汉字（Learn Chinese characters）：
用下列偏旁组成汉字（Write characters with the following rad-
icals）：

亻 （　　　） （　　　） （　　　）
女 （　　　） （　　　） （　　　）
口 （　　　） （　　　） （　　　）

第三十二课　　Lesson　32
Dì-sānshíèr kè

爸爸　妈妈　的　来　信　A Letter from Father
Bàba māma de lái xìn　　　　and Mother

课　文　　Text
Kèwén

(一)

玛丽：
Mǎlì：

　　你　好。最近　身体　好　吗？已经　习惯　北京　的
　　Nǐ Hǎo. Zuìjìn shēntǐ hǎo ma? Yǐjīng xíguàn Běijīng de

天气　了　吧？从　来　信　里　知道，你　已经　有了　几位
tiānqi le ba? Cóng lái xìn lǐ zhīdào, nǐ yǐjīng yǒule jǐwèi

　中国　　朋友，　他们　对　你　很　友好。这　真　让
　Zhōngguó péngyǒu, tāmen duì nǐ hěn yǒuhǎo. Zhè zhēn ràng

我们　高兴。请　代　我们　问　他们　好！
wǒmen gāoxìng. Qǐng dài wǒmen wèn tāmen hǎo!

　　看到　你　寄　回来　的　照片，　我们　才　知道
　　Kàndào nǐ jì huílái de zhàopiàn wǒmen cái zhīdào

中国　的　风景　真　是　漂亮。我们　都　很　想
Zhōngguó de fēngjǐng zhēn shì piàoliàng. Wǒmen dōu hěn xiǎng

亲自　去　看看。
qīnzì qù kànkan.

说　到　这儿，我们　　正好　要　告诉　你，这儿　的
Shuō dào zhèr, wǒmen zhènghǎo yào gàosu nǐ, zhèr de

旅行社　组织　旅游团　下　个　月　到　中国　去，我们
lǚxíngshè zǔzhī lǚyóutuán xià ge yuè dào Zhōngguó qù. Wǒmen

已经　报了　名。　下　个　月　二十　号　就　可以　到　北京，
yǐjīng bàole míng. Xià ge yuè èrshí hào jiu kěyǐ dào Běijīng,

我们　又　能　见面　了。　我们　要　游览　长城，
wǒmen yòu néng jiànmiàn le. Wǒmen yào yóulǎn Chángchéng

当然，　也　要　尝尝　饺子。你　把　饺子　说　得　那么
dāngrán, yě yào chángchang jiǎozi. Nǐ bǎ jiǎozi shuō de nàme

好　吃，我们　更　想　尝尝。
hǎo chī, wǒmen gèng xiǎng chángchang.

别　忘了　二十　号　在　学校　等　我们。
Bié wàngle èrshí hào zài xuéxiào děng wǒmen.

祝　你　愉快！
Zhù nǐ yúkuài!

爸爸　妈妈
Bàba Māma

一九九三　年　六　月　二十五　日
Yījiǔjiǔsān nián liù yuè èrshíwǔ rì

词　语　New Words and Phrases
Cíyǔ

1. 爸爸　　（n.）　bàba　　　　dad, father
2. 来　　　（n.）　lái　　　　　to come
3. 友好　　　　　yǒuhǎo　　　friendly
4. 代……问好　　dài... wènhǎo　say hello to somebody.
　　　　　　　　　　　　　　on behalf of someone

5. 风景	(n.)	fēngjǐng	scenery
6. 亲自		qīnzì	personally，in person
7. 说到		shuōdào	talking about
8. 旅行社	(n.)	lǚxíngshè	travel service
旅行	(v.)	lǚxíng	to travel
9. 组织	(v.；n.)	zǔzhī	to organize；organization
10. 旅游团	(n.)	lǚyóutuán	touring group
11. 报名		bàomíng	to enter one's name,
			to sign up
12. 游览	(v.；n.)	yóulǎn	to go sightseeing；tour
13. 长城	(n.)	Chángchéng	the Great Wall
14. 当然		dāngrán	or course，without doubt

(二)

玛丽： 小 王， 我 真 高兴！
Mǎlì： Xiǎo Wáng, wǒ zhēn gāoxìng!

小 王： 什么 事 这么 高兴？
iǎo Wáng： Shénme shì zhème gāoxìng?

玛丽： 我 爸爸、 妈妈 来 信 了。
Mǎlì： wǒ bàba、 māma lái xìn le.

王： 他们 已经 收到 你 的 照片 了 吧？
Wáng： tāmen yǐjīng shōudào nǐ de zhàopiàn le ba?

玛丽： 是 的。 他们 说 中国 的 风景 真 好。
Mǎlì： Shì de. Tāmen shuō Zhōngguó de fēngjǐng zhēn hǎo.

还 让 我 问 你们 好。
Hái ràng wǒ wèn nǐmen hǎo.

王： 谢谢。 他们 要是 能 亲自 来 看看 多 好
Wáng： Xièxie. Tāmen yàoshì néng qīnzì lái kànkan duō hǎo

啊!

a!

玛丽： 他们 不 但 能 来， 而且 很 快 就 到

Mǎlì： Tāmen bú dàn néng lái. ěrqiě hěn kuài jiù dào

北京。

Běijīng.

王： 下 星期 到得了 吗[1]?

Wáng：Xià xīngqī dàodeliǎo ma?

玛丽： 到不了， 下 个 月 二十 号 才 能 到。

Mǎlì：Dàobùliǎo, xià ge yuè èrshí hào cái néng dào.

词 语　　New Words and Phrases
Cíyǔ

1. 不但…而且　búdàn...érqiě...　not only...but also...
2. 到得了　dàodeliǎo　to be able to arrive

　　　　　　　　　　　　(before a certain time)

补充词语　　Supplementary Words
Bǔchōng Cíyǔ　　　and Phrases

1. 遍　　　biàn　　(a verbal measure word)

这本书我看过一遍。　I have read this book once.

Zhè běn shū wǒ kàn

guò yíbiàn.

2. 双　　shuāng　　a pair

一双鞋　　　　　　a pair of shoes

yìshuāngxié

3. 条　(m.)tiáo　　(a measuve word)

一条街   a street
yìtiáojiē

4. 口 (m.)kǒu   (a measure word)
三口人   three people
sān kǒu rén

注　解 Notes
Zhùjiě

(1) "下星期到得了吗(Xià xīngqī dàodeliǎo ma)？"

要说明一种动作能不能达到某种结果,常用可能补语。可能补语的构成,一般在动词与补语之间加"得"。例如"吃得完"、"看得见"、"上得去"。其否定形式是把"得"换成"不",例如"吃不完"、"看不见"、"上不去"。

The complement of potential is used to indicate whether an action can be completed. It is formed by inserting "得(de)" in between the verb and its complement.

For example：

吃 得 完（chīdewán） 看 得 见（kàndejiàn） 上 得 去（shàngdequ）

In the negative form，"得(de)" is replaced by "不(bù)".

For example：

吃 不 完（chībùwán） 看 不 见（kànbújiàn） 上 不 去（shàngbúqù）

练 习 Exercises
Liànxí

一、读下列词组、句子和对话(Read the following phrases and sentences):

1. 安装 得 上　操作 得 了　住 得 下
   ānzhuāng de shàng　cāozuò de liǎo　zhù de xià

   寄 得 到　找 不 到　挪 不 开　端 不 了
   jì de dào　zhǎo bú dào　nuó bù kāi　duān bù liǎo

   喝 不 完
   hē bù wán

   在 夜市 买 衣服，有 时候 看 不 清楚 颜色。
   Zài yèshì mǎi yīfu, yǒu shíhou kàn bù qīngchu yánsè.

   要 是 常 忘 了 吃饭，身体 好 不 了。
   Yào shì cháng wàng le chīfàn, shēntǐ hǎo bù liǎo.

2. 感谢　(to express gratitude)
   Gǎnxiè

   1) A：张 小姐，感谢 你 在 学习 上 对 我 的
      Zhāng xiǎojiě, gǎnxiè nǐ zài xuéxí shàng duì wǒ de
      帮助。
      bāngzhù.

      B：没 什么，你 学习 汉语 学 得 很好。 有
      Méi shénme, nǐ xuéxí Hànyǔ xué de hěnhǎo. Yǒu
      问题 就 来 吧。
      wèntí jiù lái ba.

   2) A：怀特 先生， 感谢 你 今天 的 招待会，
      Huáitè xiānsheng, gǎnxiè nǐ jīntiān de zhāodàihuì,
      我们 过了 一 个 愉快 的 夜晚。
      wǒmen guòle yí ge yúkuài de yèwǎn.

      B：不 客气， 欢迎 下 次 再 来。
      Bú kèqi, huānyíng xià cì zài lái.

3. 道歉　(to make an apology)
   Dàoqiàn

   1) 对 不 起，我 来 晚 了。
      Duì bù qǐ, wǒ lái wǎn le.

2）我 夫人 身体 不 好， 今天 不 能 来 了， 真
Wǒ fūren shēntǐ bù hǎo, jīntiān bù néng lái le, zhēn
对不起。
duìbùqǐ.

3）李 先生 陪 他 妈妈 去 医院， 没 来得及 给
Lǐ xiānsheng péi tā māma qù yīyuàn, méi láidejí gěi
你 打 电话， 他 让 我 代 他 道歉。
nǐ dǎ diànhuà, tā ràng wǒ dài tā dàoqiàn.

二、做下列替换练习(Do the following substitution drills)：

1. A：讲话稿 很 长， 你 翻译 得 完 吗？
　　Jiǎnghuàgǎo hěn cháng, nǐ fānyì de wán ma?

　B：我 翻译 得 完。
　　Wǒ fānyì de wán.

房间， fángjiān,	大， dà,	打扫 dǎsǎo
衣服， yīfu,	多， duō,	洗 xǐ
照片， zhàopiàn,	多， duō,	看 kàn
工作， gōngzuò,	多， duō,	做 zuò

2. A：那 张 画 你 看 得 清楚 吗？
　　Nà zhāng huà nǐ kàn de qīngchu ma?

　B：太 远 了，我 看 不 清楚。
　　Tài yuǎn le, wǒ kàn bù qīngchu.

盘， pán	菜， cài	吃， chī,	完， wán,	多 duō
辆， liàng,	汽车， qìchē,	跟， gēn,	上， shàng,	快 kuài
个， ge,	讲话， jiǎnghuà,	听， tīng,	懂， dǒng,	难 nán

3. A：你　去过　　长城　　吗？
   　　Nǐ qùguò Chángchéng ma?

   B：还　没有，我　真　想
   　　Hái méiyǒu, wǒ zhēn xiǎng

   　　去　一　次。
   　　qù yí cì.

上海
Shànghǎi
广州
Guǎngzhōu
琉璃厂
Liúlichǎng
京伦　饭店
Jīnglún Fàndiàn

4. 这　套　西服　不　但　料子好，而且　式样　　时兴。
   Zhè tào xifú bú dàn liàozihǎo, érqiě shìyàng shíxīng.

场　　京剧	唱得　　好，	服装　　漂亮
chǎng jīngjù	chàngde hǎo,	fúzhuāng piàoliang
个　　地方，	风景　好，	很　安静
ge dìfāng,	fēngjǐng hǎo,	hěn ānjìng
个　　商店，	东西　多，	价钱　便宜
ge shāngdiàn,	dōngxi duō,	jiàqián piányi

5. 到　了　　中国，　当然
   Dào le Zhōngguó, dāngrán

   想　去　看看　　长城。
   xiǎng qù kànkan Chángchéng.

北京，　　尝尝，　　烤鸭
Běijīng chángchang kǎoyā
这儿，　欣赏，　京剧
zhèr, xīnshǎng, jīngjù
周末，　听听，　音乐
zhōumò, tīngting, yīnyuè

三、把下列句子译成中文（Translate the following sentences into
Chinese）：

1. Mary's Dad and Mum sent her a letter saying that they
   would visit China with a tour group next month.

2. Last weekend, Lao Zhang and Xiao Wang not only visited
   the Great Wall but also went to the Forbidden City.

3. How quickly time passes! （多……啊! duō...a!）

4. Having worked all day, he feels a bit tired（累 lèi）now.

5. We had better leave right away or we will be late for the concert.

6. Are there any other restaurants here?

7. This jacket is too tight. Could you exchange it for another one?

四、用下列词语造句（Make sentences with the following words and phrases）：

1. 太 多 了，　我，　菜，　不 完，　吃
   tài duō le,　wǒ,　cài,　bù wán,　chī

2. 饭店，　越…越，　北京 的，　建，　漂亮
   fàndiàn,　yuè...yuè　Běijīng de,　jiàn,　piàoliang

3. 不但，　邮局，　而且，　寄 信，　可以，　买，　报，　可以
   búdàn,　yóujú,　érqiě,　jì xìn,　kěyǐ,　mǎi,　bào,　kěyǐ

4. 衣服，　两件，　不但，　这，　一样，　而且，　颜色，
   yīfu,　liǎng búdàn,　zhè,　yíyàng,　érqiě,　yánsè,
   差不多，　式样，
   chàbùduō,　shìyàng,

5. 半 小时，　音乐会，　还 有，　去，　听，　我们，　吗，
   bàn xiǎoshí,　yīnyuèhuì,　hái yǒu,　qù,　tīng,　wǒmen,　ma,

来得及
láidejí

6. 身体， 好， 最好， 要， 想， 运动
     shēntǐ, hǎo, zuìhǎo, yào xiǎng, yùndòng

五、学汉字(Learn Chinese characters)：

用下列偏旁组成汉字(Write characters with the following rad-
icals)：

心 （   ）   （   ）   （   ）

氵 （   ）   （   ）   （   ）

宀 （   ）   （   ）   （   ）

第三十三课　　　　Lesson　33
Dì-sānshísān kè

我 也 去 买 票　　I am Going to Buy Tickets, too.
Wǒ yě qù mǎi piào

课　文　　　Text
Kèwén

（一）

李丽：珍妮，你　急急忙忙　去 哪儿 呀[1]？
Lǐlì：Zhēnní, nǐ jíjí-mángmáng qù nǎr ya?

珍妮：我 去　火车站　买 票，打算 陪 父母 到 外地
Zhēnní：Wǒ qù huǒchēzhàn mǎi piào, dǎsuàn péi fùmǔ dào wàidì

看看。
kànkan.

李丽：要 去 哪些 地方？
Lǐlì：Yào qù nǎxiē dìfang?

珍妮：先 到 西安，再 去 桂林、　广州，　然后 去
Zhēnní：Xiān dào Xī'ān, zài qù Guìlín、Guǎngzhōu, ránhòu qù

香港。　他们 从　香港　回 国。
Xiānggǎng. Tāmen cóng Xiānggǎng huí guó.

李丽：安排 得 不 错 呀！
Lǐlì：Ānpái de bú cuò ya!

珍妮：想　得 不 错。谁　知道 路 上　会　遇到
Zhēnní：Xiǎng de bú cuò. Shéi zhīdào lù shàng huì yùdào

什么　问题[2]。北京　我 还　熟悉，但是　其它
shénme wèntí. Běijīng wǒ hái shúxī, dànshì qítā

地方 我 也 是 第 一 次 去，连 买 票 都 不
dìfang wǒ yě shì dì yī cì qù, lián mǎi piào dōu bù

知道 怎么 买。
zhīdao zěnme mǎi.

李丽： 买 火车 票 比较 方便。 在 大 城市 里，
Lǐlì： mǎi huǒchē piào bǐjiào fāngbiàn. Zài dà chéngshì lǐ,

火车站 都 有 外宾 售票处， 另外， 各 地
huǒchēzhàn dōu yǒu wàibīn shòupiàochù, lìngwài, gè dì

的 旅行社 也 会 提供 方便 的。你 可以 根据
de lǚxíngshè yě huì tígōng fāngbiàn de. Nǐ kěyǐ gēnjù

情况 选择。
qíngkuàng xuǎnzé.

珍妮： 那 飞机票 呢？
Zhēnní： Nà fēijīpiào ne?

李丽： 最 简单 的 办法 就 是 请 旅行社 帮忙，
Lǐlì： Zuì jiǎndān de bànfǎ jiù shì qǐng lǚxíngshè bāngmáng,

付 一 些 服务费。
fù yì xiē fúwùfèi.

珍妮： 谢谢 你 的 介绍。 你 现在 去 哪儿？
Zhēnní： Xièxiè nǐ de jièshào. Nǐ xiànzài qù nǎr?

李丽： 我 也 是 去 买 票。
Lǐlì： Wǒ yě shì qù mǎi piào.

珍妮： 那 咱们 一起 去 吧！
Zhēnní： Nà zánmen yìqǐ qù ba!

李丽： 不 行， 我 是 去 买 京剧 票。
Lǐlì： Bù xíng, wǒ shì qù mǎi jīngjù piào.

词 语　New Words and Phrases
Cíyǔ

1. 李丽　　　（n.）　　　Lǐlì　　　　　　（name of a person）
2. 急急忙忙（adv.）　jíjí-mángmáng　in a hurry
3. 呀　　　　　　　　　ya　　　　　　　（a modal particle）
4. 火车站　　　　　　huǒchē zhàn　railway station
5. 父母　　　（n.）　　fùmǔ　　　　　parents
6. 外地　　　（n.）　　wàidì　　　　　other parts of the country
7. 西安　　　（n.）　　Xī'ān　　　　　Xi'an
8. 桂林　　　（n.）　　Guìlín　　　　　Guilin
9. 然后　　　（conj.）　ránhòu　　　　then，afterwards
10. 路上　　　　　　　lùshàng　　　　on the way
11. 遇到　　　（v.）　　yùdào　　　　　to encounter，to meet
12. 熟悉　　　（v.）　　shúxi　　　　　to be familiar with，
　　　　　　　　　　　　　　　　　　　to know something or
　　　　　　　　　　　　　　　　　　　someone well
13. 城市　　　（n.）　　chéngshì　　　city
14. 外宾　　　（n.）　　wàibīn　　　　foreign guest
15. 售票处　　（n.）　　shòupiàochù　ticket office
16. 根据　　　（prdp.）　gēnjù　　　　in light of，according to
17. 选择　　　（v.）　　xuǎnzé　　　　to choose，to select
18. 简单　　　（adj.）　jiǎndān　　　　simple
19. 付　　　　（v.）　　fù　　　　　　to pay
20. 服务费　　（n.）　　fúwùfèi　　　　service charge

（二）

说 到 票， 布朗 还有 一个 故事 呢。那 是 他
Shuō dào piào, Bùlǎng háiyǒu yí gè gùshi ne. Nà shì tā

刚 到 北京 的 时候，从 机场 坐 出租 汽车 去
gāng dào Běijīng de shíhou, cóng jīchǎng zuò chūzū qìchē qù

饭店。下 车 的 时候，司机 给 他 一 张 纸。他 问：
fàndiàn. Xià chē de shíhou, sījī gěi tā yì zhāng zhǐ. Tā wèn:

"这 是 什么?" 司机 回答："票。" "什么 票?"
"Zhè shì shénme?" sījī huídá: "Piào." "Shénme piào?"

"发票。"这 时 布朗 才 知道 中文 的 "票" 字
"Fāpiào." Zhè shí Bùlǎng cái zhīdào Zhōngwén de "piào" zì

用处 这么 大。
yòngchù zhème dà.

词语   New Words and Phrases
Cíyǔ

1. 纸   (n.)   zhǐ   paper
2. 发票   fāpiào   receipt, bill
3. 这时   zhèshí   at this time
4. 字   (n.)   zì   character, word
5. 用处   (n.)   yòngchù   use
6. 大   (adj.)   dà   on a large scale

补充词语   Supplementary Words
Bǔchōng Cíyǔ   and Phrases

1. 排队   (v.)   páiduì   to line up

2. 候车室 (n.)　hòuchēshì　waiting room (in a railway or bus station)
3. 软卧　(n.)　ruǎnwò　soft berth
4. 硬卧　(n.)　yìngwò　hard sleeper
5. 特快　(n.)　tèkuài　express
6. 直达　(adj.)　zhídá　express, nonstop

注　解　Notes
Zhùjiě

（1）　"珍妮，你急急忙忙去哪儿呀（Zhēnní, nǐ jíji-mángmáng qù nǎr ya）？"

有些形容词可以重叠，表示程度加深。

Some adjectives can be reduplicated for intensification.

For example：

　　办公室　里　暖暖和和　的。
　　Bàngōngshì lǐ nuǎnnuan-huóhuo de.

　　小刘　穿　的　漂漂亮亮　的。
　　Xiǎo Liú chuān de piàopiao-liàngliang de

　　他　高高兴兴　地　离开　了　中国。
　　Tā gāogāo-xìngxing de líkāi le Zhōngguó.

（2）　"谁知道路上会遇到什么问题（Shéi zhīdào lùshang huì yùdào shénme wèntí）

疑问代词有时并不表示疑问，而是代替任何人任何事物或方式，强调没有例外。

An interrogative pronoun can be used to denote an indefinite indication，emphasizing the idea of "no mater" or "without exception."

For example：

他 去 友谊 商店 了， 什么 都 没 买。
Tā qù Yǒuyì Shāngdiàn le, shénme dōu méi mǎi.

十一 点 半 了， 谁 也 没 去 吃饭。
Shíyī diǎn bàn le, shéi yě méi qù chīfàn.

他 怎么 也 学 不 会 这个 字。
Tā zěnme yě xué bù huì zhège zì.

周末 我们 去 哪儿 （什么 地方） 都 可以。
Zhōumò wǒmen qù nǎr (shénme dìfang) dōu kěyǐ.

多少 钱 一 公斤， 我 都 买。
Duōshǎo qián yì gōngjīn, wǒ dōu mǎi.

练 习　　Exercises
Liànxí

一、读下列词或词组(Read the following words and phrases)：

火车站　　　汽车站　　　　　出租 汽车站
huǒchēzhàn　qìchēzhàn　　　chūzū qìchēzhàn

售票处　　　外宾 售票处　　　飞机 场
shòupiàochù　wàibīn shòupiàochù　fēijī chǎng

服务费　　　广播室　　　　　大厅
fúwùfèi　　　guǎngbōshì　　　dàtīng

二、读下列句子(Read the following sentences)：

1. 询问 （inquiry）

1) 您 能 告诉 我 去 西安 坐 哪 次 航班 吗？
Nín néng gàosu wǒ qù Xī'ān zuò nǎ cì hángbān ma?

2) 王 小姐， 寄 航空信 几天 可以 到
Wáng xiǎojiě, jì hángkōngxìn jǐtiān kěyǐ dào
上海？
Shànghǎi?

3) 你们 去 日本 培训 多长 时间？
Nǐmen qù Rìběn péixùn duōcháng shíjiān?

2. 请求 （request）

    1） 请 你 帮 个 忙，把 行李 放 在 车上。
        Qǐng nǐ bāng ge máng, bǎ xíngli fàng zài chēshang.

    2） 请 打印 三十 份 请帖。
        Qǐng dǎyìn sānshí fèn qǐngtiě.

    3） 请 告诉 李丽，珍妮 问 她 好。
        Qǐng gàosu Lǐlì, Zhēnní wèn tā hǎo.

三、做下列替换练习(Do the following substitution drills)：

1. A：你 打算 去 什么 地方？
       Nǐ dǎsuàn qù shénme dìfang?

  B：还 没 决定 去 什么 地方。
      Hái méi juédìng qù shénme dìfang.

买，	什么 东西
mǎi,	shénme dōngxi
参观，	什么 名胜古迹
cānguān,	shénme míngshènggǔjì
住，	哪家 饭店
zhù,	nǎ jiā fàndiàn

2. 布朗 的 中文 非常 好，连 中文 报纸
   Bùlǎng de Zhōngwén fēicháng hǎo, lián Zhōngwén bàozhǐ
  都 能 看 懂。
  dōu néng kàn dǒng.

他 去 的 地方 很 多，	桂林，	去 过 了
Tā qù de dìfang hěn duō,	Guìlín,	qù guo le
玛丽 很 熟悉 北京，	胡同 名字，	知道
Mǎlì hěn shúxī Běijīng,	hútòng míngzi,	zhīdào
有 些 京剧 很 有 意思，	外国人，	喜欢 看
Yǒu xiē jīngjù hěn yǒu yìsi,	wàiguórén,	xǐhuān kàn
我们 的 裙子 一样，	颜色，	差不多
Wǒmen de qúnzi yíyàng,	yánse,	chàbùduō

3. 你　急急忙忙　去　什么　地方？
Nǐ jíji-mángmáng qù shénme dìfang?

> 高高兴兴
> gāogao-xìngxing
>
> 穿　得　　漂漂亮亮
> chuān de piàopiao-liàngliang

4. 买　飞机票　和　买　火车票　一样。最　简单　的
Mǎi fēijīpiào hé měi huǒchēpiào yíyàng, zuì jiǎndān de
办法　就是　请　旅行社　帮忙。
bànfǎ jiùshì qǐng lǚxíngshè bāngmáng.

> 学　　中文，　学　游泳，　经常　练习
> xué Zhōngwén, xué yóuyǒng, jīngcháng liànxí
>
> 去　长城，　去　故宫，　坐　旅游车
> qù Chángchéng, qù Gùgōng zuò lǚyóuchē

四、选择适当的量词填空（Fill in the blanks with the appropriate measure words）：

家　　位　　次　　张　　辆
jiā wèi cì zhāng liàng

1. 上　　星期，我　坐　四十一　＿＿＿＿　火车　去　西安
Shàng xīngqī, wǒ zuò sìshíyī ＿＿＿＿ huǒchē qù Xī'ān
了。
le.

2. 今天　　上午，米勒　先生　去　售票处　买　了
Jīntiān shàngwǔ Mǐlè xiānsheng qù shòupiàochù mǎi le
一　＿＿＿＿　去　广州　的　飞机票。
yì ＿＿＿＿ qù Guǎngzhōu de fēijīpiào.

3. 在　西安　是　一　＿＿＿＿　服务员　帮助　我　找到
Zài Xī'ān shì yí ＿＿＿＿ fúwùyuán bāngzhù wǒ zhǎo dào
售票处　的。
shòupiàochù de.

4. 是 那 ＿＿＿＿ 出租 汽车 把 我们 从 外交
   Shì nà ＿＿＿＿ chūzū qìchē bǎ wǒmen cóng wàijiāo
   公寓 送到 飞机场 的。
   gōngyù sòngdào fēijīchǎng de.

5. 饭店 有 一 ＿＿＿＿ 旅行社, 它 可以 帮 你 买
   Fàndiàn yǒu yì ＿＿＿＿ lǚxíngshè, tā kěyǐ bāng nǐ mǎi
   到 飞机票。
   dào fēijīpiào.

五、用"谁""什么地方""什么""什么时候"改写下列句子（Rewrite
   the following sentences using "shéi", "shénme dìfang",
   "shénme" and "shénme shíhou"）：

1. 周末, 他 没有 去 公园, 也 没有 去
   Zhōumò, tā méiyǒu qù gōngyuán, yě méiyǒu qù
   商店, 他 在 家 休息。（什么 地方）
   shāngdiàn, tā zài jiā xiūxi. (shénme dìfang)

2. 衣服 太 贵 了。他们 不 想 买, 我们 也 不
   yīfu tài guì le. tāmen bù xiǎng mǎi, wǒmen yě bù
   想 买。（谁）
   xiǎng mǎi. (shéi)

3. 去 农贸 市场 只是 看看, 不 打算 买 菜
   Qù nóngmào shìchǎng zhǐshì kànkan, bù dǎsuàn mǎi cài
   也 不 打算 买 衣服。（什么）
   yě bù dǎsuàn mǎi yīfu. (shénme)

4. 布朗 喜欢 打 网球, 喜欢 游泳…… 他
   Bùlǎng xǐhuān dǎ wǎngqiú, xǐhuan yóuyǒng…… tā
   喜欢 各 种 运动。（什么）
   xǐhuan gè zhǒng yùndòng. (shénme)

5. 今天 不 能 去 参观 故宫， 明天 也 不
Jīntiān bù néng qù cānguān Gùgōng, míngtiān yě bù
能 去，这个 星期 都 不 能 去，因为 没有
néng qù, zhège xīngqī dōu bù néng qù, yīnwèi méiyǒu
时间。 （什么 时候）
shíjiān. （shénme shíhou）

六、翻译下列句子 (Translate the following sentences)：

1. During my vacation, first I am going to visit Guangzhou and Guilin, and then I am going to go to Hong Kong. (先 xiān... 再 zài...)

2. She is very familiar with Beijing. She can tell you the names of the lanes.

3. Of course, you must pay a service charge to travel agency. (当然 dāngrán)

4. Because Mr. Brown's friend is a soccer player, Mr. Brown can get tickets easily. (因为... 所以... yīnwèi... suǒyǐ...)

5. He wants to learn everything, but he does nothing well. (什么 shénme)

七、学汉字(Learn Chinese characters)：

用下列偏旁组成汉字 (Write characters with the following radicals)：

讠 （ ） （ ） （ ）

卅　（　）　（　）　（　）
才　（　）　（　）　（　）

第三十四课　　Lesson　34
Dì-sānshísì kè

你 去过　北京　的 哪些　地方？
Nǐ qùguò Běijīng de nǎxiē dìfang?
Which places Have You
Been to in Beijing?

课　文　　Text
Kèwén

(一)

李 老师：玛丽，告诉 你 一个 好 消息。 我们　要 组织 一
Lǐ lǎoshī：Mǎlì, gàosu nǐ yíge hǎo xiāoxi. wǒmen yào zǔzhī yí

次　活动，　给　　学生们　一 个 说　中国
cì huódòng, gěi xuéshēngmen yí ge shuō Zhōngguó

话 的 机会。
huà de jīhuì.

玛丽：真 的？我　听说　你们　每年　都 组织　这样
Mǎlì：Zhēn de? wǒ tīngshuō nǐmen měinián dōu zǔzhī zhèyàng

的　活动，　是 不 是？
de huódòng, shì bú shì?

李：是 的。
Lǐ：Shì de.

玛丽：这 次 去　什么　地方？
Mǎlì：Zhè cì qù shénme dìfang?

李："老舍　茶馆"。　在　那儿，可以　一边　喝 茶，
Lǐ："Lǎoshě Cháguǎn". Zài nàr, kěyǐ yìbiān hē chá,

一边 聊天，还 可以 欣赏 到 传统 艺术
yìbiān liáotiān, hái kěyǐ xīnshǎng dào chuántǒng yìshù

表演。
biǎoyǎn.

玛丽：太 好 了。什么 时候 去？
Mǎlì：Tài hǎo le. Shénme shíhou qù?

李：下 星期 五 晚上 七点。
Lǐ：Xià xīngqī wǔ wǎnshang qīdiǎn.

（二）

米勒 夫人：李 老师，我 来 北京 两 年 多 了，但是，
Mǐlè Fūren：Lǐ lǎoshī, wǒ lái Běijīng liǎng nián duō le, dànshì,

对 北京 人 的 日常 生活 还 不 了解。
duì Běijīng rén de rìcháng shēnghuó hái bù liǎojiě.

李 老师：要 想 了解 他们 的 日常 生活，你 可以
Lǐ lǎoshī：Yào xiǎng liǎojiě tāmen de rìcháng shēnghuó, nǐ kěyǐ

去 公园 看看，去 胡同 里 走走。
qù gōngyuán kànkan, qù hútòng lǐ zǒuzou.

夫人：好 主意。
Fūren：Hǎo zhǔyi.

李：你 还 可以 和 他们 聊聊。你 已经 学 了 两
Lǐ：Nǐ hái kěyǐ hé tāmen liáoliao. Nǐ yǐjīng xué le liǎng

年 汉语 了，顺便 可以 练习练习。
nián Hànyǔ le, shùnbiàn kěyǐ liànxi-lianxi.

夫人：这个 星期日 我 就 去。
Fūren：Zhège xīngqīrè wǒ jiù qù.

词 语 New Words and Phrases
Cíyǔ

1. 消息 (n.) xiāoxi information, news
2. 活动 (n.) huódòng activity
3. 学生 (n.) xuéshēng student
4. 中国话 (n.) Zhōngguóhuà Chinese (language)
5. 老舍茶馆 (n.) Lǎoshě Cháguǎn Laoshe Tea House
   茶馆 (n.) cháguǎn tea house
6. 聊天 (v.) liáotiān to chat
7. 表演 (n.;v.) biǎoyǎn performance; to perform
8. 日常 (adj.) rìcháng daily, everyday
9. 公园 (n.) gōngyuán park
10. 走 (v.) zǒu walk
11. 主意 (v.) zhǔyi idea
12. 练习 (v.) liànxí to practise

（三）

    在　北京，可去的　地方　真　不　少。除了　故宫，
Zài Běijīng, kě qù de dìfang zhēn bù shǎo. Chú le Gùgōng,
长城、　颐和园　以外，还　可以　游览　自然　风景(1)。
Chángchéng、Yíhéyuán yǐwài, hái kěyi yóulǎn zìrán fēngjǐng.
比如：十渡、　龙庆峡。那里　有　静静　的　山，清清
Bǐrú: Shídù、Lóngqìngxiá. Nàlǐ yǒu jìngjìng de shān, qīngqīng
的　水，绿绿　的　树。有　人　说，这些　地方　不　是
de shuǐ, lǜlǜ de shù. Yǒu rén shuō, zhèxiē dìfang bú shì
桂林，比　桂林　更　漂亮(2)；不　是　三峡，比　三峡　更
Guìlín, bǐ Guìlín gèng piàoliang; bú shì Sānxiá, bǐ Sānxiá gèng

让 人 难忘。 周末， 一 家 人 一起 去 野餐， 多
ràng rén nánwàng. Zhōumò, yì jiā rén yìqǐ qù yěcān, duō

快乐 啊！
kuàilè a!

词 语 　　New Words and Phrases
Cíyǔ

1. 可　　　　　　　　kě　　　　　　be worth
2. 除······以外　　　chú...yǐwài　besides，except
3. 颐和园　（n.）　　Yíhéyuán　　Summer Palace
4. 自然　　（n.；adj.）zìrán　　　nature；natural
5. 比如　　　　　　　bǐrú　　　　for instance，such as
6. 十渡　　（n.）　　Shídù　　　Shidu
7. 龙庆峡　（n.）　　Lóngqìngxiá　Longqingxia
8. 静　　　（adj.）　jìng　　　　quiet，calm
9. 山　　　（n.）　　shān　　　mountain，hill
10. 清　　　（adj.）　qīng　　　　clear
11. 水　　　（n.）　　shuǐ　　　water
12. 比　　　　　　　　bǐ　　　　　compared to，than
13. 三峡　　（n.）　　Sānxiá　　the Three Gorges
14. 难忘　　　　　　　nánwàng　unforgetable
15. 野餐　　（v.；n.）yěcān　　to picnic；picnic

补充词语　　Supplementary Words
Bǔchōng Cíyǔ　　and Phrases

1. 白天　　（n.）　　báitiān　　daytime
2. 夜里　　（n.）　　yèlǐ　　　night

3. 幸福	（adj.；n.）	xìngfú	happy；happiness
4. 节目	（n.）	jiémù	programme
5. 知识	（n.）	zhīshi	knowledge

注　解　Notes
Zhùjiě

(1) "除了故宫、长城、颐和园以外，还可以游览自然风景(Chú le Gùgōng, Chángchéng, Yíhéyuán yǐwài, hái děyi yóulǎn zìrán fēngjǐng)."

"除了……以外"有时表示唯一的例外，往往跟"都"等配合；有时表示并不是唯一的例外，往往跟"也"、"还"、"又"等配合。"以外"可以省略。

When used with "都(dōu)", "除了……以外(chúle... yǐwài)" means "except"；when used with "也(yě)", "还(hái)" or "又(yòu)", it means "besides" or "in addition to". In both cases, "以外(yǐwài)" may be omitted.

For example：

1. 除了　小　张　（以外），我们　都　没　去　过
　　Chúle Xiǎo Zhāng (yǐwài), wǒmen dōu méi qù guò
　　颐和园。
　　Yíhéyuán.

2. 除了　小　张　（以外），我们　也　去　过　颐和园。
　　Chúle Xiǎo Zhāng (yǐwài), wǒmen yě qù guò Yíhéyuán.

3. 玛丽　除了　学习　汉语　（以外），还　学习　英语。
　　Mǎlì Chúle xuéxí Hànyǔ (yǐwài), hái xuéxí Yīngyǔ.

4. 他　除了　晚上　在　家　（以外），别的　时间　都　不
　　Tā Chúle wǎnshang zài jiā (yǐwài), bié de shíjiān dōu bú
　　在　家。
　　zài jiā.

（2）　"不是桂林，比桂林更漂亮（Bú shì Guìlín，bǐ Guìlín gèng piàoliàng）"

介词"比"可以用来表示比较。

The preposition "比（bǐ）" may be used to show comparison.

The general formula is：

A＋比＋B＋（比较的结果或差别）

A＋bǐ＋B＋（the stendard of comparison）

For example：

他　汉语　比　我　好。
Tā Hànyǔ bǐ wǒ hǎo.

　北京　比　　上海　　冷。
Běijīng bǐ Shànghǎi lěng.

在否定形式中，常用"没有"和"不如"。

"没有（méiyǒu）"and"不如（bùrú）"are used to form negative comparisons.

For example：

　广州　　不如　　上海　　大。
Guǎngzhōu bùrú Shànghǎi dà.

　颐和园　　没有　　长城　　远。
Yíhéyuán méiyǒu Chángchéng yuǎn.

练　习　Exercises
Liànxí

一、读下列短语（Read the following phrases）：

组织　旅游　　参加　活动　　参观　故宫
zǔzhī lǚyóu　　cānjiā huódòng　　cānguān Gùgōng

欣赏　音乐　游览　长城　了解　文化
xīnshǎng yīnyuè yóulǎn Chángchéng liǎojiě wénhuà

練習　漢語　　找　机会　　　有　消息　　唱　京剧
liànxí Hànyǔ　zhǎo jīhuì　　yǒu xiāoxi　chàng jīngjù

二、读下列对话（Read the following dialogues）：

1. 祝愿（wish）

A：小　　王，玛丽　问　你　好。
Xiǎo wáng, Mǎlì wèn nǐ hǎo.

B：谢谢，也　问　她　好。她　什么　　时候　离开
Xièxie, yě wèn tā hǎo. tā shénme shíhou líkāi
北京？
Běijīng?

A：今天　　晚上。
Jīntiān wǎnshàng.

B：请　告诉　她，祝　她　旅游　愉快。
Qǐng gàosu tā, zhù tā lǚyóu yúkuài.

A：好，我　一定　告诉　她。
Hǎo, wǒ yídìng gàosu tā.

2. 接受（acceptance）

1）A：这儿　有　一本　介绍　北京　的　书，是　英文
Zhèr yǒu yìběn jièshào Běijīng de shū, shì Yīngwén
的，送　给　你。
de, sòng gěi nǐ.

B：太　好　了。我　对　北京　特别　感　兴趣。我
Tài hǎo le. Wǒ duì Běijīng tèbié gǎn xìngqù. wǒ
一定　好好　看看。
yídìng hǎohao kànkan.

2）A：格林　小姐，来　我　家　过　春节　好　吗？
Gélín xiǎojiě, lái wǒ jiā guò Chūnjié hǎo ma?

B：多　谢，我　一定　去。
Duō xiè, wǒ yídìng qù.

三、做下列替换练习（Do the following substitution drills）：

1. 他　游览　的　地方　可　多　了。
　　Tā　yóulǎn　de　dìfang　kě　duō　le.

认识　的　汉字
rènshi de Hànzì
照　的　照片
zhào de zhàopiàn
做　的　工作
zuò de gōngzuò
买　的　书
mǎi de shū

2. 我　去过　很多　地方，比如：上海、　广州、
　　Wǒ　qùguò　hěnduō　dìfang，　bǐrú　Shànghǎi、Guǎngzhōu、
　　西安。
　　Xī'ān.

星期天　事　可　多　了，洗　衣服，带　孩子　去　　公园
xīngqītiān shì kě duō le，xǐ yīfu，dài háizi qù gōngyuán
爱好　很多，　听　音乐，踢　足球
àihào hěnduō tīng yīnyuè，tī zúqiú
看过　很多　表演，　京剧，芭蕾舞
kànguò hěnduō biǎoyǎn，jīngjù，bāléiwǔ

3. 除了　故宫　以外，他　还　去过　颐和园。
　　Chúle Gùgōng yǐwài，tā hái qùguò Yíhéyuán.

参加　了　招待会，　去　看　了　朋友。
cānjiā le zhāodàihuì，qù kàn le péngyǒu.
学　汉语，学　太极拳
xué Hànyǔ，xué tàijíquán
喜欢　滑冰　喜欢　游泳
xǐhuān huábīng xǐhuān yóuyǒng

4. 除了　星期日　以外，别的　时间　他　都　工作。
　　Chúle xīngqīrì yǐwài，bié de shíjiān tā dōu gōngzuò.

上午　十点　到　十二点，在　办公室
shàngwǔ shídiǎn dào shíèrdiǎn, zài bàngōngshì

下　星期三，不　在　大使馆。
xià xīngqīsān, bù zài dàshǐguǎn.

上　星期一　没　看　书，看　了
shàng xīngqīyī méi kàn shū, kàn le

这　六　年，住在　加拿大
Zhè liù nián, zhùzài jiā'nádà

5.　上海　比　广州　大　得　多。
　　Shànghǎi bǐ Guǎngzhōu dà de duō.

他，我，高
tā, wǒ, gāo

他　的　汉语，我，好
tā de Hànyǔ, wǒ, hǎo

这个　胡同，那个　胡同，　长
zhège hútòng, nàge hútòng, cháng

做　一　套　西服，买　一　套　西服，麻烦
zuò yí tào xīfú, mǎi yí tào xīfú, máfán

四、完成下列对话(Complete the following dialogues)：

A：你　游览　过　哪些　地方？
　　Nǐ yóulǎn guò nǎxiē dìfang?

B：＿＿＿＿＿＿＿＿比如，＿＿＿＿＿＿＿＿＿＿＿＿
　　＿＿＿＿＿＿＿＿bǐrú, ＿＿＿＿＿、＿＿＿＿＿、＿＿＿＿＿

A：这些　地方　怎么样？
　　Zhèxiē dìfang zěnmeyàng?

B：＿＿＿＿＿＿＿＿＿＿＿＿＿。

五、用"比"或"没有"来表达下列意思(Rewrite the following sen-
　　tences using "bǐ"or"méiyǒu")：

1.　北京　今天　十八　度，上海　今天　二十一　度。
　　Běijīng jīntiān shíbā dù, Shànghǎi jīntiān èrshíyī dù.

2. 小　　王　　七点　五十　到　　办公室，　　小　　张
Xiǎo Wáng qīdiǎn wǔshí dào bàngōngshì, Xiǎo Zhāng
七点　五十五　到　　办公室。
qīdiǎn wǔshíwǔ dào bàngōngshì.

3. 我们　　大使馆　二十　人，他们　　大使馆　三十　人。
wǒmen dàshǐguǎn èrshí rén, tāmen dàshǐguǎn sānshí rén.

4. 这儿的　西红柿　　两　块　一　公斤，那儿的　两
Zhèr de xīhóngshì liǎng kuài yì gōngjīn, nàr de liǎng
块　四　一　公斤。
kuài sì yì gōngjīn.

5. 平信　三　天　可以　收到，　　航空信　　两　天
Píngxìn sān tiān kěyǐ shōudào, hángkōngxìn liǎng tiān
收到。
shōudào.

六、翻译下列句子(Translate the following sentences into Chinese)：

1. 我　除了　星期一　到　星期五　工作，　星期六
Wǒ chúle xīngqīyī dào xīngqīwǔ gōngzuò, xīngqīliù
上午，　也　工作。
shàngwǔ yě gōngzuò.

2. 除了　爸爸、妈妈　每天　在　家，别的　人　都　不　在
Chúle bàba、māma měitiān zài jiā, bié de rén dōu bú zài
家。
jiā.

3. 布朗 比 我 大 三 岁。
   Bùlǎng bǐ wǒ dà sān suì.

4. 你 的 衣服 比 我 的 衣服 颜色 深， 但是 料子 比
   Nǐ de yīfu bǐ wǒ de yīfu yánse shēn， dànshì liàozi bǐ
   我 的 薄。
   wǒ de báo.

5. 我 想 做 一 条 长 一点儿 的 裙子。
   Wǒ xiǎng zuò yì tiáo cháng yìdiǎnr de qúnzi.

七、学汉字(Learn Chinese characters)：

用下列偏旁组成汉字(Write characters with the following radicals)：

灬 　（ 　　 ） （ 　　 ） （ 　　 ）

车 　（ 　　 ） （ 　　 ） （ 　　 ）

木 　（ 　　 ） （ 　　 ） （ 　　 ）

第三十五课　　Lesson 35
Dì-sānshíwǔ kè

你 打算 去 哪儿 休假？　　Where Are you Going
Nǐ dǎsuàn qù nǎr xiūjià?　　for Vacation?

课 文　　Text
Kèwén

(一)

玛丽： 珍妮， 你 好， 假期 去 哪儿 了？
Mǎlì： Zhēnní, nǐ hǎo, jiàqī qù nǎr le?

珍妮： 我 到 南方 去 了， 前天 刚刚 回来。
Zhēnní： Wǒ dào nánfāng qù le, qiántiān gānggāng huílai.

玛丽： 玩 得 怎么样？
Mǎlì： Wánr de zěnmeyàng?

珍妮： 玩 得 不 错。 游览 了 杭州、 苏州，
Zhēnní： Wánr de bú cuò. Yóulǎn le Hángzhōu、 Sūzhōu,
　　　　 顺便 看了看 南京。
　　　　 shùnbiàn kànlekàn Nánjīng.

玛丽： 去 了 这么 多 地方， 是 坐 飞机 还是 坐 火车
Mǎlì： Qù le zhème duō dìfang, shì zuò fēijī háishì zuò huǒchē
　　　　 去 的？
　　　　 qù de?

珍妮： 坐 火车。 这样 可以 更 好 地 欣赏 路
Zhēnní： Zuò huǒchē. Zhèyang kěyǐ gèng hǎo de xīnshǎng lù
　　　　 上 的 风景。
　　　　 shàng de fēngjǐng.

玛丽： 听　说　西湖 是　 杭州 　最　 漂亮　 的 地方，
Mǎlì： Tīng shuō Xīhú shì Hángzhōu zuì piàoliang de dìfang,
　　　 是 吗？
　　　 shì ma?

珍妮： 当然。　到　 杭州 　主要　是　 游览　西湖。你
Zhēnní： Dāngrán. Dào Hángzhōu zhǔyào shì yóulǎn Xīhú. Nǐ
　　　 看，我 带来 了 一 些　 照片。
　　　 kàn, wǒ dàilai le yì xiē zhàopiàn.

玛丽： 风景　 这么　美，我 一定 去　看看。
Mǎlì： Fēngjǐng zhème měi, wǒ yídìng qù kànkan.

（二）

珍妮： 你 打算　去 哪儿 休假？
Zhēnní： Nǐ dǎsuàn qù nǎr xiūjià?

玛丽： 我 和 布朗 夫人　 商量　 好 要 去　张家界。
Mǎlì： Wǒ hé Bùlǎng fūren shāngliang hǎo yào qù Zhāngjiājiè.

珍妮： 听 说 张家界　风景　非常　好。
Zhēnní： Tīng shuō Zhāngjiājiè fēngjǐng fēicháng hǎo.

玛丽： 是 啊。我 也 听　说 过，那个 地方　很 值得
Mǎlì： Shì a. wǒ yě tīng shuō guo, nàge dìfang hěn zhídé
　　　 看看。
　　　 kànkan.

珍妮： 你 决定　什么　时候　动　身？
Zhēnní： Nǐ juédìng shénme shíhòu dòng shēn?

玛丽： 后天。　我们 已经 买 好 了 票。
Mǎlì： Hòutiān. wǒmen yǐjīng mǎi bǎo le piào.

珍妮： 别 忘 了 带 上　 照相机，　多　照 几 张
Zhēnní： Bié wáng le dài shang zhàoxiàngjī, duō zhào jǐ zhāng
　　　 照片。
　　　 zhàopiàn.

词 语　　　New Words and Phrases
Cíyǔ

1.	假期	(n.)	jiàqī	holiday, vacation
2.	前天	(n.)	qiántiān	the day before yesterday
3.	杭州	(n.)	Hángzhōu	Hangzhou
4.	苏州	(n.)	Sūzhōu	Suzhou
5.	这样		zhèyang	this way, like this
6.	西湖	(n.)	Xīhú	West Lake
7.	美	(adj.)	měi	beautiful, pretty
8.	张家界	(n.)	Zhāngjiājiè	Zhangjiajie
9.	值得	(v.)	zhídé	to be worth, to merit
10.	决定	(v.)	juédìng	to decide
11.	动身	(v.)	dòngshēn	to start off
12.	照相机	(n.)	zhàoxiàngjī	camera

（三）

一 说到　中国，就会 想 到 中国 的 古代
Yì shuōdao Zhōngguó, jiù huì xiǎng dào Zhōngguó de gǔdài

建筑 和 山水 风景⑴，但是，各代 的 艺术 品 更
jiànzhù hé shānshuǐ fēngjǐng, dànshì, gè dài de yìshù pǐn gèng

让 人 难忘：兵马俑，瓷器，景泰蓝……这些
ràng rén nánwàng: bīngmǎyǒng, cíqì, jǐngtàilán…… Zhèxiē

不仅 在 中国，而且 在 世界 上 也 是 非常 珍贵
bùjǐn zài Zhōngguó, érqiě zài shìjiè shang yě shì fēicháng zhēnguì

的。来 中国 旅游，观看 艺术 品 是 不 可 少 的
de. Lái Zhōngguó lǚyóu, guānkàn yìshù pǐn shì bù kě shǎo de

项目。
xiàngmù.

词 语　New Words and Phrases
Cíyǔ

1. 古代　（n.）　gǔdài　ancient times
　　代　（n.）　dài　historical period
2. 建筑　（n.）　jiànzhù　architecture
3. 山水　（n.）　shānshuǐ　landscape
4. 兵马俑（n.）　bīngmǎyǒng　terra-cota figures
5. 瓷器　（n.）　cíqì　porcelain
6. 景泰蓝（n.）　jǐngtàilán　cloisonné
7. 不仅…而且　bùjǐn…érqiě　not only…but also
8. 世界　（n.）　shìjiè　world
9. 珍贵　（adj.）　zhēnguì　valuable，precious
10. 观看　（v.）　guānkàn　to view，to watch
11. 少　（adj.）　shǎo　less

补充词语　Supplementary Words
Bǔchōng Cíyǔ　and Phrases

1. 辛苦　（adj.）　xīnkǔ　difficult，tiring
2. 危险　（adj.）　wēixiǎn　dangerous
3. 遗憾　（v.）　yíhàn　to regret，to pity
4. 突然　（adv.）　tūrán　suddenly
5. 挤　（adjn.；v.）　jǐ　crowded，to push against

6. 凉快　（adj.）　　liángkuai　　cool and pleasant

注　解　Notes
Zhùjiě

(1)　"一说到中国，就会想到中国的古代建筑和山水风景（Yì
　　　shuōdào Zhōngguó, jiù huì xiǎngdào Zhōngguó de gǔdài
　　　jiànzhù hé shānshuǐ fēngjǐng）."

　　　"一……就……"表示两件事连续发生。前一分句表示条件，后
　　　一分句表示结果。

　　　"一……就……（yī. . . jiù. . .）"indicates that two actions hap-
　　　pen in close succession. The first clause states the circumstance
　　　and the second clause states the resultant action.

　　　For example：

　　　我　一　到　西安　就　给　你　写　信。
　　　Wǒ yí dào Xī'ān jiù gěi nǐ xiě xìn.

　　　他　一　工作　就　忘了　吃饭。
　　　Tā yì gōngzuò jiù wàngle chīfàn.

练　习　Exercises
Liànxí

一、读下列词语（Read the following words and phrases）：

假期　休假　放假　节日　生日
jiàqī　xiūjià　fàngjià　jiérì　shēngrì

红色　黄色　绿色　蓝色 灰色　咖啡色
hóngsè　huángsè　lǜsè　lánsè huīsè　kāfēisè

人 配 衣服 马 配 鞍　　人生 地 不 熟
rén pèi yīfu mǎ pèi ān　　rénshēng dì bù shú

二、读下列对话（Read the following dialogues）：

1. 喜欢（to like）

A：我 特别 喜欢 西湖 的 风景。
　　Wǒ tèbié xǐhuan Xīhú de fēngjǐng.

B：我 也 是，那 绿绿 的 湖水 真 美。
　　Wǒ yě shì, nà lǜlǜ de húshuǐ zhēn měi.

A：可 不 是。
　　Kě bú shì.

2. 失望（disappointment）

A：哎 呀！汽车 坏 了，不 能 去 听 音乐会 了。
　　Āi ya! Qìchē huài le, bù néng qù tīng yīnyuèhuì le.

B：没 关系，我们 坐 出租 汽车 去 吧。
　　Méi guānxi, wǒmen zuò chūzū qìchē qù ba.

A：来不及 了。
　　Láibují le.

B：太 遗憾 了。（遗憾 regret, pity）
　　Tài yíhàn le.

三、做下列替换练习（Do the following substitution drills）：

1. 我们 商量 好 一起 去 张家界。
　Wǒmen shāngliang hǎo yìqǐ qù Zhāngjiājiè.

| 到 中国 旅游 |
| dào Zhōngguó lǚyóu |
| 到 医院 看 小 王 |
| dào yīyuàn kàn Xiǎo Wáng |
| 先 学习 再 休息 |
| xiān xuéxí zài xiūxi |
| 他 教 我 中文，我 教 他 英文 |
| tā jiāo wǒ Zhōngwén, wǒ jiāo tā Yīngwén |

2. 这个 地方 很 值得 看看。
Zhège dìfang hěn zhíde kànkan.

商店，	逛逛
shāngdiàn，	guàngguang
芭蕾舞，	看看
bāléiwǔ，	kànkan
音乐，	听听
yīnyuè，	tīngting
菜，	尝尝
cài，	chángchang

3. 我 刚刚 从 南方 回到 北京。
Wǒ gānggāng cóng nánfāng huídào Běijīng.

知道 这 件 事
zhīdào zhè jiàn shì
接到 他 的 包裹
jiēdào tā de bāoguǒ
去 火车站 接 朋友 回来
qù huǒchēzhàn jiē péngyou huílai
给 妈妈 打了 个 电话
gěi māma dǎle ge diànhuà

4. 别 忘了 带上 照相机。
Bié wàngle dàishang zhàoxiàngjī.

复习 汉语
fùxí Hànyǔ
给 我们 来 信
gěi wǒmen lái xìn
我们 的 飞机票
wǒmen de fēijīpiào
我们 签定 的 合同
wǒmen qiāndìng de hétóng

5. 一 说到 瓷器 就 想到 中国 的 瓷器。
Yì shuōdào cíqì jiù xiǎngdào Zhōngguó de cíqì.

看到 这 张 照片， kàndào zhè zhāng zhàopiàn，	我 小 的 时候 wǒ xiǎo de shíhou
说到 杭州， shuōdào Hángzhōu，	漂亮 的 西湖 piàoliang de Xīhú
听到 这个 音乐， tīngdào zhège yīnyuè，	那个 中国 故事 nàge Zhōngguó gùshi
到 下午 三 点， dào xiàwǔ sān diǎn，	该 上 汉语 课 了 gāi shàng Hànyǔ kè le

四、选择适当的词语填空 (Fill in the blanks with the appropriate
 words)：

1.　欣赏，　参观
　　　xīnshǎng cānguān
　　　1)　昨天　我们　_____　了　故宫　和　一　家
　　　　　Zuótiān wǒmen _____ le Gùgōng hé yì jiā
　　　　　工厂。
　　　　　gōngchǎng.
　　　2)　在　故宫　我们　可以　_____　到　中国　古代
　　　　　Zài Gùgōng wǒmen kěyǐ _____ dào Zhōngguó gǔdài
　　　　　的　艺术品。
　　　　　de yìshùpǐn.

2.　旅游，　游览
　　　lǚyóu yóulǎn
　　　1)　_____　长城　的　时候，我　看到　了 一 个 老
　　　　　_____ Chángchéng de shíhòu wǒ kàndao le yí gè lǎo
　　　　　朋友。
　　　　　péngyou.
　　　2)　圣诞节　我　打算　去　欧洲　(Europe)　_____。
　　　　　Shèngdànjié wǒ dǎsuàn qù Ōuzhōu _____.

3.　休假，　假期
　　　xiūjià, jiàqī
　　　A：今年　你　_____　了　没有？
　　　　　Jīnnián nǐ _____ le méiyǒu?

B：还　没有。我　打算　下　个　星期　开始。
　　Hái méiyǒu. wǒ dǎsuàn xià ge xīngqī kāishǐ.

A：你　_____　打算　去　什么　地方？
　　Nǐ　_____　dǎsuàn qù shénme dìfang?

B：在　家里　休息。
　　Zài jiāli xiūxi.

4.　商量，　　决定
　　shāngliang，juédìng

　　1）我　_____　从　下　星期五　开始，每天　学习　一
　　　　Wǒ　_____　cóng xià xīngqīwǔ kāishǐ měitiān xuéxí yí
　　　　个　小时　的　汉语。
　　　　gè xiǎoshí de Hànyǔ.

　　2）我　和　李丽　正在　_____　是　不　是　明天　一起
　　　　Wǒ hé Lìlì zhèngzài　_____　shì bu shì míngtiān yìqǐ
　　　　去　看　王　老师。
　　　　qù kàn Wáng lǎoshī.

5.　别，不，没
　　bié，bù，méi

　　1）到了　上海　_____　忘了　给　我　写　信，
　　　　Dàole Shànghǎi　_____　wàngle gěi wǒ xiě xìn.

　　2）我　的　病　还　_____　好　呢，所以　今天　不　能
　　　　Wǒ de bìng hái　_____　hǎo ne，suǒyǐ jīntiān bù néng
　　　　上课。
　　　　shàngkè.

　　3）下　星期　布朗　先生　_____　在　北京。
　　　　Xià xīngqī Bùlǎng xiānsheng　_____　zài Běijīng.

五、翻译下列句子(Translate the following sentences into Chinese)：

1. I will give the parcel to your parents as soon as I arrive in
New York.

2. When you travel in China，you can see not only ancient ar-
chitecture but also great art.

3. Don't forget to take the camera.

4. It is said that Zhangjiajie is a very interesting place. It is worth visiting.

5. I enjoy Chinese music very much.

六、完成下列对话(Complete the following dialogues)：

　　A：＿＿＿＿＿＿＿＿＿＿＿？

　　B：这　是　第　一　次　来　　中国。
　　　　Zhè shì dì yī cì lái Zhōngguó.

　　A：＿＿＿＿＿＿＿＿＿＿？

　　B：除了　　上海　　还　去　了　　杭州。
　　　　Chúle Shànghǎi hái qù le Hángzhōu.

　　A：＿＿＿＿＿＿＿＿＿＿？

　　B：我　最　喜欢　　杭州　　的　西湖。
　　　　Wǒ zuì xǐhuan Hángzhōu de Xīhú.

七、学汉字(Learn Chinese characters)：

　　用下列偏旁组成汉字(Write characters with the following radicals)：

　　　纟　　　（　　）　　（　　　）　　（　　　）

　　　日　　（　　）　　（　　　）　　（　　　）

　　　刂　　（　　）　　（　　　）　　（　　　）

第三十六课　　Lesson　36
Dì-sānshíliù kè

我　想　尽快　办理　保险
Wǒ xiǎng jǐnkuài bànlǐ bǎoxiǎn

I Want to Insure My Car
As Soon As Possible

课　文　　　Text
Kèwén

(一)

大卫：喂！妈妈，我　是　大卫。
Dàwèi：Wèi! Māma, wǒ shì Dàwèi.

妈妈：你　怎么　这么　晚　还　不　回　家?
Māma：Nǐ zěnme zhème wǎn hái bù huí jiā?

大卫：妈妈，出了　点　事，因为　路　滑，　拐弯　的
Dàwèi：Māma, chūle diǎnr shì, yīnwèi lù huá, guǎiwān de

时候，我　的　汽车　滑到　路边　被　撞坏　了[1]。
shíhou, wǒ de qìchē huádào lùbiān bèi zhuànghuài le.

妈妈：人　没有　事儿　吧?
Māma：Rén méiyǒu shìr ba?

大卫：人　没　事儿。
Dàwèi：Rén méi shìr.

妈妈：你　现在　在　哪儿?
Māma：Nǐ xiànzài zài nǎr?

大卫：在　公用　　@电话亭。
Dàwèi：Zài gōngyòng diànhuàtíng.

妈妈：别　着急。我们　的　车　办过　保险。明天　和
Māma：Bié zháojí. Wǒmen de chē bànguo bǎoxiǎn. Míngtiān hé

保险　公司　联系　一下儿。你　快　回来　吧！
bǎoxiǎn gōngsī liánxi yíxiàr. nǐ kuài huílai ba！

大卫：好。
Dàwèi：Hǎo.

（二）

布朗　先生：　王　　先生，我　的　车　明天　到，
Bùlǎng xiānsheng：Wáng xiānsheng, wǒ de chē míngtiān dào,

我　想　尽快　办理　保险。
wǒ xiǎng jǐnkuài bànlǐ bǎoxiǎn.

王　　先生：办理　保险　最好　您　亲自　去　一　趟，
Wáng xiānsheng：Bànlǐ bǎoxiǎn zuì hǎo nín qīnzì qù yí tàng,

了解　一下儿　他们　的　规定，不　明白
liáojiě yíxiàr tāmen de guīdìng, bù míngbai

的　地方　他们　会　解释　的。
de dìfang tāmen huì jiěshì de.

布朗：我　是　不　是　要　开　这　辆　车　去？
Bùlǎng：Wǒ shì bu shì yào kāi zhè liàng chē qù？

王：不　需要。
Wáng：Bù xūyào.

布朗：保险　期　几　年？
Bùlǎng：Bǎoxiǎn qī jǐ nián？

王：一　年。到　期　可以　续　保。
Wáng：Yì nián. Dào qī kěyǐ xù bǎo.

布朗：好，谢谢。
Bùlǎng：Hǎo, xièxie.

词 语　　New Words and Phrases
Cíyǔ

1. 办理　（v.）　bànlǐ　　to handle, to transact
2. 保险　（v.;n.）　bǎoxiǎn　　to insure; insurance
3. 大卫　（n.）　Dàwèi　　David
4. 滑　（adj.;v.）　huá　　slippery; to slip
5. 拐弯　（v.）　guǎiwān　　to turn at a corner
6. 被　（prep.）　bèi　　by(indicating passive voice)
7. 撞　（v.）　zhuàng　　to bump against, to turn into
8. 没事儿　　méi shìr　　it doesn't matter
9. 公用　（adj.）　gōngyòng　　public
10. 电话亭（n.）　diànhuàtíng　telephone box, telephone booth
11. 趟　（m.）　tàng　　(a measure word)
12. 明白　（v.;adj.）　míngbai　　to understand; clear
13. 解释　（v.）　jiěshì　　to explain
14. 保险期（n.）　bǎoxiǎnqī　period of insurance
15. 续保　　xùbǎo　　to renew insurance

（三）

王　　先生　　原来　打算　上　个　月　离开　美国，
Wáng xiānsheng yuánlái dǎsuàn shàng ge yuè líkāi Měiguó,

但是　由于　工作　原因，　他　不得不　推迟　几　个　星期。
dànshì yóuyú gōngzuò yuányīn, tā bùdébù tuīchí jǐ ge xīngqī.

昨天　同事　为　他　举行　了　送别　晚会。　晚上
Zuótiān tóngshì wèi tā jǔxíng le sòngbié wǎnhuì. Wǎnshang

回家 的 时候，不 小心 出了 交通 事故，他 的 汽车
huíjiā de shíhou, bù xiǎoxīn chūle jiāotōng shìgù. Tā de qìchē
不能 再 用 了。他 马上 和 保险 公司 联系。
bùnéng zài yòng le. tā mǎshàng hé bǎoxiǎn gōngsī liánxi.
保险 公司 发现 他 的 保险期 刚 过。他 感到 很
Bǎoxiǎn gōngsī fāxiàn tā de bǎoxiǎnqī gāng guò. Tā gǎndào hěn
遗憾。 今天 上 飞机 的 时候，他 还 在 想， 如果
yíhàn. Jīntiān shàng fēijī de shíhou, tā hái zài xiǎng, rúguǒ
上 个 月 离开 就 没有 这么 多 麻烦 了。
shàng ge yuè líkāi jiù méiyǒu zhème duō máfan le.

词 语　　New Words and Phrases
Cíyǔ

1. 离开	(v.)	líkāi	to leave
2. 由于	(prep.)	yóuyú	due to
3. 原因	(n.)	yuányīn	reason
4. 不得不		bùdébù	to have to, must
5. 推迟	(v.)	tuīchí	to put off, to postpone
6. 同事	(n.)	tóngshì	colleague
7. 送别	(v.)	sòngbié	to give a send-off party
			to see someone off
8. 晚会	(n.)	wǎnhuì	evening party
9. 小心	(v.)	xiǎoxīn	to take care, to be careful
10. 事故	(n.)	shìgù	accident
11. 过(期)	(v.)	guò(qī)	to become invalid, to exceed
			the time limit
12. 遗憾		yíhàn	regret pity
13. 如果	(conj.)	rúguǒ	if

补充词语　　　Supplementary Words
Bǔchōng Cíyǔ　　　and Phrases

1.	原谅	(v.)	yuánliàng	to forgive, to excuse
2.	自行车	(n.)	zìxíngchē	bicycle
3.	结束	(v.)	jiéshù	to end, to finish
4.	立刻	(adv.)	lìkè	immediately, at once
5.	迟到	(v.)	chídào	to be late
6.	负责	(v.)	fùzé	to be responsible for, to be in charge of

注　解　　　Notes
Zhùjiě

(1)　"(车)被撞坏了(Chē bèi zhuàng huài le)。"

为了表达主语和动词的被动关系，可以用"被"字句。一般词序
是：

"被(bèi)"，"让(ràng)" and "叫(jiào)" are used to indicate the
passive voice. The word order is as follows：

受事者——被(让、叫)——施事者——动词——其他成分。

The recipient of an action ＋"bèi"("ràng", "jiào")＋the per-
former of the action ＋ verb ＋ other elements.

For example：

报纸　被　人　拿走　了。
Bàozhǐ bèi rén názǒu le.

车　被　小　王　开走　了。
Chē bèi Xiǎo Wáng kāizǒu le.

"被"后面的施事者有时可以省略，但"让""叫"后面的施事者

不能省略。

介词"被"多用于书面语,"让""叫"多用于口语。否定词放在介词的前边。

Sometimes the performer of the action can be omitted after "被（bèi）" but it can not be omitted after "让（ràng）" or "叫（jiào）". The preposition "被（bèi）" is used mostly in writen language，while "让（ràng）" and "叫（jiào）" are used more often in spoken language. Negative adverbs should come before the preposition.

For example：

报纸 没 被 （人） 拿走。在 桌子 上 呢。
Bàozhǐ méi bèi (rén) názǒu. Zài zhuōzi shàng ne.

饭 没 叫 他 吃完， 还 有 呢。
Fàn méi jiào tā chīwán， hái yǒu ne.

练 习　　Exercises
Liànxí

一、读下列短语(Read the following phrases)：

上 车	下 车	开 车	停 车
shàng chē	xià chē	kāi chē	tíng chē

坐 车	大 街	街 道	胡 同
zuò chē	dàjiē	jiēdào	hútòng

十字 路口	交通 事故	交通 警察
shízì lùkǒu	jiāotōng shìgù	jiāotōng jǐngchá

左 拐	右 拐	一直 走
zuǒ guǎi	yòu guǎi	yìzhí zǒu

二、读下列对话(Read the following dialogues)：

　　1. 劝阻(persuasion)

1）孩子，别 看 电视 了。
　　Háizi, bié kàn diànshì le.
2）你 不 要 开得 太 快。
　　Nǐ bú yào kāide tài kuài.
3）天气 不 正常， 要 注意 身体。
　　Tiānqì bú zhèngcháng, yào zhùyì shēntǐ.

2. 反对（opposition）
1）我 不 喜欢 吃 饺子。我 想 吃 米饭 和鱼。
　　Wǒ bù xǐhuan chī jiǎozi. Wǒ xiǎng chī mǐfàn hé yú.
2）我 不 同意 你 的 意见。
　　Wǒ bù tóngyì nǐ de yìjiàn.

三、做下列替换练习（Do the following substitution drills）：

1. 我 的 车 被 他 开走 了。
　　Wǒ de chē bèi tā kāizǒu le.

书，	拿走
shū,	názǒu
信，	送来
xìn,	sònglái
空调，	修好
kōngtiáo,	xiūhǎo

2. 只 要 有 时间 就 去 旅游。
　　Zhǐ yào yǒu shíjiān jiù qù lǚyóu.

一 直 走，	可以 看到 北京 饭店
yì zhí zǒu,	kěyǐ kàndào Běijīng fàndiàn
工作 不 忙，	和你 一起 去 看 展览
gōngzuò bù máng,	hé nǐ yìqǐ qù kàn zhǎnlǎn
安装 好 设备，	开始 生产
ānzhuāng hǎo shèbèi,	kāishǐ shēngchǎn

3. 工作 太 多，他 不得不 提前 回 北京。
　　Gōngzuò tài duō, tā bùdebù tíqián huí Běijīng.

推迟 几 星期 回国 休假
tuīchí jǐ xīngqī huí guó xiūjià
请 老 王 帮 忙
qǐng Lǎo Wáng bāng máng
每天 很 早 去 上班
měitiān hěn zǎo qù shàngbān

4. 由于 路 滑，他 出 交通 事故 了。
   Yóuyú lù huá, tā chū jiāotōng shìgù le.

时间 不 多，   没有 参观 故宫
shíjiān bù duō,   méiyǒu cānguān Gùgōng
电话 坏 了， 不 能 打 电话 通知 我
diànhuà huài le, bù néng dǎ diànhuà tōngzhī wǒ
人 太 多，   等 了 很长 时间
rén tài duō,   děng le hěncháng shíjiān
我 说得 不 快，都 听懂 了
wǒ shuōde bú kuài, dōu tīngdǒng le

四、把下列句子变成"被"字句(Change the following sentences into
the passive voice using "bèi")：

1. 弟弟 寄走 了 我 给 朋友 的 信。
   Dìdi jìzǒu le wǒ gěi péngyou de xìn.

2. 小 王 拿走 了 今天 的 报纸。
   Xiǎo Wáng názǒu le jīntiān de bàozhǐ.

3. 布朗 卖了 那 辆 汽车。
   Bùlǎng màile nà liàng qìchē.

4. 工人 安好 了 空调器。
   Gōngrén ānhǎo le kōngtiáoqì.

5. 他 吃了 那 种 药。
   Tā chīle nà zhǒng yào.

6. 他 买来 了 那 本 书。
   Tā mǎilái le nà běn shū.

五、用所给的词语说出一段话(Tell a brief story using the following
   words and phrases)：

1. 我　　工作　　北京　　三年　　不但……而且……
   wǒ　gōngzuò　Běijīng　sānnián　búdàn…érqiě…
   了解　喜欢　　下月　　离任　写信　　请　父母
   liáojiě　xǐhuan　xiàyuè　lírèn　xiěxìn　qǐng　fùmǔ
   旅游
   lǚyóu

2. 叫　保罗　住　外交　公寓　楼　单元　号
   jiào Bǎoluó zhù wàijiāo gōngyù lóu dānyuán hào
   买了　新　汽车　去　保险　公司　办　保险
   mǎile xīn qìchē qù bǎoxiǎn gōngsī bàn bǎoxiǎn

第三十七课　　Lesson　37
Dì-sānshíqī kè

生日　快乐!　　Happy Birthday!
Shēngrì kuàilè!

课文　　Text
Kèwén

(一)

李明：　奈尔斯，　明天　　晚上　你　有　时间　吗？
Lǐmíng：Nàiěrsī, míngtiān wǎnshang nǐ yǒu shíjiān ma?

奈尔斯：　明天　是　星期六，　没　什么　事。
Nàiěrsī：Míngtiān shì xīngqīliù, méi shénme shì.

李明：　那太好了。　明天　是　我　的　生日，　我　想
Lǐmíng：Nà tài hǎo le. Míngtiān shì wǒ de shēngrì, wǒ xiǎng

　　　　请　几　个　朋友　到　家　里　来。你　能　来　吗？
qǐng jǐ ge péngyou dào jiā lǐ lái. Nǐ néng lái ma?

奈尔斯：几　点？
Nàiěrsī：Jǐ diǎn?

李明：　晚上　六　点　半。
Lǐmíng：Wǎnshang liù diǎn bàn.

奈尔斯：好　吧。不过　我　可能　要　晚　到　一会儿，因为
Nàiěrsī：Hǎo ba. Búguò wǒ kěnéng yào wǎn dào yíhuìr, yīnwèi

　　　　六　点　钟　我　要　等　一　个　电话。
liù diǎn zhōng wǒ yào děng yí ge diànhuà.

李明：　没　关系，七　点钟　以前　到　就　行(1)。
Lǐmíng：Méi guānxi, qī diǎnzhōng yǐqián dào jiù xíng.

(二)

李明 的 爸爸：你 听， 好象 有人 敲门。
Lǐmíng de bàba：Nǐ tīng, hǎoxiàng yǒu rén qiāomén.

李明：我 去 开 门。
Lǐmíng：Wǒ qù kāi mén.

奈尔斯：对不起， 来 晚 了。 祝 你 生日 快乐！
Nàiěrsī：Duìbuqǐ, lái wǎn le. Zhù nǐ shēngrì kuàilè!

李明：谢谢。 爸， 我 给 您 介绍 一下儿， 这 是
Lǐmíng：Xièxie. Bà, wǒ gěi nín jièshao yíxiàr, zhè shì

奈尔斯。
Nàiěrsī.

爸爸： 欢迎 你 来 我们 家。
Bàba：Huānyíng nǐ lái wǒmen jiā.

奈尔斯：很 高兴 见到 您。
Nàiěrsī：Hěn gāoxìng jiàndào nín.

李明：奈尔斯， 你 先 到 客厅 坐 吧， 我 去 搬
Lǐmíng：Nàiěrsī, nǐ xiān dào kètīng zuò ba, wǒ qù bān

一 把 椅子。
yì bǎ yǐzi.

*　　　　*　　　　*

李明：奈尔斯， 你 看， 这 两 位 也 是 我 的
Lǐmíng：Nàiěrsī, nǐ kàn, zhè liǎng wèi yě shì wǒ de

朋友： 王春生， 陈力。 这
péngyou：Wáng Chūnshēng, Chén Lì. Zhè

就是 奈尔斯·福特 先生。
jiùshì Nàiěrsī Fútè xiānsheng.

王、 陈：你 好，福特 先生。
Wáng, Chén：Nǐ hǎo, Fútè xiānsheng.

奈尔斯： 你们 好，认识 你们 很 高兴。
Nàiěrsī： Nǐmen hǎo, rènshi nǐmen hěn gāoxìng.

陈： 福特 先生， 你 的 汉语 说得 不错
Chén： Fútè xiānsheng, nǐ de Hànyǔ shuōde bú cuò

呀。
ya.

奈尔斯：哪里哪里，你们 看，我 总是 要 带着
Nàiěrsī： Nǎlinǎli, nǐmen kàn, wǒ zǒngshì yào dàizhe

一 本 汉语 会话 手册。
yì běn Hànyǔ huìhuà shǒucè.

李明： 学好 汉语 不 容易，可 奈尔斯 非常
Lǐmíng： Xuéhǎo Hànyǔ bù róngyi, kě Nàiěrsī fēicháng

努力。从 去年 入学 到 现在，学了
nǔlì. Cóng qùnián rùxué dào xiànzài, xuéle

九 百 多 个 词语，而且 百 分 之 七、八
jiǔ bǎi duō ge cíyǔ, érqiě bǎi fēn zhī qī、bā

十 都 会 用。 明年 可能 提前
shí dōu huì yòng. Míngnián kěnéng tíqián

毕业。
bìyè.

王： 毕业 以后，你 准备 做 什么 呢？
Wáng： Bìyè yǐhòu, nǐ zhǔnbèi zuò shénme ne?

奈尔斯：现在 还 很 难 说。
Nàiěrsī： Xiànzài hái hěn nán shuō.

李明： 你们 先 谈着，我 去 厨房 看看，
Lǐmíng： Nǐmen xiān tánzhe, wǒ qù chúfáng kànkan,

我 妈妈 和 我 姐姐 正 忙着 做
wǒ māma hé wǒ jiějie zhèng mángzhe zuò

晚饭 呢。
wǎnfàn ne.

奈尔斯： 等　一下儿，　小　李，　这儿　有　个　小
Nàiěrsī：Děng yíxiàr, Xiǎo Lǐ, zhèr yǒu ge xiǎo

礼物，送　给　你。
lǐwù, sòng gěi nǐ.

李明： 多　谢，多　谢！
Lǐmíng：Duō xiè, duō xiè!

词　语　　New Words and Phrases
Cíyǔ

1. 李明	(n.)	Lǐ míng	(a Chinese name)
2. 六点钟	(n.)	liù diǎnzhōng	six o'clock
钟		zhōng	time as measured in hours and minutes
3. 敲门		qiāomén	to knock at a door
4. 开	(v.)	kāi	to open
5. 搬	(v.)	bān	to move
6. 把	(m.)	bǎ	(a measure word)
7. 王春生	(n.)	Wáng Chūnshēng	(name of a person)
8. 陈力	(n.)	Chén Lì	(name of a person)
9. 福特	(n.)	Fútè	Ford
10. 会话	(n.)	huìhuà	conversation
11. 手册	(n.)	shǒucè	handbook
12. 努力	(adj.)	nǔlì	conscientious, diligent
13. 从……到……		cóng…dào…	from…to…
14. 词语		cíyǔ	word and phrase
15. 百分之七、八十		bǎifēnzhīqī, bāshí	seventy or eighty per cent
16. 毕业	(v.)	bìyè	to graduate

· 346 ·

17. 难说　　　　nánshuō　　　　it is difficult to say
18. 姐姐　（n.）jiějie　　　　elder sister

（三）

又　到　四月　二十　号　了。二十五　年　前　的　今天，
Yòu dào sìyuè èrshi hào le. Èrshiwǔ nián qián de jīntiān,

我　出生　在　这　春天　的　季节　里。不　知道　为
wǒ chūshēng zài zhè chūntiān de jìjié lǐ. Bù zhīdào wèi

什么，小　的　时候，总　觉得　时间　过　得　太　慢，
shénme, xiǎo de shíhou, zǒng juéde shíjiān guò de tài màn,

所以，一　听到　大人　问："你　几　岁　了[2]？我　就　希望
suǒyǐ, yì tīngdào dàrén wèn: "Nǐ jǐ suì le? wǒ jiù xīwàng

自己　快快　长　大。长　大　以后，又　感到　时间
zìjǐ kuàikuài zhǎng dà. Zhǎng dà yǐhòu, yòu gǎndào shíjiān

过得　太　快，就　象　北京　的　春天　一样，很快　就
guòde tài kuài, jiù xiàng Běijīng de chūntiān yíyàng, hěnkuài jiù

过　去　了。
guò qù le.

生日　蛋糕　还　是　那么　大，上边　的　蜡烛　却
Shēngrì dàngāo hái shì nàme dà, shàngbian de làzhú què

越来越多。当　吃着　生日　蛋糕　的　时候　会　想
yuèláiyuèduō. Dāng chīzhe shēngrì dàngāo de shíhòu huì xiǎng

些　什么　呢？
xiē shénme ne?

词　语　New Words and Phrases
Cíyǔ

1. 出生　（v.）　chūshēng　　　　to be born

2. 为什么		wèi shénme	why
3. 小（的）时候		xiǎo(de)shíhou	when one was young, in one's childhood
4. 觉得	(v.)	juéde	to feel
5. 自己	(pron.)	zìjǐ	oneself
6. 长大		zhǎngdà	to grow up
7. 象……一样		xiàng…yíyàng	to be like
8. 那么		nàme	so, such
9. 蜡烛	(n.)	làzhú	candle
10. 当……时候		dāng…shíhou	while, when

补充词语 Supplementary Words
Bǔchōng Cíyǔ and Phrases

1. 前年	(n.)	qiánnián	the year before last
2. 妹妹	(n.)	mèimei	younger sister
3. 爷爷	(n.)	yéye	grandfather
4. 奶奶	(n.)	nǎinai	grandmother
5. 叔叔	(n.)	shūshu	uncle

注 解 Notes
Zhùjiě

(1) "七点钟以前到就行(Qī diǎnzhōng yǐqián dào jiù xíng)."
这里的"就"起加强语气的作用。

Here the word "就(jiù)" is used for emphasis.

For example：

这 就是 奈尔斯。
Zhè jiùshì Nàiěrsī.

我 就 不 去。

Wǒ jiù bú qù.

有时"就"有强调动作或事情发生的时间较短的作用。

Sometimes the word "就(jiù)"is used to emphasize the shortness of duration of an action or state of affairs.

For example：

时间 很 快 就 过去 了。

Shíjiān hěn kuài jiù guòqù le.

病 很 快 就 好 了。

Bìng hěn kuài jiù hǎo le.

说完 就 走 了。

Shuōwán jiù zǒu le.

一 听 就 明白

Yì tīng jiù míngbái.

"就"的另一个作用是帮助确定范围。

Another function of the word "就(jiù)" is to indicate the range of what is being talked about.

我 就 会 法语，不 会 别 的 外语。 （外语：Foreign lan-

Wǒ jiù huì Fǎyǔ, bú huì bié de wàiyǔ. guage）

昨天 就 他 没 去 参加 晚会。

Zuótiān jiù tā méi qù cānjiā wǎnhuì.

"就"有时还强调事情在很早以前发生。

Sometimes the word "就(jiù)" is used to emphasize the fact that something happened a long time ago.

For example：

早 就 听 李明 说过 你。

Zǎo jiù tīng LǐMíng shuōguò nǐ.

七 年 前 他 就 来过 中国。

Qī nián qián tā jiù láiguò Zhōngguó.

(2) "你几岁了(Nǐ jǐ suì le)?"

    A."你几岁了(Nǐ jǐ suìle)?"

        这是询句十岁以下孩子年龄的一种说法。

        This expression is used to ask the age of children under 10.

    B:"你十几了(Nǐ shí jǐ le)?"

        这句话常用来询问约十岁到二十岁之间人的年龄。如果被问者约在二十岁到三十岁之间,可问"你二十几了?",如果在三十岁到四十岁之间,可问"你三十几了?"依此类推。

        This expression is used to ask the age of a teenager. "你二十几了 (Nǐ èrshi jǐ le)?" is used when asking the age of someone between twenty and twenty-nine years old, and by analogy "你三十几了(Nǐ sānshi jǐ le)?", "你四十几了 (Nǐ sìshi jǐ le)?" and so on can also be used.

    C:"你多大了(Nǐ duō dà le)?"

        用于询问小孩或年轻人的年龄。

        This can be used to ask the age of both children and young people.

    D:"您多大年纪了(Nín duō dà niánji le)?"

        这句话只用来询问年长者的年龄。

        This is used to ask the age of elderly people only.

练 习　Exercises
Liànxí

一、根据课文回答下列问题(Answer the following questions):

    1.　为什么　奈尔斯　说　要　晚　到　一会儿?
        Wèishénme Nài'ěrsī shuō yào wǎn dào yíhuìr?

    2.　奈尔斯　中文　学得　怎么样?
        Nài'ěrsī Zhōngwén xuéde zěnmeyàng?

3. 李明 的 妈妈 和 姐姐　正在　做　什么?
   Lǐ Míng de māma hé jiějie zhèngzài zuò shénme?

4. 怎么样　问　年龄? (年龄 n. nianlingage)
   Zěnmeyàng wèn niánlíng?

二、读下列句子,注意"就"的作用 (Read the following sentences and pay close attention to the function of the word "jiù"):

1. 这　就是　我 的　办公室。
   Zhè jiùshì wǒ de bàngōngshì.

2. 她　一会儿　就　回来。
   Tā yíhuìr jiù huílai.

3. 李　先生　就　喜欢　喝　茶, 不　喜欢　喝 别 的
   Lǐ xiānsheng jiù xǐhuan hē chá, bù xǐhuan hē bié de
   饮料。
   yǐnliào.

4. 我 弟弟 小　时候　就　开始　学　英语。
   Wǒ dìdi xiǎo shíhou jiù kāishǐ xué Yīngyǔ.

三、做下列替换练习 (Do the following substitution drills):

1. 他 姐姐　可能　回 国　去 了。
   Tā jiějie kěnéng huí guó qù le.

李　先生, Lǐ xiānsheng,	病　了 bìng le
小　王, Xiǎo Wáng,	回　家了 huí jiā le
布朗　夫人, Bùlǎng fūren,	休假　了 xiūjià le
音乐会, Yīnyuèhuì,	八　点　一刻　开演 bā diǎn yí kè kāiyǎn
飞机票, Fēijīpiào,	丢 了 diū le

2. 学习　汉语　不　容易。
   Xuéxí Hànyǔ bù róngyi.

| 自己 做 衣服 |
| Zìjǐ zuò yīfu |
| 见 公司 经理 |
| Jiàn gōngsī jīnglǐ |
| 办 这 个 展览 |
| Bàn zhè ge zhǎnlǎn |

3. 从 去年 入学 到 现在， 我 学了 三 百 多 个
   Cóng qùnián rùxué dào xiànzài, wǒ xuéle sān bǎi duō ge

   汉字。
   hànzì.

上 个 月，	这 个 月，	我 一直 很 忙
shàng ge yuè,	zhè ge yuè,	wǒ yìzhí hěn máng
北京，	香港，	可以 坐 飞机 去
Běijīng,	Xiānggǎng,	kěyǐ zuò fēijī qù
这儿，	那儿，	不 太 远
zhèr,	nàr,	bú tài yuǎn
八 点，	十 点，	我 在 看 电视
bā diǎn,	shí diǎn,	wǒ zài kàn diànshì

4. 去 什么 地方 工作， 现在 还 很 难 说。
   Qù shénme dìfang gōngzuò, xiànzài hái hěn nán shuō.

| 坐 什么 车 去 |
| Zuò shénme chē qù |
| 学习 哪 一 本 书 |
| Xuéxí nǎ yì běn shū |
| 谁 和 谁 比赛 |
| Shéi hé shéi bǐsài |
| 他 为 什么 不 来 |
| Tā wèi shénme bù lái |

四、用"象……一样"完成下列句子（Complete the following
   sentenes with "xiàng…yíyàng"）：

1. 我们　学校　_____
   Wǒmen xuéxiào _____

2. 孩子　长得　_____
   Háizi zhǎngde _____

3. 今天　的　天气 _____
   Jīntiān de tiānqì _____

4. 他_____,学习 也 很 好。
   Tā_____,xuéxí yě hěn hǎo.

五、读下列句子(Read the following sentences)：

1. 假设、可能（supposition and possibility）

   1）要是　明天　下 雨，我们　就 不 去 了。
   Yàoshi míngtiān xià yǔ, wǒmen jiù bú qù le.

   2）如果 买 不 到 飞机票 怎么　办?
   Rúguǒ mǎi bú dào fēijīpiào zěnme bàn?

   3）已经 十一 点 了,他 可能 不 来 了。
   Yǐjīng shíyī diǎn le, tā kěnéng bù lái le.

   4）明年　八 月,他们　可能　要 参加 篮球
   Míngnián bā yuè, tāmen kěnéng yào cānjiā lánqiú
   比赛。
   bǐsài.

2. 称赞（praise）

   1）你 的 汉语　真 不 错。
   Nǐ de Hànyǔ zhēn bú cuò.

   2）这儿 的 风景　太 美 了!
   Zhèr de fēngjǐng tài měi le!

   3）这 件 礼物 就是　漂亮!
   Zhè jiàn lǐwù jiùshi piàoliang!

六、把下列句子翻译成汉语(Translate the following sentences into Chinese)：

1. Today is my birthday. I want to invite my frieds to dinner.

2. What are your mother and sister doing now?

3. It is not easy to buy this book.

4. He is busy from norming to night.

5. It takes about an hour to fly from Beijing to Shanghai.

第三十八课　　Lesson 38
Dì-sānshíbā kè

培训　内容　是　什么？　What Kind of Training
Péixùn nèiróng shì shénme?　　　Coures Is It?

课　文　　Text
Kèwén

（一）

李 经理： 王　主任，　早　就　听说　你们　饭店　的
Lǐ jīnglǐ： Wáng zhǔrèn, zǎo jiù tīngshuō nǐmen fàndiàn de
管理　水平　很高，　能　不　能　给　我们
guǎnlǐ shuǐpíng hěngāo, néng bu néng gěi wǒmen
点儿　帮助？
diǎnr bāngzhù?

王　主任： 没　问题，　咱们　关系　不　错，　有　什么
Wáng zhǔrèn：Meí wèntí, zánmen guānxi bú cuò, yǒu shénme
事　尽管　说。
shì jǐnguǎn shuō.

李： 最近　我们　饭店　有　一　批　新　来　的
Lǐ： Zuìjìn wǒmen fàndiàn yǒu yì pī xīn lái de
员工，　没　什么　工作　经验，　想
yuángōng, méi shénme gōngzuò jīngyàn, xiǎng
让　你们　帮助　培训　一下儿。
ràng nǐmen bāngzhù péixùn yíxiár.

王： 培训　内容　是　什么？
Wáng：Péixùn nèiróng shì shénme?

李： 五 名 管理 人员 需要 了解 饭店 的
Lǐ： Wǔ míng guǎnlǐ rényuán xūyào liǎojiě fàndiàn de

各项 管理 业务。 八名 服务员 除了
gèxiàng guǎnlǐ yèwù. Bā míng fúwùyuán chúle

需要 提高 外语 水平 （外），还要 学习
xūyào tígāo wàiyǔ shuǐpíng （wài）, hái yào xuéxí

服务 技术。
fúwù jìshu.

王： 准备 培训 多 长 时间？ 什么 时候
Wáng： Zhǔnbèi Péixùn duō cháng shíjiān? Shénme shíhou

开始？
kāishǐ?

李： 我们 打算 培训 两 个 月，最 好 这
Lǐ： Wǒmen dǎsuàn péixùn liǎng ge yuè, zuì hǎo zhè

个 月 底 或 下 个 月 初 开始。 你 看
ge yuè dǐ huò xià ge yuè chū kāishǐ. Nǐ kàn

怎么样？
zhěnmeyàng?

王： 好 吧，我 跟 经理 商量 一下儿，尽快
Wáng： Hǎo ba, wǒ gēn jīnglǐ shāngliang yíxiàr, jǐnkuài

给 你们 回 信儿。
gěi nǐmen huí xìnr.

词 语　New Words and Phrases
Cíyǔ

1.	内容	(v.)	nèiróng	content
2.	管理	(v.)	guǎnlǐ	to manage
3.	水平	(n.)	shuǐpíng	level
4.	主任	(n.)	zhǔrèn	director

5. 关系	(n.)	guānxi	relationship
6. 尽管	(adv.)	jǐnguǎn	freely, without hesitation
7. 员工	(n.)	yuángōng	staff
8. 经验	(n.)	jīngyàn	experience
9. 名	(m.)	míng	(a measure word)
10. 项	(m.)	xiàng	(a measure word)
11. 业务	(n.)	yèwù	vocational work, business
12. 提高	(v.)	tígāo	to improve
13. 外语	(n.)	wàiyǔ	foreign language
14. 月底		yuèdǐ	the end of a month
15. 月初		yuèchū	the beginning of a month
16. 回	(v.)	huí	to return, to reply
17. 信儿	(n.)	xìnr	message

(二)

来　　中国　　工作　　的　外交　　人员　一般　要　学习
Lái　Zhōngguó　gōngzuò　de　wàijiāo　rényuán　yìbān　yào　xuéxí

一些　汉语。　他们　除了　在　国内　学习　（外），有　些　人
yìxiē Hànyǔ.　Tāmen　chúle　zài　guónèi　xuéxí　(wài),　yǒu　xiē　rén

还　要　到　　中国　来　培训。　北京　有　不　少　语言
hái　yào　dào　Zhōngguó　lái　péixùn.　Běijīng　yǒu　bù　shǎo　yǔyán

学校，　　象　北京　　语言　　学院、　北京　大学　　等。
xuéxiào,　xiàng　Běijīng　Yǔyán　Xuéyuàn,　Běijīng　Dàxué　děng.

北京　外交　人员　语言　文化　　中心　也　是　其中
Běijīng　Wàijiāo　Rényuán　Yǔyán　Wénhuà　Zhōngxīn　yě　shì　qízhōng

之一。　这些　学校　可以　提供　长期　或　短期　的　汉语
zhīyī.　Zhèxiē　xuéxiào　kěyǐ　tígōng　chángqī　huò　duǎnqī　de　Hànyǔ

培训， 为 不同 水平， 不同 学习 要求 的 学生
péixùn， wèi bùtóng shuǐpíng，bùtóng xuéxí yāoqiú de xuéshēng
服务。
fúwù.

　　学好 汉语 会 给 他们 在 中国 的 工作、
　　Xuéhǎo Hànyǔ huì gěi tāmen zài Zhōngguó de gōngzuò、
生活 带来 方便。
shēnghuó dàilái fāngbiàn.

词 语　　New Words and Phrases
Cíyǔ

1. 北京语言学院 　(n.)　Běijīng Yǔyán Xuéyuàn
　　　　　　　　　　　　Beijing Language Institute
2. 北京外交人员　(n.)　Běijīng Wàijiāo Rényuán Yǔyán
　　语言文化中心　　　　Wénhuà Zhōngxīn
　　　　　　　　　　　　Beijing Language and Culture
　　　　　　　　　　　　Centre for Diplomatic Missions
3. 其中之一　　　　　　qízhōng zhīyī　　one of…
4. 长期　　　　(adj.)　chángqī　　　　　long-term
5. 短期　　　　(adj.)　duǎnqī　　　　　short-term

补充词语　　Supplementary Words
Bǔchōng Cíyǔ　　　and Phrases

1. 留学　(v.)　liúxué　　　　to study abroad
2. 留学生（n.)　liúxuéshēng　foreign student
3. 培训班（n.)　péixùn bān　training class
4. 年初　　　　niánchū　　　the beginning of a year

5.	年底		niándǐ	the end of a year
6.	上旬	(n.)	shàngxún	the first ten days of a month
	中旬	(n.)	zhōngxún	the second ten days of a month
	下旬	(n.)	xiàxún	the third ten days of a month
7.	季度	(n.)	jìdù	quarter (of a year)

练 习　　Exercises
Liànxí

一、根据课文回答问题(Answer the following questions)：

1.　为什么　到　这个　饭店　来　培训？
Wèishénme dào zhè ge fàndiàn lái péixùn?

2.　培训　内容　是　什么？
Péixùn nèiróng shì shénme?

3.　准备　什么　时候　开始　培训？
Zhǔnbèi shénme shíhou kāishǐ péixùn?

二、读下列句子,注意划线词的用法 (Read the following sentences and pay close attention to the underlined words and phrases)：

1.　我　知道　这　件　事。
Wǒ zhīdao zhè jiàn shì.

2.　我　不　明白　你　说　的　话。
Wǒ bù míngbai nǐ shuō de huà.

3.　服务员　会　帮助　你们　吗？
Fúwùyuán huì bāngzhù nǐmen ma?

4.　他　非常　需要　你　的　帮助。
Tā fēicháng xūyào nǐ de bāngzhù.

5.　请　你　帮　(个)　忙，给　老李　打个　电话。
Qǐng nǐ bāng (ge) máng, gěi lǎo Lǐ dǎ ge diànhuà.

6.　这　件　事　我们　要　商量　一下儿。
Zhè jiàn shì wǒmen yào shāngliang yíxiàr.

7. 我们 就 这 项 业务 合作 进行 了 洽谈。
Wǒmen jiù zhè xiàng yèwu hézuò jìnxíng le qiàtán.

8. 下 个 月 有 一 个 服装 展览。
Xià ge yuè yǒu yí ge fúzhuāng zhǎnlǎn.

9. 这 件 衣服 怎么样?
Zhè jiàn yīfu zěnmeyàng?

10. 今天 的 日程 安排 是:先 拜会 李 先生,
Jīntiān de rìchéng ānpái shì: xiān bàihuì Lǐ xiānsheng,
然后 参观 他们 的 公司。
ránhòu cānguān tāmen de gōngsī.

11. 五 点 以后,我 才能 下班。
Wǔ diǎn yǐhòu wǒ cáinéng xiàbān.

12. 今天 没 (有) 时间 了,我们 以后,再 谈 吧。
Jīntiān méi (yǒu) shíjiān le, wǒmen yǐhòu zài tán ba.

13. 昨天 他们 游览 了 西湖。
Zuótiān tāmen yóulǎn le Xīhú.

14. 他 很 喜欢 做 旅游 工作。
Tā hěn xǐhuan zuò lǚyóu gōngzuò.

15. 他 这 次 来 中国 旅行, 主要 是 参加
Tā zhè cì lái Zhōngguó lǚxíng, zhǔyào shì cānjiā
展览会。
zhǎnlǎnhuì.

三、做下列替换练习(Do the following substitution drills):

1. 我 听 说　你 要 去 英国 学 英语　。
　 Wǒ tīng shuō　nǐ yào qù Yīngguó xué Yīngyǔ

　　　　　　　办 手续 很 麻烦
　　　　　　　bàn shǒuxù hěn máfan

　　　　　　　中国 菜 很 好吃
　　　　　　　Zhōngguó cài hěn hǎochī

　　　　　　　那儿 的 风景 不 错
　　　　　　　nàr de fēngjǐng bú cuò

2. 培训　内容　是 ┌─────────────────────┐
   Péixùn nèiróng shì │ 提高　外语　　水平 │
                        │ tígāo wàiyǔ shuǐpíng │
                        │ 计算机　操作 │
                        │ jìsuànjī cāozuò │
                        │ 饭店　　管理 │
                        │ fàndiàn guǎnlǐ │
                        │ 汽车　修理 │
                        │ qìchē xiūlǐ │
                        └─────────────────────┘

3. 很多　人　参加　了　比赛，我　也　是　其中　之一。
   Hěnduō rén cānjiā le bǐsài, wǒ yě shì qízhōng zhīyī.

来　中国　　学　中医，	玛丽的　姐姐
lái Zhōngguó xué Zhōngyī,	Mǎlì de jiějie
都　喜欢　旅游，	奈尔斯的　爸爸
dōu xǐhuan lǚyóu,	Nàiěrsī de bàba
愿意　听　音乐会，	老李的　哥哥
yuànyì tīng yīnyuèhuì,	Lǎo lǐ de gēge
爱好　游泳　　运动，	小　张　的弟弟
àihào yóuyǒng yùndòng,	Xiǎo Zhāng de dìdi

四、填上适当的词语(Fill in the blanks with the appropriate words and phrases)：

北京　有 _____ 语言　学校，_____ 北京　语言
Běijīng yǒu _____ yǔyán xuéxiào, _____ Běijīng Yǔyán

学院、北京　大学　等。北京　外交　人员　语言
Xuéyuàn, Běijīng Dàxué děng. Běijīng Wàijiāo Rényuán Yǔyán

文化　中心　也　是 _____ 之一。这些　　学校　可以
Wénhuà Zhōngxīn yě shì _____ zhīyī. Zhèxiē xuéxiào kěyǐ

_____ 长期 _____ 短期　的　汉语　培训，_____ 不同
_____ chángqī _____ duǎnqī de Hànyǔ péixùn, _____ bùtóng

水平，不同　学习　要求　的。学生　服务。
shuǐpíng, bùtóng xuéxí yāoqiú de. xuéshēng fúwù.

五、读下句子(Read the following sentences)：

1. 委托、承诺(entrustment and promise)

A：你 帮助 我 托运 几 件 行李 怎么样？

Nǐ bāngzhù wǒ tuōyùn jǐ jiàn xíngli zěnmeyàng?

B：没 问题.

Méi wèntí.

A：这儿 还 有 封 信， 请 你 带给 王

Zhèr hái yǒu fēng xìn, qǐng nǐ dàigěi Wáng

先生.

xiānsheng.

B：好 吧，一 回 上海 我 就 交 给 他。

Hǎo ba, yì huí Shànghǎi wǒ jiù jiāo gěi tā.

2. 怀疑、相信 (doubt and belief)

A：这 件 事 他 能 办 好 吧？

Zhè jiàn shì tā néng bàn hǎo ba?

B：我 相信 能 办 好， 因为 他 办事 很

Wǒ xiāngxìn néng bàn hǎo, yīnwèi tā bànshì hěn

认真. (earnest)

rènzhēn.

A：那 为什么 到 现在 我们 还 没 接到 信儿

Nà wèishénme dào xiànzài wǒmen hái méi jiēdào xìnr

呢? 是 不 是 他 忘 了?

ne? shì bu shì tā wàng le?

B：不 会 的。

Bú huì de.

第三十九课　Lesson 39
Dì-sānshíjiǔ kè

再　买　一些　工艺品　　Buying Arts
Zài mǎi yìxiē gōngyìpǐn　　and Crafts

课　文　　Text
Kèwén

（一）

米勒　先生：　张　　先生，　有　件　事　想　　问问
Mǐlè xiānsheng：Zhāng xiānsheng, yǒu jiàn shì xiǎng wènwen
　　　　　　　　你。
　　　　　　　　nǐ.

张　　先生：　什么　事？
Zhāng xiānsheng：Shénme shì?

米勒：　我　的　一　位　老　　朋友　特别　喜欢
Mǐlè：Wǒ de yí wèi lǎo péngyou tèbié xǐhuan
中国　　工艺品，　他　又　来　信　打听[1]
Zhōngguó gōngyìpǐn, tā yòu lái xìn dǎting
在　哪儿　能　买到　　中国　　画　和　陶
zài nǎr néng mǎidào Zhōngguó huàr hé táo
茶壶。
cháhú.

张：　　中国　　画　好　买。陶　茶壶　嘛，我
Zhāng：Zhōngguó huàr hǎo mǎi. táo cháhú ma, wǒ
真　不　知道　哪儿　有　卖　的。　正巧，
zhēn bù zhīdào nǎr yǒu mài de. Zhèngqiǎo,

明天　我　要　陪　布朗　　先生　　去
míngtiān wǒ yào péi Bùlǎng xiānsheng qù

商店，　　顺便　给　你　问问。
shāngdiàn, shùnbiàn gěi nǐ wènwen.

米勒：多　谢　了.
Mǐlè：Duō xiè le.

（二）

张　　先生：　布朗　　先生，　你　看，这儿　有　你　要
Zhāng xiānsheng：Bùlǎng xiānsheng, nǐ kàn, zhèr yǒu nǐ yào

买　的　　玉手镯。
mǎi de yùshǒuzhuó.

布朗　　先生：太　好　了，我　一直　想　给　我　的　女儿
Bùlǎng xiānsheng：Tài hǎo le, wǒ yìzhí xiǎng gěi wǒ de nǚér

买　一　对，可是　没有　　碰上　　好　的。
mǎi yí duì, kěshì méiyǒu pèngshang hǎo de.

售货员　　小姐，我　想　　看看　那　对
Shòuhuòyuán xiǎojie, wǒ xiǎng kànkan nà duì

白色　　手镯。
báisè shǒuzhuó.

售货员：　好。
Shòuhuòyuán：Hǎo.

布朗：　质量　不错。　多少　钱？
Bùlǎng：Zhìliàng búcuò. Duōshao qián？

售货员：　两　千　二　百　元。
Shòuhuòyuán：Liǎng qiān èr bǎi yuán.

布朗：　好　吧，就　要　这　一　对。小姐，　项链
Bùlǎng：Hǎo ba, jiù yào zhèi yí duì. Xiǎojie, xiàngliàn

和　戒指　在　哪儿　卖？
hé jièzhi zài nǎr mài？

售货员： 在 那边 柜台。
Shòuhuòyuán：Zài nàbian guìtái.

张： 同志， 请 问， 这里 卖 陶茶壶 吗？
Zhāng：Tóngzhì, qǐng wèn, zhèli mài táocháhú ma?

售货员： 卖。 不过 最近 没货。 您 可以 过 几天
Shòuhuòyuán：Mài. Búguo zuìjìn méi huò Nín kěyǐ guò jǐtiān

再 来 看看。 也 可以 留下 姓名 和
zài lái kànkan. Yě kěyǐ liúxià xìngmíng hé

电话 号码， 一来 货， 我们 就 通知
diànhuà hàomǎ. yì lái huò, wǒmen jiù tōngzhī

您。
nín.

张： 太 好 了。 我 能 用 一下儿 您 的 笔
Zhāng：Tài hǎo le. Wǒ néng yòng yíxiàr nín de bǐ

吗？
ma?

售货员： 给 您。 这儿 有 纸。
Shòuhuòyuán：Gěi nín. Zhèr yǒu zhǐ.

词语　　New Words and Phrases
Cíyǔ

1. 打听　（v.）　dǎtīng　to ask about, to inquire
about
2. 陶茶壶（n.）　táo cháhú　pottery teapot
3. 嘛　（aux.）　ma　(used to indicate a pause)
4. 玉　（n.）　yù　jade
5. 手镯　（n.）　shǒuzhuó　bracelet
6. 一直　（adv.）　yìzhí　always, all along
7. 女儿　（n.）　nǚér　daughter

8. 对	(m.)	duì	a pair of
9. 碰上	(v.)	pèngshang	to meet, to run into
10. 白色		báisè	white
11. 质量	(n.)	zhìliàng	quality
12. 项链	(n.)	xiàngliàn	necklace
13. 戒指	(n.)	jièzhi	(finger) ring
14. 那边		nàbiān	over there
15. 柜台	(n.)	guìtái	counter
16. 货	(n.)	huò	goods
17. 留下		liúxià	to leave (a message, etc.)
18. 通知	(v.; n.)	tōngzhī	to notify; notice
19. 笔	(n.)	bǐ	pen

(三)

中国　工艺品　世界　闻名，　玉器、瓷器、　手工
Zhōngguó gōngyìpǐn shìjiè wénmíng, yùqì、 cíqì、 shǒugōng
地毯、…… 品种　多　样，　质量　也　不　错，所以　很
dìtǎn、…… pǐnzhǒng duō yàng, zhìliàng yě bú cuò, suǒyǐ hěn
多　外国　朋友　都　非常　喜欢。米勒　先生　就
duō wàiguó péngyou dōu fēicháng xǐhuan. Mǐlè xiānsheng jiù
买过　不　少　中国　工艺品。这　次他　想　利用　来
mǎiguo bù shǎo Zhōngguó gōngyìpǐn. Zhè cì tā xiǎng lìyòng lái
中国　出差　的机会再　买一　些[1]。
Zhōngguó chūchāi de jīhuì zài mǎi yì xiē.

1. 闻名　（adj.）　wénmíng　well-known
2. 手工　（adj.）　shǒugōng　handmade
3. 地毯　（n.）　dìtǎn　carpet
4. 品种　（n.）　pǐnzhǒng　kinds, types, variety, assortment
5. 利用　（v.）　lìyòng　to make use of
6. 出差　（v.）　chūchāi　to be on a business trip

补充词语　　Supplementary Words
　Bǔchōng Cíyǔ　　and Phrases

1. 首饰　　（n.）　shǒushì　　ornaments
2. 象牙雕刻　　　xiàngyá diāokè　ivory carving
3. 纪念品　　　jìniàn pǐn　　souvenir
4. 钢笔　　（n.）　gāngbǐ　　pen
5. 铅笔　　（n.）　qiānbǐ　　pencil

注　解　　Notes
　Zhùjiě

（1）　"他又来信打听……（Tā yòu lái xìn dǎtīng…）"
　　　"再买一些（zài mǎi yì xiē）"
　　　副词"又"和"再"都可以表示动作或情况的重复，"又"一般用
　　　于动作或情况已经重复，"再"用于动作或情况将要重复。
　　　The adverbs "又（yòu）" and "再（zài）" both indicate the repeti-
　　　tion of an action. "又（yòu）" is used to refer to a past action,

while "再(zài)" is used to refer to the future.

他 昨天 去 商店 了，今天 又 去 了。
Tā zuótiān qù shāngdiàn le, jīntiān yòu qù le.

他 昨天 去 商店 了，今天 他 想 再 去
Tā zuótiān qù shāngdiàn le, jīntiān tā xiǎng zài qù.

有时候，"又"还可以表示在某个范围之外，有所补充。

The adverb "又(yòu)" sometimes means "in addition to".

For example：

游览 了 长城 以后，又 参观 了 故宫。
Yóulǎn le chángchéng yǐhòu, yòu cānguān le Gùgōng.

我 今天 工作 很 忙， 又 来了 客人，不 能 去
Wǒ jīntiān gōngzuò hěn máng, yòu láile kèrén, bù néng qù

听 音乐会 了。
tīng yīnyuèhuì le.

"又……又……"用来联系并列的动词或动词结构，以及形容词结构，强调两种情况或两种特性同时存在。

"又(yòu)……又(yòu)……" can be used to link verbs, verbal constructions, adjectives or adjectival constructions. This pattern indicates the coexistence of two actions or characteristics.

For example：

她 又 跳舞 又 唱歌。
Tā yòu tiàowǔ yòu chànggē.

这 个 人 又 会 英语 又 会 法语。
Zhè ge rén yòu huì Yīngyǔ yòu huì Fǎyǔ.

新 买 的 衣服 又 好 又 便宜。
Xīn mǎi de yīfu yòu hǎo yòu piányi.

一、用下列词语造句(Make sentences using the following words)：

1. 打听　　2. 碰上　　3. 一直
   dǎting　　　pèngshang　　　yìzhí

4. 出差　　5. 留下　　6. 通知
   chūchāi　　liúxià　　　tōngzhī

7. 用　　　8. 利用
   yòng　　　lìyòng

二、做下列替换练习(Do the following substitution drills)：

1. 我　真　不　知道
   Wǒ zhēn bù zhīdào

   | 他 的 名字 |
   | tā de míngzi |

   布朗　　先生　是不是　能　来
   Bùlǎng xiānsheng shì bú shì néng lái

   玛丽　是　哪　国　人
   Mǎlì shì nǎ guó rén

   展览会　　什么　时候　开始
   zhǎnlǎnhuì shénme shíhou kāishǐ

2. 您　要是　没　时间
   Nín yàoshì méi shíjiān

   可以　提前　打个　电话
   kěyǐ tíqián dǎ ge diànhuà

   下　个　月　再　办　手续
   xià ge yuè zài bàn shǒuxù

   就　别　去　参加　招待会
   jiù bié qù cānjiā zhāodàihuì

3. 他　想　利用　来　中国　出差　的　机会　再　买　一
   Tā xiǎng lìyòng lái Zhōngguó chūchāi de jīhuì zài mǎi yì
   些　工艺品。
   xiē gōngyìpǐn.

旅游， lǚyóu,	画儿 huàr
工作， gōngzuò,	瓷器 cíqì
短期　访问， duǎnqī fǎngwèn,	丝绸 sīchóu

4. 昨天　我　在　大使馆　门　前　碰上　张
Zuótiān wǒ zài dàshǐguǎn mén qián pèngshang Zhāng

先生。
xiānsheng.

布朗　夫人 Bùlǎng fūren
从　日本　来　的　一位　朋友 cóng Rìběn lái de yí wèi péngyou
经贸部　的　李　主任 Jīngmàobù de Lǐ zhǔrèn

三、完成下列句子(Complete the following sentences)：

1. 下　星期，我　打算　……因为……
Xià xīngqī wǒ dǎsuàn ……yīnwèi……

2. 今天　是　圣诞节，　人们　正　忙着
Jīntiān shì Shèngdànjié, rénmen zhèng mángzhe
……我也……
……wǒyě……

3. 我　每天　除了　听听　广播，　看看　电视，还
Wǒ měitiān chúle tīngting guǎngbō, kànkan diànshì; hái
要……
yào……

4. 两　年　前　我　学过　　中文，　　可是……
Liǎng nián qián wǒ xuéguo Zhōngwén, kěshì……

四、读下列句子(Read the following sentences)：

1. 打算、计划 (planning and intention)
　　1) 他　正在　写一个　培训　计划 (plan)。
　　　Tā zhèngzài xiě yí ge péixùn jìhuà.
　　2) 我　想　买一个　电视。
　　　Wǒ xiǎng mǎi yí ge diànshì.
　　3) 假期　你　打算　做　什么？
　　　Jiàqī nǐ dǎsuàn zuò shénme?
　　4) 下　星期　我　要　去　办　保险。
　　　Xià xīngqī wǒ yào qù bàn bǎoxiǎn.

2. 希望、建议 (hope and suggestion)
　　1) 希望　两国　关系　继续　发展。
　　　Xīwàng liǎngguó guānxi jìxù fāzhǎn.
　　2) 希望　您　有　机会　再来　中国
　　　Xīwàng nín yǒu jīhuì zàilái Zhōngguó
　　3) 我　想　给　你们　提(出)一些　建议。
　　　Wǒ xiǎng gěi nǐmen tí(chū) yìxiē jiànyì.
　　4) 我　建议　双　方　尽快　洽谈。
　　　Wǒ jiànyì shuāng fāng jǐnkuài qiàtán.
　　5) 你　最好　吃完　饭　再　去。
　　　Nǐ zuìhǎo chīwán fàn zài qù.

五、用"再"、"先…再…"、"又"、"又…又…"填空(Fill in the blanks with the appropriate words)：

　"zài", "xiān...zài", "yòu", "yòu...yòu"

1. 昨天　刮风，　今天 _____ 刮风。
　Zuótiān guāfēng, jīntiān_____ guāfēng.
2. 他　想 _____ 去　广州，_____ 去　香港。
　Tā xiǎng_____ qù Guǎngzhōu, _____ qù Xiānggǎng.
3. 这　个　房间 _____ 大，_____ 漂亮。
　Zhè ge fángjiān_____ dà, _____ piàoliang.

4. 时间 真 快，_____ 到了 星期日。
   Shíjiān zhēn kuài _____ dàole xīngqīrì.

5. 没 人 接 电话，过 一会儿 _____ 打。
   Méi rén jiē diànhuà, guò yíhuìr _____ dǎ.

第四十课　　Lesson 40
Dì-sìshí kè

祝　你　一路平安！　　Have a Good Trip!
Zhù nǐ yílùpíng'ān!

课文　　Text
Kèwén

（一）

奈尔斯　先生：　行李　收拾　得　怎么样　了？
Nàiěrsī xiānsheng: Xíngli shōushi de zěnmeyàng le?

米勒　先生：　差不多　了。
Mǐlè xiānsheng: Chàbùduō le.

奈尔斯：这儿　还有　几　张　　照片，　是　不　是
Nàiěrsī: Zhèr háiyǒu jǐ zhāng zhàopiàn, shì bú shì
　　　　要　带着？
　　　　yào dàizhe?

米勒：我　看看。　多亏　你　提醒，　这些
Mǐlè: Wǒ kànkan. Duōkuī nǐ tíxǐng, zhèxiē
　　　照片　是　我　在　中国　的　纪念。
　　　zhàopiàn shì wǒ zài Zhōngguó de jìniàn.

奈尔斯：这　张　真　漂亮，　在哪儿　照的？
Nàiěrsī: Zhè zhāng zhēn piàoliang, zài nǎnr zhào de?

米勒：黄山。　前年　照的。
Mǐlè: Huángshān. Qiánnián zhàode.

奈尔斯：这　几　个　人　是　谁？
Nàiěrsī: Zhè jǐ ge rén shì shéi?

米勒： 他们　是　我　的　　中国　　朋友，　　我们
Mǐlè： Tāmen shì wǒ de Zhōngguó péngyou, wǒmen

经常　　打　交道。　昨天　　他们　还　为
jīngcháng dǎ jiāodào. Zuótiān tāmen hái wèi

我　开了　一　个　送别　　晚会。　　对了，
wǒ kāile yí ge sòngbié wǎnhuì. Duìle,

昨天　李　先生　　没　去，我　打　电话
zuótiān Lǐ xiānsheng méi qù, wǒ dǎ diànhuà

跟　他　告别　一下儿。
gēn tā gàobié yíxiàr.

(二)

米勒　　先生： 喂，李同　　先生　　吗？
Mǐlè xiānsheng： Wèi, LǐTóng xiānsheng ma?

李　先生： 我　是。你　是……？
Lǐ xiānsheng： Wǒ shì. Nǐ shì……?

米勒： 我　是　米勒
Mǐlè： Wǒ shì Mǐlè.

李： 噢，你　好，米勒　　先生。　我　正　　想
Lǐ： O, nǐ hǎo! Mǐlè xiānsheng. Wǒ zhèng xiǎng

给　你　打　电话　呢。很　抱歉，　昨天
gěi nǐ dǎ diànhuà ne. Hěn bàoqiàn, zuótiān

有　急　事　没　去　参加　　晚会。
yǒu jí shì méi qù cānjiā wǎnhuì.

米勒： 没事儿。我　明天　　上午　　就　走　了，
Mǐlè： Méishìr. Wǒ míngtiān shàngwǔ jiù zǒu le,

特意　向　你　告别。
tèyì xiàng nǐ gàobié.

李： 谢谢。　明天　　几点　的　飞机？
Lǐ： Xièxie. Míngtiān jǐdiǎn de fēijī?

米勒：八　点　半　的。
Mǐlè：Bā diǎn bàn de.

李：好，　明天　我　一定　去　机场　送　你。
Lǐ：Hǎo, míngtiān wǒ yídìng qù jīchǎng sòng nǐ.

我　还有　一　个　小　礼物　给　你。
wǒ háiyǒu yí ge xiǎo lǐwù gěi nǐ.

米勒：那　太　感谢　了。
Mǐlè：Nà tài gǎnxiè le.

李：明天　上午　七　点　四十　我　在　候机楼
Lǐ：Míngtiān shàngwǔ qī diǎn sìshí wǒ zài hòujīlóu

大厅　等你。
dàtīng děngnǐ.

米勒：好吧。　明天　见。
Mǐlè：Hǎoba. Míngtiān jiàn.

李：明天　见。
Lǐ：Míngtiān jiàn.

词　语　New Words and Phrases
Cíyǔ

1. 一路平安		yílù píng'ān	have a good trip, bon voyage
平安	(adj.)	píng'ān	safe
2. 提醒	(v.)	tíxǐng	to remind
3. 黄山	(n.)	Huángshān	Huangshan (a mountain in Anhui Province)
4. 前年	(n.)	qiánnián	the year before last year
5. 打交道		dǎ jiāodào	to come into contact with
6. 开	(v.)	kāi	to hold (a meeting, a party)

7. 李同　　　(n.)　　Lǐ Tóng　　　name of a person
8. 抱歉　　　(v.)　　bàoqiàn　　　to be sorry
9. 急事　　　　　　　jíshì　　　　emergency, urgency
10. 特意　　　(adv.)　tèyì　　　　especially
11. 侯机楼　　(n.)　　hòujīlóu　　waiting lounge (at an airport)

（三）

　　"让　你　久　等　了，李　　先生。"　米勒　　先生　对
　　"Ràng nǐ jiǔ děng le, Lǐ xiānsheng." Mǐlè xiānsheng duì
李同　　说。　李同　　摆摆　手　说:"　没事儿。"　随后　他
Lǐ Tóng shuō. Lǐ Tóng bǎibai shǒu shuō:" Méishìr." Suíhòu tā
从　皮包　里　拿出　一个　小　盒子，里边　　放着　一个
cóng píbāo lǐ náchū yíge xiǎo hézi, lǐbiān fàngzhe yíge
瓷盘儿，　　上面　　画着　一个　地球　和　两　只　握着　的
cípánr, shàngmiàn huàzhe yíge dìqiú hé liǎng zhī wòzhe de
手。米勒　　先生　接过　这　件　礼物，非常　　高兴，他
shǒu. Mǐlè xiānsheng jiēguò zhè jiàn lǐwù fēicháng gāoxìng tā
告诉　李　先生，　一定　把　中国　　人民　的　友谊　带
gàosu Lǐ xiānsheng, yídìng bǎ Zhōngguó rénmín de yǒuyì dài
回去，　李同　　笑着　说:"希望　你　有　机会　再　来
huíqu, Lǐ Tóng xiàozhe shuō:"Xīwàng nǐ yǒu jīhuì zài lái
中国。　飞机　要　起飞　了，我们　得　分手　了，请　代
Zhōngguó. Fēijī yào qǐfēi le, wǒmen děi fēnshǒu le, qǐng dài
我　问　你　夫人　好，祝　你　一路平安。"　米勒　　先生
wǒ wèn nǐ fūren hǎo, zhù nǐ yílùpíng'ān." Mǐlè xiānsheng
握着　李同　的　手　说:"　谢谢，我　想　我们　还　会
wòzhe Lǐ Tóng de shǒu shuō:"xièxie, wǒ xiǎng wǒmen hái huì
再　见面　的。再见　了。"
zài jiànmiàn de. zàijiàn le."

· 376 ·

词 语   New Words and Phrases
Cíyǔ

1. 摆	(v.)	bǎi	to sway, to wave
2. 皮包	(n.)	píbāo	bag, briefcase
3. 拿	(v.)	ná	to take
4. 盒子	(n.)	hézi	box
5. 瓷盘	(n.)	cípán	porcelain plate
6. 上面		shàngmiàn	on the surface of, on top of
7. 地球	(n.)	dìqiú	globe
8. 接过	(v.)	jiēguò	to receive, to take hold of
9. 人民	(n.)	rénmín	people
10. 分手		fēnshǒu	to say good-bye, to depart

补充词语   Supplementary Words
Bǔchōng Cíyǔ   and Phrases

1. 离开	(v.)	líkāi	to leave
2. 结束	(v.)	jiéshù	to end
3. 送行		sòngxíng	to see someone off
4. 临行前		línxíngqián	before departure
5. 钥匙	(n.)	yàoshi	key

练 习　　Exercises
Liànxí

一、读下列词语（Read the following words and phrases）：

收拾　行李　　　收拾　房间　　　收拾　旧　报纸
shōushi xíngli　　shōushi fángjiān　shōushi jiù bàozhǐ

带着　护照　　　带着　笔　　　　带着　他们　　参观
dàizhe hùzhào　　dàizhe bǐ　　　dàizhe tāmen cānguān

随后　　　　　　然后　　　　　　以后
suíhòu　　　　　　ránhòu　　　　　yǐhòu

开　晚会　　　　开　药（方）　　开　演
kāi wǎnhuì　　　kāi yào(fāng)　　kāi yǎn

开门　　　　　　开车　　　　　　开灯
kāimén　　　　　kāichē　　　　　kāidēng

打　电话　　打　蓝球　　打　交道　　打　人
dǎ diànhuà　dǎ lánqiú　dǎ jiāodào　dǎ rén

对不起　　　很　抱歉　没　事儿　　没　关系
duìbuqǐ　　　hěn bàoqiànméi shìr　méi guānxi

告别　　　　送别　　　　分手　　　　再见
gàobié　　　　sòngbié　　　fēnshǒu　　zàijiàn

二、做下列替换练习（Do the following substitution drills）：

1.　多亏　你　提醒，我　差点儿　忘了　这　件　事。
　　Duōkuī nǐ tíxǐng, wǒ chàdiǎnr wàngle zhè jiàn shì.

帮助，	把飞机票丢了
bāngzhù,	bǎ fēijī piào diū le
来了，	被警察带走
láile,	bèi jǐngchá dài zǒu
告诉我地址，	找不到你的家
gàosu wǒ dìzhǐ,	zhǎo bú dào nǐ de jiā

2.　我　正　要　给　你　打　电话　呢。
　　Wǒ zhèng yào gěi nǐ dǎ diànhuà ne.

我 女儿， wǒ nǚ'ér.	写 信 xiě xìn
大使 和 参赞， dàshǐ hé cānzàn	送 报告 sòng bàogào
银行 和 公司， yínháng hé gōngsī，	寄 支票 jì zhīpiào
外交部， Wàijiāobù	送 请帖 sòng qǐngtiě

3. 我 明天 就 走 了，特意 向 你 告别。
   Wǒ míngtiān jiù zǒu le, tèyì xiàng nǐ gàobié.

明天 晚上 míngtiān wǎnshang	我们 的 邻居 wǒmen de línjū
过 几天， guò jǐtiān，	王 主任 和 刘 经理 Wáng zhǔrèn hé Liú jīnglǐ
下 星期五 xià xīngqīwǔ	和 我们 合作 过 的 朋友 hé wǒmen hézuò guò de péngyou

三、从 B 中选择一个合适的答案（Choose an apropriate response from B for each of the following sentences）：

1. A：行李 收拾 好 了 吗？
   　　Xíngli shōushi hǎo le ma?

　 B：1) 不 错。
　　　 Bú cuò.

　　 2) 不 太 好。
　　　 Bú tài hǎo.

　　 3) 差不多 收拾 好 了.
　　　 Chàbuduō shōushi hǎo le.

2. A：很 抱歉， 昨天 有 急 事 没 去 参加
　　 Hěn bàoqiàn, zuótiān yǒu jí shì méi qù cānjiā
　　 晚会。
　　 wǎnhuì.

B：1）不 客气。
　　Bù kèqi.

2）没 什么。
　　Méi shénme.

3）没 问题。
　　Méi wèntí.

3. A： 明天 我 一定 去 机场 送 你。
　　　Míngtiān wǒ yídìng qù jīchǎng sòng nǐ.

B：1）别 麻烦 了。
　　　Bié máfan le.

2）够 忙 的。
　　Gòu máng de.

3）感谢 你来 机场 送 我， 明天 再见。
　　Gǎnxiè nǐ lái jīchǎng sòng wǒ, míngtiān zàijiàn.

四、读下面短文,然后谈谈你学汉语的体会(Read the following text and discuss your experience in studying Chinese)：

当 我 要 告别 中国 的 时候， 我 要 说：
Dāng wǒ yào gàobié Zhōngguó de shíhou, wǒ yào shuō:

"再见!" 当 学完 这 本 书 的 时候， 我 却不
"Zàijiàn!" Dāng xuéwán zhè běn shū de shíhou, wǒ què bú

愿 说："GOOD-BYE!" 因为 我 和 这 本 书 已经
yuàn shuō: "Goodbye!" Yīnwèi wǒ hé zhè běn shū yǐjing

成为 好 朋友， 我 对 汉语 也 有 了 更 多 的
chéngwéi hǎo péngyou, wǒ duì Hànyǔ yě yǒule gèng duō de

了解。 我 不 会 忘记 这 位 朋友， 还要 继续
liǎojiě. Wǒ bú huì wàngjì zhè wèi péngyou, háiyào jìxù

学习 汉语。
xuéxí Hànyǔ.

新 天地
Xīn tiāndì
New Fields

一、用汉语解释下列词语 (Explain the following in Chinese)：

打听， 本国， 不得不， 动身， 聊天，·
dǎting, běnguó, bùdébù, dòngshēn, liáotiān

吃得 完， 急急忙忙 外地， 遇到， 售票 处
chīde wán, jíjí—mángmáng, wàidì, yùdào, shòupiào chù

二、选词填空 (Choose the best words or phrases to fill in the blanks)：

1. 布朗 去年 来过 北京， 上 个 月 ＿＿＿＿ 来
   Bùlǎng qùnián láiguo Běijīng, shàng ge yuè ＿＿＿＿ lái
   了。
   le.
   a. 又 b. 再 c. 还
   　yòu　　zài　　hái

2. 京剧 马上 ＿＿＿＿ 开 演。
   Jīngjù mǎshàng ＿＿＿＿ kāi yǎn.
   a. 才 b. 就 c. 快
   　cái　 jiù　 kuài

3. 史密斯 和 他 的 夫人 ＿＿＿＿ 来过 上海。
   Shǐmìsī hé tā de fūrén ＿＿＿＿ láiguo Shànghǎi.
   a. 以后 b. 以前 c. 后天
   　yǐhòu　 yǐqián　 hòutiān

4. 我 在 楼上 看见 他 从 办公室 里 _____
   Wǒ zài lóushang kànjiàn tā cóng bàngōngshì li _____
   了。
   le.

   a. 出来 b. 出去 c. 过来
   chūlai   chūqu   guòlai

5. 下 个 月 我 要 陪 我 的 父母 _____ 长城。
   Xià ge yuè wǒ yào péi wǒ de fùmǔ _____ Chángchéng.

   a. 旅游 b. 旅行 c. 游览
   lǚyóu   lǚxíng   yóulǎn

6. 小 李 对 足球 非常 _____。
   Xiǎo Lǐ duì zúqiú fēicháng _____.

   a. 感 兴趣 b. 有趣 c. 有 意思
   gǎn xìngqu   yǒuqù   yǒu yìsi

7. 那 个 孩子 已经 _____ 我 的 书 找到 了。
   Nà ge háizi yǐjing _____ wǒ de shū zhǎodào le.

   a. 被 b. 把 c. 给
   bèi   bǎ   gěi

8. 如果 _____ 我 就 先 走 了。
   Rúguǒ _____ wǒ jiù xiān zǒu le.

   a. 没 意思 b. 没 什么 事 c. 没 关系
   méi yìsi   méi shénme shì   méi guānxi

9. 老 王 不在，请 你 留 个 _____
   Lǎo Wáng bú zài, qǐng nǐ liú ge _____

   a. 信 b. 信儿 c. 回答
   xìn   xìnr   huídá

二、改错 （Correct following sentences）：

1. 他 从 山下 走 下去 了。
   Tā cóng shānxià zǒu xiàqù le.

2. 布朗　出来 了 从　办公室。
   Bùlǎng chūlai le cóng bàngōngshì.

3. 我　写得 不　好　汉字。
   Wǒ xiěde bù hǎo Hànzi.

4. 你 一 到 那儿 就 写 信 给 我。
   Nǐ yí dào nàr jiù xiě xìn gěi wǒ.

5. 北京 大 比　广州。
   Běijīng dà bǐ Guǎngzhōu.

四、翻译 (Translate the following sentences into Chinese)：

1. I am going to see you off tomorrow.

2. Last weekend，I didn't go anywhere，but stayed at home.

3. All of us except Me. Smith attended the reception.

4. I am leaving China next month. Would you like to come to our farewell party on Saturday evening?

5. It is not as easy to study taijiquanas it is to study Chinese.

五、读短文 (Read the following story)：

这本书学完了，不容易。书不薄，词语不少，汉字也很难。但是现在我非常高兴，我已经走进了汉语的大门。从学说"你好"开始，到能用汉语讲笑话,多大的进步呀! 你一定也为我高兴吧。

Zhè běn shū xuéwán le, bù róngyi. Shū bù báo, cíyǔ bùshǎo,
Hànzì yě hěn nán. Dànshì xiànzài wǒ fēicháng gāoxìng, wǒ yǐjīng
zǒujìn le Hànyǔ de dàmén. Cóng xué shuō "Nǐ hǎo" kāishǐ, dào
néng yòng Hànyǔ jiǎng xiàohua, duō dà de jìnbù ya! Nǐ yídìng yě
wèi wǒ gāoxìng ba.

语 法 小 结 （二）
A Brief Summary of Chinese Grammar（2）

一、动作的状态（Aspects of an Action）

   1. 动作的进行（Progressive Action）

     1）基本格式（basic pattern）

      S＋正（zhèng），在（zài）or 正在（zhèngzài）＋PV＋(O)
＋呢（ne）

      他　正　打　电话　呢。
      Tā zhèng dǎ diànhuà ne.

     2）否定形式（negative form）

      S＋没（mei）在＋PV＋(O)

      小　王　没　在　看　书。
      Xiǎo Wáng méi zài kàn shū.

   2. 动作的持续（Continuous Action）

     1）基本格式（basic pattern）

      S＋PV＋着（zhe）＋(O)

      门　开着。
      Mén kāizhe.

     2）疑问句的形式及回答（question and answer）

      S＋PV＋着（zhe）＋没有（méiyǒu）

      门　开着　没有？
      Mén kāizhe méiyǒu?

      S＋PV＋着（zhe）＋没（méi）＋PV＋着（zhe）

      门　开着　没　开着？
      Mén kāizhe méi kāizhe?

      S＋PV＋着（zhe）＋呢（ne）

门　开着　呢。

Mén kāizhe ne.

S＋没(méi)＋PV＋着(zhe)

门　没　开着。

Mén méi kāizhe.

3. 动作的完成 (Completed Action)

　　1) 基本格式 (basic pattern)

　　　　S＋PV＋了(le)＋(O)

　　　　他　看完了　这　本　书。

　　　　Tā kànwánle zhè běn shū.

　　2) 否定形式 (negative form)

　　　　S＋没(méi)＋PV＋(O)

　　　　他　没　看完　这　本　书。

　　　　Tā méi kànwán zhè běn shū.

　　3) 疑问句形式及回答 (question and answer)

　　　　疑问 (question)

　　　　S＋PV＋了(le) (O)＋没有(méiyǒu)

　　　　他　看了　这　本　书　没有?

　　　　Tā kànle zhè běn shū méiyou?

　　　　S＋PV＋没(méi)＋PV 完(wán)＋(O)

　　　　他　看　没　看完　这　本　书?

　　　　Tā kàn méi kànwán zhè běn shū?

　　　　回答 (answer)

　　　　S＋PV＋了(le)＋(O)

　　　　他　看了　这　本　书。

　　　　Tā kànle zhè běn shū.

　　　　S＋没(méi)＋PV＋完(wán)＋(O)

　　　　他　没　看完　这　本　书。

　　　　Tā méi kànwán zhè běn shū.

4. 动作将要发生（Future Action）

   1）基本格式（basic pattern）

      S＋adv. adjunct 要（yào）＋PV＋（O）＋了（le）

      飞机 要 起飞 了。

      Fēijī yào qǐfēi le.

   2）否定形式（negative form）

      S＋还没（hái méi）＋PV＋（O）＋呢（ne）

      飞机 还 没 起飞 呢。

      Fēijī hái méi qǐfēi ne.

5. 动作的过去经历（Experienced Action）

   1）基本格式（basic pattern）

      S＋PV＋过（guo）＋（O）

      我 来过 中国。

      Wǒ láiguo Zhōngguó.

   2）否定形式（negative form）

      S＋没（méi）＋PV＋过（guo）＋（O）

      我 没 来过 中国。

      Wǒ méi láiguo Zhōngguó.

   3）疑问句形式及回答（question and answer）

      疑问（question）

      S＋PV＋过（guo）＋（o）＋没有（méiyǒu）

      你 来过 中国 没有？

      Nǐ láiguo Zhōngguó méiyǒu?

      S＋PV＋过（guo）没（méi）＋PV＋过（guo）＋（O）

      你 来过 没 来过 中国？

      Nǐ láiguo méi láiguo Zhōngguó?

      回答（answer）

      S＋PV＋过（guo）＋（O）

我　来过　　中国。

Wǒ láiguo Zhōngguó.

S＋没有（méiyǒu）＋PV＋过（guo）＋(O)

我　没有　来过　　中国。

Wǒ méiyǒu láiguo Zhōngguó.

二、补语的种类（Complements)

1. 结果补语（Complement of Result）
   1) 他　写完了　信。
      Tā xiě wánle xìn.
   2) 我　没　听　清楚　你　的　电话　号码。
      Wǒ méi tīng qīngchu nǐ de diànhuà hàomǎ.
   3) 请　他　把　书　放到　桌子　上。
      Qǐng tā bǎ shū fàng dào zhuōzi shàng.

2. 程度补语（Complement of Degree）
   1) 他　睡得　早，起得　不　早.
      Tā shuìde zǎo, qǐde bù zǎo.
   2) 他　在　中国　　工作　得　怎么样？
      Tā zài Zhōngguó gōngzuò de zěnmeyàng?
   3) 小　王　　高兴　得　直　跳。
      Xiǎo Wáng gāoxìng de zhí tiào.

程度补语和谓语之间一定要加助词"得"。

"得(de)" must be used between the complement of degree and the predicate.

3. 数量补语（Complement of Quantity)
   1) 请　等　一会儿。
      Qǐng děng yíhuìr.
   2) 我　去过　一　次　长城。
      Wǒ qùguo yí cì Chángchéng.
   3) 他　学习　了　两　年　汉语。
      Tā xuéxí le liǎng nián Hànyǔ.

4. 趋向补语（Complement of Direction）
    1）他 从 广州 回来 了 吗？
      Tā cóng Guǎngzhōu huí lai le ma?
    2）汽车 开 出去 了。
      Qìchē kāi chū qu le.
    3）一 个 孩子 跑下 楼 来。
      Yí ge háizi pǎo xià lóu lai.
5. 可能补语（Complement of Potential）
可能补语的肯定形式一定要用助词"得"，否则就变成结果
补语或趋向补语，意思也发生变化了。

The particle "得(de)" must be used with the affirmative
form of the complement of potential. When "得(de)" is ab-
sent, the complement becomes one of result or direction and
has a different meaning.

For example：
    1）他 看得 懂 中文 报纸。
      Tā kànde dǒng Zhōngwén bàozhǐ.
    2）你 记得 住 我 的 地址 吗？
      Nǐ jìde zhù wǒ de dìzhǐ ma?
    3）飞机 票 买得 到 买 不 到？
      Fēijī piào mǎide dào mǎi bu dào?
    4）那 个 大厅 坐得 下 一 千 人。
      Nà ge dàtīng zuòde xià yì qiān rén.

三、表示比较的方法（Ways of Expressing Comparison）

1. 用"比"表示比较
Using "比(bǐ)" to express comparison.
    这 本 书 比 那 本 书 好。
    Zhè běn shū bǐ nà běn shū hǎo.
2. 用"跟"表示比较

Using "跟 (gēn)" to express comparison.

他 跟 我 一样 喜欢 喝 茶。

Tā gēn wǒ yíyàng xǐhuan hē chá.

这 件 衣服 跟 你 的 一样 不 一样?

Zhè jiàn yīfu gēn nǐ de yíyàng bù yíyàng?

3. 用"有"表示比较

Using "有 (yǒu)" to express comparison.

他 的 办公室 没有 我 的 大。

Tā de bàngōngshì méiyǒu wǒ de dà.

4. 用"象"表示比较

Using "象 (xiàng)" to express comparison.

她 象 她 妈妈 一样 漂亮。

Tā xiàng tā māma yíyàng piàoliang.

5. 用"越来越"表示比较

Using "越来越 (yuèlaiyuè)" to express comparison.

天气 越来越 冷。

Tiānqì yuèlaiyuè lěng.

公共　标志
Gōnggòng Biāozhì
Public Signs

Jīchǎng

Airport

Hòuchē shì

Waiting Room

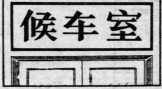

Chūzū qìchē zhàn

Taxi Stand

Tíngchē chǎng

Parking Lot

Jiāyóu zhàn

Filling Station

（Gas Station）

Gōngyòng diànhuà

Public Telephone

Rùkǒu

Entrance

Chūkǒu

Exit

Nán cèsuǒ

Men's Room

Nǚ cèsuǒ

Ladies' Room

Xǐshǒujiān

Toilet

Shòupiào chù

Ticket Office

Wènxùn chù

Information Desk

Jìcún chù

Checkroom

Shōukuǎn chù

Cashier

Dà jiǎnjia

Sale

Yíngyè shíjiān

Business Hours

Guàhào chù

Registration Office

Jízhěn shì

Emergency Room

Tàipíngmén

Emergency Exit

Chūrù qǐng xiàchē

Cyclists Please Dismount at the Gate

Qǐngwù tíngchē

No Parking

Qǐngwù xīyān

No Smoking

Qǐngwù rùnèi

Do Not Enter

Cǐ lù bù tōng

Not a Through Road

练习　参考　答案
Liànxí cānkǎo dá'àn
Key to the Exercises

第三课　　Lesson　3

三、

1. 1）3）　　　2. 1）2）

第五课　　Lesson　5

四、

1. 但是　　2. 也　　3. 也　　4. 但是
　 dànshì　　 yě　　　 yě　　　 dànshì

六、

1. wonderful　2. not at all　3. it's interesting　4. all right

第六课　　Lesson　6

五、

1. 什么　　2. 多少钱　　　3. 几　　4. 多少
　 shénme　 duōshǎoqián　　 jǐ　　 duōshǎo

第七课　　Lesson　7

五、

1. 坏　　2. 打　　3. 一下儿　　4. 在　　5. 会
　 huài　 dǎ　　 yíxiàr　　　 zài　　 huì

第八课　　Lesson　8

三、

1. 告诉　2. 介绍　　3. 见到　　4. 举行　　5. 最近
gàosu　　jièshào　　jiàndào　　jǔxíng　　zuìjìn

四、

1. Where are you going?
2. Are you busy these days?
3. Welcome, Mr. Green.
4. I can speak a little Chinese.
5. Mrs. Brown will visit Shanghai.

第九课　　Lesson　9

三、

四　点，六　点，八　点　十　分，九　点　二十（分），五　点
sì diǎn, liù diǎn, bā diǎn shí fēn, jiǔ diǎn èrshí (fēn), wǔ diǎn

四十五（分），三　点，十一　点，十二　点　半 or 十二　点
sìshiwǔ (fēn), sān diǎn, shíyī diǎn, shí'èr diǎn bàn　shí'èr diǎn

三十　（分）。
sānshi (fēn).

五、

1. 老　李　每天　几　点　　上　　班？
Lǎo Lǐ měitiān jǐ diǎn shàng bān?
2. 李　小姐　常　看　电视　吗？
Lǐ xiǎojie cháng kàn diànshì ma?
3. 今天　天气　怎么样？
Jīntiān tiānqì zěnmeyàng?
4. 布朗　先生　今天　休息　吗？
Bùlǎng xiānsheng jīntiān xiūxi ma?
5. 王　先生　住　在　哪儿？
Wáng xiānsheng zhù zài nǎr?

第十课　　Lesson　10

二、

1. we（us）　　today　　to go to work　　to work
   five（pieces）　tomorrow　to leave work　pretty good

2. TV.　to be at home　telephone　good-bye　store
   not in（out）

三、

1. 我 打 电话。
   Wǒ dǎ diànhuà.

2. 我 没打 电话。
   Wǒ méi dǎ diànhuà.

3. 今天 我 没打 电话。
   Jīntiān wǒ méi dǎ diànhuà.

4. 今天 我 没 给 他 打 电话。
   Jīntiān wǒ méi gěi tā dǎ diànhuà.

5. 今天 我 妈妈 没 给 他 打 电话。 or
   Jīntiān wǒ māma méi gěi tā dǎ diànhuà.
   今天 我 没 给 他 妈妈 打 电话。
   Jīntiān wǒ méi gěi tā māma dǎ diànhuà.

五、

1. 明天 不 上 班，因为 明天 是 星期天。
   Míngtiān bú shàng bān, yīnwèi míngtiān shì xīngqītiān.

2. 李 先生 不 能 参加 招待会， 因为 他要 去
   Lǐ xiānsheng bù néng cānjiā zhāodàihuì, yīnwèi tā yào qù
   机场。
   jīchǎng.

3. 我 很 长 时间 没给他 写 信 了，因为 我 很
   Wǒ hěn cháng shíjiān méi gěi tā xiě xìn le, yīnwèi wǒ hěn
   忙。
   máng.

4. 我 想 在 这儿 买 点儿 水果， 因为 这儿 的 水果
   Wǒ xiǎng zài zhèr mǎi diǎnr shuǐguǒ, yīnwèi zhèr de shuǐguǒ

· 399 ·

不 错。

bú cuò.

通过　测试，继续　前进　Go Ahead After
Tōngguò cèshì， jìxù qiánjìn Passing the Test

二、

1. hello　　2. recently　　3. a little　　4. what must be done　　5. a
while　　6. good-bye　　7. it doesn't matter　　8. that's wonderful
9. have a little　　10. interesting　　11. how much　　12. welcome
13. no need　　14. thank you　　15. not at all　　16. just so
17. pretty good　　18. sometimes　　19. afterwards　　20. therefore
21. what time　　22. what is the matter?　　23. happy weekend
24. because　　25. how　　26. would like　　27. can

三、

1. 布朗　先生　最近　忙　吗?
　　Bùlǎng xiānsheng zuìjìn máng ma?
　　布朗　先生　最近　不　忙。
　　Bùlǎng xiānsheng zuìjìn bù máng.

2. 那　位　小姐　是　他的　汉语　老师　吗?
　　Nà wèi xiǎojie shì tā de Hànyǔ jiàoshī ma?
　　那　位　小姐　不　是　他的　汉语　老师。
　　Nà wèi xiǎojie bú shì tā de Hànyǔ jiàoshī.

3. 麦克　是　美国　人　吗?
　　Màikè shì Měiguó rén ma?
　　麦克　不　是　美国　人。
　　Màikè bú shì Měiguó rén.

4. 张　老师　懂　英语　和　法语　吗?
　　Zhāng lǎoshī dǒng Yīngyǔ hé Fǎyǔ ma?
　　张　老师　不　懂　英语　和　法语。
　　Zhāng lǎoshī bù dǒng Yīngyǔ hé Fǎyǔ.

· 400 ·

5. 史密斯　先生　要　跟　张　老师　学习　汉语　吗？
Shǐmìsī xiānsheng yào gēn Zhāng lǎoshī xuéxí Hànyǔ ma?
史密斯　先生　不　跟　张　老师　学习　汉语。
Shǐmìsī xiānsheng bù gēn Zhāng lǎoshī xuéxí Hànyǔ.

6. 米勒　夫人　在家　学习　汉语　吗？
Mǐlè fūrén zài jiā xuéxí Hànyǔ ma?
米勒　夫人　不　在家　学习　汉语。
Mǐlè fūrén bú zài jiā xuéxí Hànyǔ.

7. 今天　下午　四点　半他　要　用　车　吗？
Jīntiān xiàwǔ sì diǎn bàn tā yào yòng chē ma?
今天　下午　四点　半他　不　用　车。
Jīntiān xiàwǔ sì diǎn bàn tā bú yòng chē.

8. 李　小姐　明天　下午　在家　吗？
Lǐ xiǎojie míngtiān xiàwǔ zài jiā ma?
李　小姐　明天　下午　不　在家。
Lǐ xiǎojie míngtiān xiàwǔ bú zài jiā.

9. 王　先生　能　参加　明天　的　招待会　吗？
Wáng xiānsheng néng cānjiā míngtiān de zhāodàihuì ma?
王　先生　不　能　参加　明天　的　招待会。
Wáng xiānsheng bù néng cānjiā míngtiān de zhāodàihuì.

10. 明天　是　周末，你　想　和　朋友　去　参观
Míngtiān shì zhōumò, nǐ xiǎng hé péngyou qù cānguān
故宫　吗？
Gùgōng ma?
我　不　想　和　朋友　去　参观　故宫。
Wǒ bù xiǎng hé péngyou qù cānguān Gùgōng.

五、

1. 我　的　朋友　史密斯　是　美国人。
Wǒ de péngyou Shǐmìsī shì Měiguórén.

2. 他　在　英语　大使馆　工作。
Tā zài Yīngguó dàshǐguǎn gōngzuò.

3. 加拿大　大使馆　明天　在　京伦　饭店　举行
Jiā'nádà dàshǐguǎn míngtiān zài Jīnglún Fàndiàn jǔxíng

国庆 招待会。
guóqìng zhāodàihuì.

4. 三 公斤 苹果, 两 公斤 葡萄, 一共 二十五
Sān gōngjīn píngguǒ, liǎng gōngjīn pútao, yígòng èrshíwǔ
块。
kuài.

5. 汉语 有 点儿 难, 但是 非常 有 意思。
Hànyǔ yǒu diǎnr nán, dànshì fēicháng yǒu yìsi.

六、

1. 我 想 下午 去 友谊 商店。
Wǒ xiǎng xiàwǔ qù Yǒuyì Shāngdiàn.

2. 晚饭 以后 我 有时候 散步 或者 去 看 朋友,
Wǎnfàn yǐhòu wǒ yǒushíhou sànbù huòzhě qù kàn péngyou,
有时候 在 家 看 书 或者 看 电视。
yǒushíhou zài jiā kàn shū huòzhě kàn diànshì.

3. 我 来 介绍 一下儿, 这 是 英国 大使馆 一秘 格林
Wǒ lái jièshào yíxiàr, zhè shì Yīngguó dàshǐguǎn yīmì Gélín
先生, 这 是 加拿大 大使馆 翻译 张 小姐。
xiānsheng, zhè shì jiā'nádà dàshǐguǎn fānyì Zhāng xiǎojie.

4. 李 小姐, 请 告诉 司机, 今天 下午 四 点 半 我
Lǐ xiǎojie, qǐng gàosù sījī, jīntiān xiàwǔ sì diǎn bàn wǒ
要 用 车。
yào yòng chē.

5. 大使馆 告诉 我们: 你 的 电话 坏 了, 我 来 修理
Dàshǐguǎn gàosù wǒmen: nǐ de diànhuà huài le, wǒ lái xiūlǐ
一下儿。
yíxiàr.

6. 很 长 时间 没 见到 布朗 先生 了, 我 很
Hěn cháng shíjiān méi jiàndào Bùlǎng xiānsheng le, wǒ hěn
高兴 再 见到 他。
gāoxìng zài jiàndào tā.

第十一课　　Lesson　11

五、

1. Mr. Brown's child has caught cold today.

2. He has a headache and a fever of 38. 5 degrees.

3. This morning I went to the hospital and had an injection. I felt better this afternoon.

4. The doctor told me to take care of myself as the weather has not been good recently.

5. This medicine is to be taken three times a day, after meals, two tablets each time.

6. Today I phoned Mr. Brown three times.

7. Mr Smith has taken the medicine two times today. He is going to take it again after dinner.

8. He didn't tell me how many times a day I should take this medicine.

第十二课　　Lesson　12

四、

1. 我　刚　到　北京，还　不　太　了解　北京。
   Wǒ gāng dào Běijīng, hái bú tài liáojiě Běijīng.

2. 玛丽　打算　明天　去　学校　办　手续。
   Mǎlì dǎsuàn míngtiān qù xuéxiào bàn shǒuxù.

3. 他　请　我　帮助　他。
   Tā qǐng wǒ bāngzhù tā.

4. 我　有　一　个　朋友　在　大学　学习　历史。
   Wǒ yǒu yí ge péngyou zài dàxué xuéxí lìshǐ.

第十三课　　Lesson　13

四、

1. 我 已经 学习 汉语 一 年 了。
   Wǒ yǐjīng xuéxí Hànyǔ yì nián le.

2. 你 习惯 北京 的 天气 吗?
   Nǐ xíguàn Běijīng de tiānqì ma?

3. 你 应该 常 听 天气 预报。
   Nǐ yīnggāi cháng tīng tiānqì yùbào.

4. 秋天 是 旅游 的 好 季节。
   Qiūtiān shì lǚyóu de hǎo jìjié.

5. 有时候 气温 达到 三十八、九 度。
   Yǒushíhou qìwēn dádào sānshíbā, jiǔ dù.

6. 在 北京, 秋天 是 最 好 的 季节。
   Zài Běijīng, qiūtiān shì zuì hǎo de jìjié.

7. 夏天, 北京 人 都 喜欢 游泳。
   Xiàtiān, Běijīng rén dōu xǐhuan yóuyǒng.

8. 北京 一 年 有 四季: 春天、 夏天、 秋天、
   Běijīng yì nián yǒu sìjì: chūntiān, xiàtiān, qiūtiān,
   冬天。
   dōngtiān.

五、

1. In you country are the Summers hot?

2. How is the weather in your country?

3. Summer in Beijing is not very hot; summer in Shanghai is comparatively hot; and summer in Guangzhou is the hottest (of the three cities).

4. Those who are keen on travelling like Beijing's autumn best.

5. I have already been in China for three years, and I have become accustomed to Beijing's weather. I like to go swimming in summer and skating in winter.

第十四课　　Lesson　14

四、

1. 经常　　2. 可是　　3. 有时候　　4. 不但……还
jīngcháng　　kěshì　　yǒushíhou　　búdàn...hái

5. 衣服的；菜的；小吃的。
yīfude；càide；xiǎochīde.

五、

（参考课文 see the text）

第五课　　Lesson 15

二、

1. 去　饭店　吃　晚饭
qù fàndiàn chī wǎnfàn

2. 两　瓶　啤酒
liǎng píng píjiǔ

3. 喜欢　吃　中餐
xǐhuan chī Zhōngcān

4. 胡萝卜　和　土豆
húluóbo hé tǔdòu

5. 讲　笑话
jiǎng xiàohua

四、

1. 我 把（那 盘）菜 吃完 了。
Wǒ bǎ (nà pán) cài chīwán le.

2. 我 想 把 中文 学好。
Wǒ xiǎng bǎ Zhōngwén xuéhǎo.

3. 我 把（那 封）信 写完 了。
Wǒ bǎ (nà fēng) xìn xiěwán le.

五、

1. A：用，　什么
yòng, shénme

B：来，要
lái, yào

2. 不 错，再 来 一 盘
   bú cuò, zài lái yì pán

3. 给，讲
   gěi, jiǎng

第十六课　　Lesson　16

四、

1. This is the Swedish Embassy.

2. Sorry，wrong number.

3. Is it Thursday the day after tomorrow?

4. Mrs. Brown called and said her child was ill.

5. He has waited for more than ten minutes，but there hasn't been even one taxi.

6. Mrs. Smith has a blue car.

第十七课　　Lesson　17

二、

1. 明天　　2. 怎么　　3. 不 太 远　　4. 一直
   míngtiān　　zěnme　　bú tài yuǎn　　yìzhí

5. 拐
   guǎi

三、

1. 听说 你 能 讲 中文 也 能 讲 法文。
   Tīngshuō nǐ néng jiǎng Zhōngwén yě néng jiǎng Fǎwén.

2. 琉璃厂 街 有 不 少 书店， 画店 和 文物
   Liúlichǎng jiē yǒu bù shǎo shūdiàn, huàdiàn hé wénwù
   商店。
   shāngdiàn.

3. 如果 你 向 北京 人 问 路，他们 会 告诉 你
   Rúguǒ nǐ xiàng Běijīng rén wèn lù, tāmen huì gàosu nǐ

"一直 往 南 走，再 往 东 拐。"
"Yìzhí wǎng nán zǒu, zài wǎng dōng guǎi."

4. 在 北京，大 多 数 的 街道 和 胡同 是 从 北 往
Zài Běijīng, dà duō shù de jiēdào hé hútòng shì cóng běi wǎng
南，从 东 往 西。
nán, cóng dōng wǎng xī.

第十八课　　Lesson 18

二、

1. 里边，　　外边
   lǐbiān,　　wàibiān
2. 院子
   yuànzi
3. 周围
   zhōuwéi
4. 旁边
   pángbiān

三、

1. I like our embassy very much.
2. How do I get to Jianguomen street?
3. How much is one kilogramme of apples?
4. Let me introduce you — this is Mr. Li.
5. The consular section is at the west end of the corridor.
6. There is a garage next to the gate.
7. This location is convenient (for getting around).

第十九课　　Lesson 19

四、

1. (2)　2. (1)　3. (2)　4. (2)　5. (1)

第二十课　　Lesson 20

二、

1. (1) 到 时候　　(2) 有 时候，有 时候
       dào shíhou　　　yǒu shíhou, yǒu shíhou

2. （1）飞往 　　（2）飞机
　　　fēiwǎng 　　　fēijī
3. （1）为了 　　（2）因为
　　　wèile 　　　yīnwèi

四、

1. 布朗　先生　用　汉语　说："太　感谢　了！"
　　Bùlǎng xiānsheng yòng Hànyǔ shuō："Tài gǎnxiè le！"

2. 司机　把　布朗　先生　正在　找　的　飞机票　给　了
　　Sījī bǎ Bùlǎng xiānsheng zhèngzài zhǎo de fēijīpiào gěi le
　　他。
　　tā.

3. 来！我们　办　手续　吧。
　　Lái！Wǒmen bàn shǒuxù ba.

4. 史密斯　先生　打算　到　中国　南方　去　休假。
　　Shǐmìsī xiānsheng dǎsuàn dào Zhōngguó nánfāng qù xiūjià.

5. 司机　说："您　把　您　的　票　忘　在　我　车　里　了。"
　　Sījī shuō："Nín bǎ nín de piào wàng zài wǒ chē lǐ le。"

6. 米勒　先生　到　机场　的　时候，发现　他的　机票　丢
　　Mǐlè xiānsheng dào jīchǎng de shíhou，fāxiàn tā de jīpiào diū
　　了。
　　le.

7. 这　是　我　第　一　次　在　中国　坐　飞机，我　连　在
　　Zhè shì wǒ dì yī cì zài Zhōngguó zuò fēijī，wǒ lián zài
　　机场　怎么　办　手续　都　不　知道。
　　jīchǎng zěnme bàn shǒuxù dōu bù zhīdào.

再　接　再　厉　　　Keep Trying
Zài jiē zài lì

四、

1. 我　把　那　杯　茶　喝　了。
　　Wǒ bǎ nà bēi chá hē le.

2. 他们　没　把　你的　电视　修　好。
　　Tāmen méi bǎ nǐ de diànshì xiū hǎo.

3. 阿姨 把 房间 收拾 完 了。
   Āyí bǎ fángjiān shōushi wán le.
4. 小 张 没 把 法文书 带来。
   Xiǎo Zhāng méi bǎ Fǎwénshū dàilai.
5. 孩子 把 感冒 药 吃 了。
   Háizi bǎ gǎnmào yào chī le.

五、

1, 2, 3, 4, 5 can not be changed into ordinary sentences, because there is a preposition ("成 chéng", "到 dào", "给 gěi" or "在 zài") in each sentence.

六、

1. 时间　　2. 时候　　3. 的 时候　　4. 怎么样　　5. 怎么
   shíjiān　　shíhou　　de shíhou　　zěnmeyàng　　zěnme

6. 和…一样　　7. 正在　　8. 连…都　　9. 最
   hé…yíyàng　　zhèngzài　　lián…dōu　　zuì

七、

1. 如果 这 个 周末 我 有 时间，我 要 去 上海。
   Rúguǒ zhè ge zhōumò wǒ yǒu shíjiān, wǒ yào qù Shànghǎi.
2. 我们 的 大使馆 在 三里屯。
   Wǒmen de dàshǐguǎn zài Sānlǐtún.
3. 我们 学校 外边 有 很 多 漂亮 的 花。
   Wǒmen xuéxiào wàibian yǒu hěn duō piàoliang de huā.
4. 中餐 比 西餐 好 吃。
   Zhōngcān bǐ xīcān hǎo chī.
5. 快 一点儿。 王 先生 在 机场 等着 我们
   Kuài yìdiǎnr. Wáng xiānsheng zài jīchǎng děngzhe wǒmen
   呢。
   ne.

第二十一课　　Lesson　21

二、

1. 孩子 该　上学　了。
   Háizi gāi shàngxué le.

2. 天气　该 热 了。
   Tiānqì gāi rè le.

3. 我 该 回 家 了。
   Wǒ gāi huí jiā le.

4. 他 该 去 大使馆 了。
   Tā gāi qù dàshǐguǎn le.

5. 你 该 吃 早饭 了。
   Nǐ gāi chī zǎofàn le.

三、

1. A：来 得 及　B：来 得 及
   lái de jí　　lái de jí

2. A：来 不 及　B：来 得 及
   lái bù jí　　lái de jí

四、

1. Mr. Wang, I would like to invite you to have dinner with us on Thursday.

2. Miss Green came to Beijing last April.

3. I am going to the store to buy some fruit; I'll be back shortly.

4. After you wash the clothes, please tidy up the study.

5. Do you like Chinese food or western food?

第二十二课　　Lesson　22

三、

1. 到　　2. 懂　　3. 好　　4. 完
   dào　　dǒng　　hǎo　　wán

第二十三课　　Lesson　23

二、

1. 布朗 先生 已经 来过 了。
   Bùlǎng xiānsheng yǐjīng láiguo le.
2. 去年，格林 小姐 参观 过 北京 大学。
   Qùnián, Gélín xiǎojie cānguān guò Běijīng dàxué.
3. 北京 烤鸭 我 吃 过 了。
   Běijīng kǎoyā wǒ chī guò le.
4. 她 已经 打过 电话 了。
   Tā yǐjīng dǎguò diànhuà le.

五、

1. 我们 以前 见过 面，是 不 是？
   Wǒmen yǐqián jiànguò miàn, shì bú shì?
2. 我 看过 这 本 中文书， 这 本 书 很 有意思。
   Wǒ kànguò zhè běn Zhōngwénshū, zhè běn shū hěn yǒuyìsi.
3. 明天 下午 三 点 我们 要 签订 合同。
   Míngtiān xiàwǔ sān diǎn wǒmen yào qiāndìng hétong.
4. 感谢 你 邀请 我 参加 招待会， 我 认识了 不少
   Gǎnxiè nǐ yāoqǐng wǒ cānjiā zhāodàihuì, wǒ rènshile bùshǎo
   朋友。
   péngyou.
5. 我 建议：为 我们 的 友谊 干杯!
   Wǒ jiànyì: Wèi wǒmen de yǒuyì gānbēi!

第二十四课　　Lesson 24

三、

1. 休假 上 星期　　2. 再 看看
   xiūjià shàng xīngqī　　　　zài kànkan
3. 很 快 听 不 懂
   hěn kuài tīng bù dǒng

四、

1. 因为 每天 都 忙着 上班， 所以 没有 时间
   Yīnwèi měitiān dōu mángzhe shàngbān, suǒyǐ méiyǒu shíjiān
   学 汉语。
   xué Hànyǔ.

2. 因为 这 次 展览会　项目　比较 多，所以 我们
Yīnwèi zhè cì zhǎnlǎnhuì xiàngmù bǐjiào duō, suǒyǐ wǒmen
需要 更 多 的 翻译。
xūyào gèng duō de fānyì.

3. 因为 春节 快 到 了，所以 很 多 人 去 商店
Yīnwèi Chūnjié kuài dào le, suǒyǐ hěn duō rén qù shāngdiàn
买 东西。
mǎi dōngxi.

第二十六课　　Lesson 26

一、

1. 停　2. 打算　3. 上　4. 要　商量
tíng　　　dǎsuàn　　　shàng　　yào shāngliang

三、

1. 这 是 王　先生　的 办公室　吗？
Zhè shì Wáng xiānsheng de bàngōngshì ma?

2. 我 来 检查 一下儿 开关。
Wǒ lái jiǎnchá yíxiàr kāiguān.

3. 警察　向 他 走 过来。
Jǐngchá xiàng tā zǒu guòlái.

4. 他们 把 车 推 到 路 边。
Tāmen bǎ chē tuī dào lù biān.

5. 机场　离 这儿 很　远。
Jīchǎng lí zhèr hěn yuǎn.

四、

1. 你 想 把 这 张　桌子 放 在 哪儿？
Nǐ xiǎng bǎ zhè zhāng zhuōzi fàng zài nǎr?

2. 开关　有 点儿 毛病。
Kāiguān yǒu diǎnr máobìng.

3. 顺便　问 一下儿，医院 在 哪儿？
Shùnbiàn wèn yíxiàr, yīyuàn zài nǎr?

4. 昨天 的 音乐会　怎么样？
Zuótiān de yīnyuèhuì zěnmeyàng?

第二十七课　　Lesson 27

三、

1. 你　知道　安装　电话　的　钱　是　多少　吗？
Nǐ zhīdào ānzhuāng diànhuà de qián shì duōshǎo ma?

2. 包裹　里　是　一　个　玩具　和　一　条　丝绸　裙子。
Bāoguǒ lǐ shì yí gè wánjù hé yì tiáo sīchóu qúnzi.

3. 你　的　信　要　贴　五　毛　的　邮票。
Nǐ de xìn yào tiē wǔ máo de yóupiào.

4. 他　学　会　了　不少　汉字。
Tā xué huì le bùshǎo Hànzì.

四、

1. 个　　2. 封　　3. 位、辆　　4. 间　　5. 条
　gè　　　fēng　　　wèi, liàng　　　jiān　　　tiáo

6. 张　　7. 份　　8. 套
　zhāng　　fèn　　　tào

第二十八课　　Lesson 28

三、

This is the first time Mr. and Mrs. Tanaka have toured China. When they arrived in Beijing, they were unfamiliar with the city and didn't know anyone there. When they found out that there were so many hotels in Beijing, they could not decide which one would be the best to stay in.

第二十九课　　Lesson 29

三、

1. 三　位　德国　专家　来　北京　帮助　我们　公司
Sān wèi Déguó zhuānjiā lái Běijīng bāngzhù wǒmen gōngsī
安装　设备。
ānzhuāng shèbèi.

2. 双方　同意　下　月　继续　商谈。
Shuāngfāng tóngyì xià yuè jìxù shāngtán.

3. 食品　公司　和一　家　美国　公司　签定　进口　设备
Shípǐn gōngsī hé yì jiā Měiguó gōngsī qiāndìng jìnkǒu shèbèi
合同。
hétong.

4. 第二批技术　人员　下个月去　英国　学习。
Dì èr pī jìshù rényuán xià ge yuè qù Yīngguó xuéxí.

四、

1. 缩短、　延长　　　2. 安装、　修理
suōduǎn, yáncháng　　　ānzhuāng, xiūlǐ

3. 学习、学会　　4. 顺利、打扰
xuéxí, xuéhuì　　　shùnlì, dǎrǎo

五、

1. 我　打算　继续　学习　计算机。
Wǒ dǎsuàn jìxù xuéxí jìsuànjī.

2. 史密斯　夫人　已经　把　这些　资料　翻译　成　　中文　了。
Shǐmìsī fūrén yǐjīng bǎ zhèxiē zīliào fānyì chéng Zhōngwén le.

3. 每天　我　工作　六　小时。
Měitiān wǒ gōngzuò liù xiǎoshí.

4. 中国　技术　人员　和　美国　专家　安装　设备
Zhōngguó jìshù rényuán hé Měiguó zhuānjiā ānzhuāng shèbèi
已经　三个月了。
yǐjīng sān ge yuè le.

第三十课　Lesson　30

一、

1. 我　会　下　围棋，但是　下　得不好。
Wǒ huì xià wéiqí, dànshì xià de bù hǎo.

2. 昨天　我们　去　踢球　了，踢得很　高兴。
Zuótiān wǒmen qù tī qiú le, tī de hěn gāoxìng.

3. 外边　在　下　雨，下得很　大。
Wàibiān zài xià yǔ, xià de hěn dà.

4. 王　　先生　　法语　说　得　非常　　好。
Wáng xiānsheng Fǎyǔ shuō de fēicháng hǎo.

二、

1. 北京　今年　热　得　早　不　早？
Běijīng jīnnián rè de zǎo bù zǎo?

2. 王　小姐　休息　了　半　个　小时。
Wáng xiǎojiě xiūxi le bàn gè xiǎoshí.

3. 王　　先生　和　　田中　　先生　　洽谈。
Wáng xiānsheng hé Tiánzhōng xiānsheng qiàtán.

4. 代表团　　坐　飞机　去　　中国　　了。
Dàibiǎotuán zuò fēijī qù Zhōngguó le.

5. 展览会　　几　号　开幕？
Zhǎnlǎnhuì jǐ hào kāimù?

四、

1. 昨天　我　在　电视　　上　看　了　足球　比赛。
Zuótiān wǒ zài diànshì shàng kàn le zúqiú bǐsài.

2. 你　过去　喜欢　打　篮球　吗？
Nǐ guòqù xǐhuān dǎ lánqiú ma?

3. 我　在　中学　的　时候，很　喜欢　　游泳。　现在　我
Wǒ zài zhōngxué de shíhou, hěn xǐhuān yóuyǒng. Xiànzài wǒ
每天　　早上　　散步。
měitiān zǎoshang sànbù.

4. 她　的　朋友　　唱　"祝　你　生日　快乐"的　时候，她
Tā de péngyou chàng "Zhù nǐ shēngrì kuàilè" de shíhou, tā
非常　　高兴。
fēicháng gāoxìng.

5. 他　汉语　说　得　很　好。
Tā Hànyǔ shuō de hěn hǎo.

再　上　一　层　楼　　Step by Step
Zài shàng yì céng lóu

三、

1. 快　2. 张　　3. 名　4. 批　5. 封
kuài　　zhāng　　míng　　pī　　fēng

6. 条　7. 套　8. 场　　9. 家　10. 份
tiáo　　tào　　chǎng　-　jiā　　fèn

五、

1. 他 没 去　商店，　他 去 邮局 了。
Tā méi qù shāngdiàn, tā qù yóujú le.

2. 我 以前 没 来过 北京。
Wǒ yǐqián méi láiguo Běijīng.

3. 你 吃过 饭 没有？
Nǐ chīguò fàn méiyǒu?

4. 他 能　说 一点儿 汉语。
Tā néng shuō yìdiǎnr Hànyǔ.

5.　冬天　我 没有 滑 冰。
Dōngtiān wǒ méiyou huá bīng.

6. 北京 离 上海　远 吗？
Běijīng lí Shànghǎi yuǎn ma?

六、

离 任 下 小 少　便宜 薄　短 来不及 热 坏
lí rèn xià xiǎo shǎo piányi báo duǎn láibùjí rè huài

七、

踢——足球　　做——衣服　　打——电话
tī——zúqiú　　zuò——yīfu　　dǎ——diànhuà

寄——包裹　　说——笑话　　唱——歌
jì——bāoguǒ　　shuō——xiàohua　　chàng——gē

八、

1. 布朗　先生 1971 年 在 北京。
Bùlǎng xiānsheng 1971 nián zài Běijīng.

2. 昨天 他 签订 了 两 个 合同。
Zuótiān tā qiāndìng le liǎng ge hétong.

3.　晚饭　以后，我 去 看　足球 比赛。
Wǎnfàn yǐhòu, wǒ qù kàn zúqiú bǐsài.

4. 做 完 饭 你 就 可以 走 了。
   Zuò wán fàn nǐ jiù kěyǐ zǒu le.

5. 我们 大使馆 给 我们 订 了 两 个 单人
   Wǒmen dàshǐguǎn gěi wǒmen dìng le liǎng ge dānrén
   房间。
   fángjiān.

第三十一课   Lesson 31

四、

1. Lao Li likes Beijing opera very much. He especially likes its costumes.

2. Mr. Smith went to the weekend concert. He said that it was the first time he enjoyed French music in Beijing.

3. Do you think the saying "fine clothes make the man" is correct?

4. Mrs. Brown flew to Shanghai last week.

5. Beijing's autumn is wonderful. The weather is not cold and not hot, and the flowers in the streets are especially beautiful.

五、

1. 格林 夫人 进 客厅 去 了。
   Gélín fūrén jìn kètīng qù le.

2. 他 没有 买 回来 啤酒。
   Tā méiyou mǎi huílái píjiǔ.

3. 老 张 参加 开幕式 去 了。
   Lǎo Zhāng cānjiā kāimùshì qù le.

4. 玛丽 从 楼下 上 来 了。
   Mǎlì cóng lóuxià shàng lái le.

5. 电工 检查 出来 电视 的 毛病 了。
   Diàngōng jiǎnchá chūlái diànshì de máobìng le.

6. 他 什么 时候 回 国 休假?
   Tā shénme shíhou huí guó xiūjià?

7. 我 很 喜欢 这个 芭蕾舞 的 音乐。
Wǒ hěn xǐhuān zhè ge bāléiwǔ de yīnyuè.

第三十二课　Lesson 32

三、

1. 玛丽 的 爸爸 妈妈 来了 一 封 信，告诉 她：他们 下
Mǎlì de bàba māma láile yì fēng xìn, gàosù tā: Tāmen xià
个 月 要 参加 一 个 旅游团 到 中国 旅游。
ge yuè yào cānjiā yí ge lǚyóutuán dào Zhōngguó lǚyóu.

2. 老 张 和 小 王 上 个 周末 不但 游览 了
Lǎo Zhāng hé Xiǎo Wáng shàng ge zhōumò búdàn yóulǎn le
长城， 而且 去了 故宫。
Chángchéng, érqiě qùle Gùgōng.

3. 时间 过 得 多 快 啊！
Shíjiān guò de duō kuài a!

4. 工作 了一 天，我 觉得 有 点儿 累 了。
Gōngzuò le yì tiān, wǒ juéde yǒu diǎnr lèi le.

5. 我们 最 好 现在 就 走， 要不 就 来不及 去 听
Wǒmen zuì hǎo xiànzài jiù zǒu, yàobù jiù láibují qù tīng
音乐会 了。
yīnyuèhuì le.

6. 这儿 还 有 别 的 餐厅 吗？
Zhèr hái yǒu bié de cāntīng ma?

7. 这 件 上衣 太 瘦 了，你 能 不 能 给 换 一
Zhè jiàn shàngyī tài shòu le, nǐ néng bù néng gěi huàn yí
件？
jiàn.

四、

1. 菜 太 多 了，我 吃 不 完。
Cài tài duō le, wǒ chī bù wán.

2. 北京 的 饭店 越建越 漂亮。
Běijīng de fàndiàn yuèjiànyuè piàoliang.

3. 邮局 不但 可以 寄 信，而且 可以 买 报。
   Yóujú búdàn kěyǐ jì xìn, érqiě kěyǐ mǎi bào.

4. 这 两 件 衣服 不但 式样 一样，而且 颜色 差 不
   Zhè liǎng jiàn yīfu búdàn shìyàng yíyàng, érqiě yánsè chà bu
   多。
   duō.

5. 音乐会 还 有 半 小时. 我们 去 来得及 吗？
   Yīnyuèhuì hái yǒu bàn xiǎoshí. Wǒmen qù láidejí ma?

6. 要 想 身体 好，最 好 运动。
   Yào xiǎng shēntǐ hǎo, zuì hǎo yùndòng.

第三十三课　　Lesson　33

四、

1. 次　2. 张　　3. 位　　4. 辆　　5. 家
   cì　　zhāng　　wèi　　liàng　　jiā

五、

1. 周末，他 什么 地方 都 没 去。
   Zhōumò, tā shénme dìfang dōu méi qù.

2. 衣服 太 贵 了，谁 都 不 想 买。
   Yīfu tài guì le, shuí dōu bù xiǎng mǎi.

3. 去 农贸 市场 只是 看看，什么 也 不 买。
   Qù nóngmào shìchǎng zhǐshì kànkan, shénme yě bù mǎi.

4. 布朗 什么 运动 都 喜欢。
   Bùlǎng shénme yùndòng dōu xǐhuān.

5. 这个 星期 什么 时候 都 不 能 去 故宫 参观。
   Zhège xīngqī shénme shíhòu dōu bù néng qù Gùgōng cānguān.

六、

1. 假期，我 要 先 去 广州、 桂林，再 去 香港。
   Jiàqī, wǒ yào xiān qù Guǎngzhōu, Guìlín, zài qù Xiānggǎng.

2. 她 对 北京 很 熟悉，胡同 的 名字 她 都 能 说
   Tā duì Běijīng hěn shúxi, hútòng de míngzi tā dōu néng shuō
   出来。
   chūlai.

3. 当然， 你 应该 付 旅行社 服务费。
   Dāngrán, nǐ yīnggāi fù lǚxíngshè fúwùfèi.

4. 因为 布朗 的 朋友 是 足球 运动员， 所以 他
   Yīnwèi Bùlǎng de péngyou shì zúqiú yùndòngyuán, suǒyǐ tā
   找 票 很 容易。
   zhǎo piào hěn róngyì.

5. 他 什么 都 想 学， 但是 什么 也 学 不 好。
   Tā shénme dōu xiǎng xué, dànshì shénme yě xué bù hǎo.

第三十四课　　Lesson 34

五、

1. 北京 今天 没有 上海 热。
   Běijīng jīntiān méiyǒu Shànghǎi rè.
   上海 今天 比 北京 热。
   Shànghǎi jīntiān bǐ Běijīng rè.

2. 小 王 比 小 张 来得早。
   Xiǎo Wáng bǐ xiǎo Zhāng láidezǎo.
   小 张 没有 小 王 来得早。
   Xiǎo Zhāng méiyǒu Xiǎo Wáng láidezǎo.

3. 他们 大使馆 比 我们 大使馆 的 人 多。
   Tāmen dàshǐguǎn bǐ wǒmen dàshǐguǎn de rén duō.
   我们 大使馆 没有 他们 大使馆 的 人 多。
   Wǒmen dàshǐguǎn méiyǒu tāmen dàshǐguǎn de rén duō.

4. 这儿 的 西红柿 比 那儿 的 便宜。
   Zhèr de xīhóngshì bǐ nàr de piányi.
   那儿 的 西红柿 没有 这儿 的 便宜。
   Nàr de xīhóngshì méiyǒu zhèr de piányi.

5. 航空信 比 平信 快。
   Hángkōngxìn bǐ píngxìn kuài.
   平信 没有 航空信 快。
   Píngxìn méiyǒu hángkōngxìn kuài.

六、

1. In addition to working Monday to Friday, I also work on Saturday morning.
2. No one is at home every day, except my parents.
3. Brown is three years older than I.
4. The color of your clothing is darker than mine, but the material is thinner.
5. I want to make a longer skirt.

第三十五课　　Lesson 35

四、

1. 参观、　欣赏　　2. 游览、　旅游
   cānguān, xīnshǎng　　yóulǎn, lǚyóu
3. 休假、假期　4. 决定、　商量
   xiūjià, jiàqī　　juédìng, shāngliang
5. 别、没、不
   bié, méi, bù

五、

1. 我 一 到 纽约 就 把 包裹 给 你 父母 送去。
   Wǒ yí dào Niǔyuē jiù bǎ bāoguǒ gěi nǐ fùmǔ sòngqù.
2. 在 中国 旅游，不但 可以 看到 古代 建筑，而且
   Zài Zhōngguó lǚyóu, búdàn kěyǐ kàndào gǔdài jiànzhù, érqiě
   还 可以 看到 珍贵 的 艺术品。
   hái kěyǐ kàndào zhēnguì de yìshùpǐn.
3. 别 忘了 带上 照相机。
   Bié wàngle dàishang zhàoxiàngjī.
4. 听说 张家界 很 有意思，很 值得 游览。
   Tīngshuō Zhāngjiājiè hěn yǒuyìsi, hěn zhíde yóulǎn.
5. 我 非常 喜欢 中国 的 音乐。
   Wǒ fēicháng xǐhuān Zhōngguó de yīnyuè.

六、

A：以前　你　来过　　中国　　吗？
　　Yǐqián nǐ láiguò Zhōngguó ma?

A：去了　哪些　地方？
　　Qùle nǎxiē dìfang?

A：你　最　喜欢　哪儿？
　　Nǐ zuì xǐhuān nǎr?

第三十六课　　Lesson 36

四、

1. 我　给　朋友　的　信　被　弟弟　寄走　了。
　　Wǒ gěi péngyou de xìn bèi dìdi jìzǒu le.

2. 今天　的　报纸　被　小　王　拿走　了。
　　Jīntiān de bàozhǐ bèi Xiǎo Wáng názǒu le.

3. 那　辆　汽车　被　布朗　卖　了。
　　Nà liàng qìchē bèi Bùlǎng mài le.

4. 空调器　被　工人　安好　了。
　　Kōngtiáoqì bèi gōngrén ānhǎo le.

5. 那　种　药　被　他　吃　了。
　　Nà zhǒng yào bèi tā chī le.

6. 那　本　书　被　他　买来　了。
　　Nà běi shū bèi tā mǎilái le.

第三十七课　　Lesson 37

六、

1. 今天　是　我　的　生日，我　想　请　朋友　吃　晚
　　Jīntiān shì wǒ de shēngrì, wǒ xiǎng qǐng péngyou chī wǎn
饭。
fàn.

2. 你　妈妈　和　你　姐姐　在　做　什么　呢？
　　Nǐ māma hé nǐ jiějie zài zuò shénme ne?

3. 买　这　本　书　可　不　容易。
　　Mǎi zhè běn shū kě bù róngyì.

4. 他 从 早 到 晚 的 忙。
   Tā cóng zǎo dào wǎn de máng.

5. 从 北京 到 上海 坐 飞机 要 一 个 小时。
   Cóng Běijīng dào Shànghǎi zuò fēijī yào yí ge xiǎoshí.

第三十九课　　Lesson 39

五、

1. 又　　2. 先……再　　3. 又……又……　　4. 又　　5. 再
   yòu　　xiān...zài　　yòu...yòu　　yòu　　zài

第四十课　　Lesson 40

三、

1. 3)　　2. 2)　　3. 1)

新天地　　New Fields

二、

1. a　2. b　3. b　4. a　5. c

6. a　7. b　8. b　9. b

三、

1. 他 从 山上 走 下来 了。
   Tā cóng shānshàng zǒu xiàlái le.

2. 布朗 从 办公室 出来 了。
   Bùlǎng cóng bàngōngshì chūlái le.

3. 汉字 我 写 得 不 好。
   Hànzì wǒ xiě de bù hǎo.

4. 你 一 到 那儿 就 给 我 写 信。
   Nǐ yí dào nàr jiù gěi wǒ xiě xìn.

5. 北京 比 广州 大。
   Běijīng bǐ Guǎngzhōu dà.

四、

1. 多亏 有 你们 的 帮助。
   Duōkuī yǒu nǐmen de bāngzhù.
2. 上 个 周末 我 在 家里 哪儿 也 没 去。
   Shàng ge zhōumò wǒ zài jiāli nǎr yě méi qù.
3. 除了 史密斯 先生 以外， 我们 都 参加 了
   Chúle Shǐmìsī xiānsheng yǐwài, wǒmen dōu cānjiā le
   招待会。
   zhāodàihuì.
4. 下 个 月 我 要 回 国 了。星期六 晚上 你 能
   Xià ge yuè wǒ yào huí guó le. Xīngqīliù wǎnshang nǐ néng
   参加 告别 晚会 吗？
   cānjiā gàobié wǎnhuì ma?
5. 学 太极拳 和 学 汉语 一样 难。
   Xué Tàijíquán hé xué Hànyǔ yíyàng nán.

总词汇表
Zǒngcíhuìbiǎo
Vocabulary

A

啊		ā	(a modal particle)	8
阿姨	(n.)	āyí	housekeeper	4
爱	(v.)	ài	to love, to like	21
爱好	(v.;n.)	àihào	to be keen about; a hobby	13
鞍	(n.)	ān	saddle	25
安(装)	(v.)	ān(zhuāng)	to install, to fix	26
安静	(adj.)	ānjìng	quiet	18
安排	(v.;n.)	ānpái	to arrange; arrangement	24
按时		ànshí	on time	11

B

吧		ba	(a modal particle)	4
八	(num.)	bā	eight	6
芭蕾舞	(n.)	bāléiwǔ	ballet	31
把	(prep.)	bǎ	(a preposition)	15
把	(m.)	bǎ	(a measure word)	37

爸爸	(n.)	bàba	dad, father	32
白色		báisè	white	39
摆	(v.)	bǎi	to sway, to wave	40
百	(num.)	bǎi	hundred	21
百分之七、八十		bǎi fēn zhī qī, bāshí	seventy or eighty per cent	37
拜访	(v.)	bàifǎng	to call on, to visit	16
拜会	(v.)	bàihuì	to pay a visit	22
搬	(v.)	bān	to move	8
半	(n.)	bàn	half	8
办	(v.)	bàn	to do, to handle	12
办法	(n.)	bànfǎ	way, means	24
办公室	(n.)	bàngōngshì	office	18
办公楼	(n.)	bàngōnglóu	office building	18
办公桌	(n.)	bàngōngzhuō	desk	18
办理	(v.)	bànlǐ	to handle, to transact	36
办事处	(n.)	bànshìchù	office, agency	8
办事员	(n.)	bànshìyuán	office worker, clerk	22
办手续		bànshǒuxù	to go through formalities	12
帮忙	(v.)	bāngmáng	to do a favour, to help	10
帮助	(n.;v.)	bāngzhù	help; to help	24
包裹	(n.)	bāoguǒ	parcel	27
薄	(adj.)	báo	thin	25
保险	(v.;n.)	bǎoxiǎn	to insure; insurance	36
保险期	(n.)	bǎoxiǎnqī	period of insurance	36
报告	(v.;n.)	bàogào	to report; report	29
报名		bàomíng	to enter one's name,	32

				to sign up	
抱歉	(v.)	bàoqiàn	to be sorry	40
杯	(m.)	bēi	cup (a measure word)	15
北	(n.)	běi	north	17
北京	(n.)	Běijīng	Beijing	5
北京大学	(n,)	Běijīng Dàxué	Beijing University	12
北京外交人员语言文化中心	(n.)	Běijīng Wàijiāo Rényuán Yǔyán Wénhuà Zhōngxīn	Beijing Language and Culture Centre for Diplomatic Missions	38
北京语言学院	(n.)	Běijīng Yǔyán Xuéyuàn	Beijing Language Institute	38
北京中医学院	(n.)	Běijīng Zhōngyī Xuéyuàn	Beijing College of Traditional Medicinel	2
被	(prep.)	bèi	by (indicating passive voice)	36
本	(m.)	běn	(a measure word)	31
笔	(n.)	bǐ	pen	39
比		bǐ	than	34
比价	(n.)	bǐjià	rate of exchange	28
比较	(adv.)	bǐjiào	rather, comparatively	8
比如		bǐrú	for instance, such as	34

比赛	(n.)	bǐsài	match，competition	30
必要	(adj.)	bìyào	necessary	29
毕业	(v.)	bìyè	to graduate	37
表	(n.)	biǎo	form	28
表示	(v.)	biǎoshì	to show，to express	23
表演	(n.；v.)	biǎoyǎn	performance；to perform	34
别的	(pron.)	biéde	others，other	6
兵马俑	(n.)	bīng mǎ yǒng	terra-cotta figures	35
病	(v.；n.)	bìng	to be ill；illness	11
玻璃	(n.)	bōli	glass	19
不	(adv.)	bù	not，no	2
不错	(adj.)	búcuò	pretty good，not bad	8
不但⋯而且		búdàn⋯érqiě⋯	not only⋯but also⋯	32
不但⋯还		búdàn⋯hái	not only⋯but also	14
不得不		bùdebù	to have to，must	37
不管		bùguǎn	no matter	25
不过	(conj.)	búguò	but，yet	27
不仅⋯而且		bùjǐn⋯érqiě	not only⋯but also	35
不客气		bú kèqi	not at all，you are welcome	7
不少		bùshǎo	a lot	12
不算贵		bú suàn guì	not expensive	14
不同	(adj.)	bùtóng	different	15
不用		bú yòng	need not	7

布朗	(n.)	Bùlǎng	Brown	1
布置	(v.)	bùzhi	to fix up, to decorate	22

C

擦	(v.)	cā	to rub, to wipe	19
才	(adv.)	cái	only, just	28
菜	(n.)	cài	dish	15
菜	(n.)	cài	vegetablc	14
菜齐了		cài qí le	it is all	15
参观	(v.)	cānguān	to visit	10
参加	(v.)	cānjiā	to attend	8
参赞	(n.)	cānzàn	counsellor	22
餐厅	(n.)	cāntīng	dining room	18
操作	(v.)	cāozuò	to operate	29
层	(n.)	céng	floor, storey	9
曾经		céngjīng	(an auxiliary, indicaing something happened in the past)	23
茶	(n.)	chá	tea	4
茶馆	(n.)	cháguǎn	tea house	34
差		chà	less	22
差不多		chàbùduō	nearly, almost	12
尝	(v.)	cháng	to taste	14
常(常)	(adv.)	cháng (cháng)	often	9
长	(adj.)	cháng	long	2

长城	(n.)	Chángchéng	The Great Wall	32
长城饭店	(n.)	Chángchéng Fàndiàn	The Great Wall Sheraton Hotel	22
长期	(adj.)	chángqī	long-term	38
场	(m.)	chǎng	(a measure word)	20
唱	(v.)	chàng	to sing	30
超重		chāozhòng	overweight	27
潮湿	(adj.)	cháoshī	damp, humid, wet	13
陈力	(n.)	Chénlì	(name of a person)	37
衬衫	(n.)	chènshān	shirt	25
成功	(n.)	chénggōng	success	23
城市	(n.)	chéngshì	city	33
乘坐	(v.)	chéngzuò	to take(a train, plane etc.)	20
吃	(v.)	chī	to eat	9
尺寸	(n.)	chǐcùn	measurement, size	25
出	(v.)	chū	to happen	26
出差	(v.)	chūchāi	to be on a business trip	39
出生	(v.)	chūshēng	to be born	37
出席	(v.)	chūxí	to attend, to be present	22
出租(汽)车	(n.)	chūzū (qì)chē	taxi	16
厨房	(n.)	chúfáng	kitchen	18
除…以外		chú…yǐwài	besides, except	34
除了…以外		chúle…yǐwài	besides, except	29
除夕	(n.)	chúxī	New Year's Eve	19

处长	(n.)	chùzhǎng	director	22
穿	(v.)	chuān	to wear	25
穿上	(v.)	chuānshang	to put on	25
传统	(adj.; n.)	chuántǒng	traditional; tradition	19
窗口	(n.)	chuāngkǒu	window	20
春节	(n.)	Chūnjié	Spring Festival	19
春天	(n.)	chūntiān	spring	13
瓷盘		cípán	porcelain plate	40
瓷器	(n.)	cíqì	porcelain	35
词语		cíyǔ	word and phrase	37
次	(m.)	cì	(a measure word for trains, planes, etc.)	20
次		cì	time (a measure word)	11
从	(prep.)	cóng	from	17
从…到…		cóng… dào…	from…to…	37

D

答复	(v.;n.)	dáfù	to reply; reply	29
打	(v.)	dǎ	to play (tennis, etc.)	30
打错了		dǎcuòle	to dial the wrong number	16
打(电话)	(v.)	dǎ(diàn— huà)	to make(a telephone call)	7
打(一)针		dǎ(yì)zhēn	to have (an) injection	11
打交道		dǎjiāodào	to come into contact with	40

打扰	(v.)	dǎrǎo	to bother, to disturb	24
打算	(v.)	dǎsuàn	to intend, to plan	10
打听	(v.)	dǎtīng	to ask about, to inquire about	39
打印		dǎyìn	to cut a stencil and mimeograph, to make copies	22
大	(adj.)	dà	big, large, heavy	13
大	(adj.)	dà	on a large scale	33
大多数		dàduōshù	majority, most	17
大概	(adv.)	dàgài	roughly, probably, about	25
大家	(pron.)	dàjiā	everybody	13
大街	(n.)	dàjiē	avenue	17
大门	(n.)	dàmén	gate	18
大人	(n.)	dàrén	adult, grown-up	10
大使	(n.)	dàshǐ	ambassador	18
大使馆	(n.)	dàshǐguǎn	embassy	5
大厅	(n.)	dàtīng	hall	20
大卫	(n.)	Dàwèi	David	36
代	(n.)	dài	historical period	35
代…… 问好		dài…… wènhǎo	say hello to somebody on behalf of someone	32
代表	(n.)	dàibiǎo	representative	16
代表团	(n.)	dàibiǎotuán	delegation	22
大夫	(n.)	dàifu	doctor	11
带	(v.)	dài	to take, to lead, to bring	11
带来		dàilái	to bring	12

单人		dānrén	single	28
单人房间		dānrén fángjiān	single room	28
单元	(n.)	dānyuán	entrance (of a building)	9
蛋糕	(n.)	dàn gāo	cake	30
但是	(conj.)	dànshì	but	5
当然		dāngrán	of course, without doubt	32
当……		dāng……	while, when	37
时候		shíhou		
到		dào	reach, arrive; until, up to	23
到	(v.)	dào	to reach, to arrive	12
到得了		dàodeliǎo	to be able to arrive (before a certain time)	32
到任		dàorèn	to arrive at one's post	23
倒		dào	upside down, inverted	27
的		de	(a structural particle)	3
……的时候		…de shíhou	while	16
得		de	(a structural particle)	16
地		de	(a structural particle)	8
得	(v.)	dé	to get, to obtain	30
德国	(n.)	Déguó	Germany	7
得	(aux. ;v.)	děi	to have to, must	22
登机	(v.)	dēngjī	to board	20
登记	(v.)	dēngjì	to register	28
登机牌	(n.)	dēngjī pái	boarding card	20
等	(v.)	děng	to wait	4

等待	(v.)	děngdài	to wait, to await	19
等一等		děngyiděng	wait a moment	4
第		dì	(a prefix)	20
第一		dì-yī	first	19
第一名		dì-yī míng	first place	30
地道	(adj.)	dìdao	real, pure	14
地方	(n.)	dìfang	place, part	14
地球	(n.)	dìqiú	globe	40
地毯	(n.)	dìtǎn	carpet	39
地址	(n.)	dìzhǐ	address	27
点		diǎn	o'clock	8
电灯	(n.)	diàndēng	light, lamp	26
电话	(n.)	diànhuà	telephone	7
电话分机		diànhuàfēnjī	telephone extension	18
电话局		diànhuà jú	telephone office	7
电话亭		diànhuà tíng	telephone box, telephone booth	36
电视	(n.)	diànshì	television	9
电梯	(n.)	diàntī	lift, elevator	28
丁	(n.)	dīng	cube	15
定金	(n.)	dìngjīn	deposit	28
定做	(v.)	dìngzuò	to have made to order	25
丢	(v.)	diū	to lose, to be lost	20
东	(n.)	dōng	east	17
东西	(n.)	dōngxi	thing	6
冬天	(n.)	dōngtiān	winter	13
懂	(v.)	dǒng	to understand; to know	5

董事长	(n.)	dǒngshìzhǎng	chairman of the board	8
动身	(v.)	dòngshēn	to start off	35
都	(adv.)	dōu	all, both	11
度	(n.)	dù	degree	11
端上		duānshàng	to serve, to bring up	15
短	(adj.)	duǎn	short	13
短期	(adj.)	duǎnqī	short-term	38
对	(prep.)	duì	to, for	26
对	(m.)	duì	a pair of (a measure word)	39
对……感兴趣		duì……gǎnxìngqù	to be interested in	30
对不起		duìbùqǐ	sorry	16
对了		duì le	right	10
对面	(n.)	duìmiàn	opposite	18
对外经济贸易部	(n.)	Duìwài jīngjì màoyìbù	Ministry of Economic Relations and Trade	8
多	(adv.)	duō	more	11
多亏	(adv.)	duōkuī	thanks to, luckily	24
多少	(pron.)	duōshǎo	how much, how many	6
多少钱		duōshǎoqián	how much	6
多谢		duōxiè	thanks a lot	12

E

儿子	(n.)	érzi	son	19
二	(num.)	èr	two	6

| 二秘 | (n.) | èrmì | second secretary | 5 |

F

发	(v.)	fā	to send, to distribute	22
发动	(v.)	fādòng	to start	26
发动不起来		fādòng bù qǐ lái	can not start	26
发票	(n.)	fāpiào	receipt, bill	33
发烧	(v.)	fāshāo	to have a temperature	11
发现	(v.)	fāxiàn	to find, to discover	20
法国	(n.)	Fǎguó	France	5
法语	(m.)	Fǎyǔ	French (language)	5
翻译	(n.; v.)	fānyi	interpreter; to translate	7
烦	(adj.)	fán	annoyed	10
饭	(n.)	fàn	meal	10
饭后		fàn hòu	after a meal	11
饭前		fàn qián	before a meal	11
饭店	(n.)	fàndiàn	hotel	22
饭馆	(n.)	fànguǎn	restaurant	15
饭桌		fànzhuō	dining table	30
方便	(adj.)	fāngbiàn	convenient	18
方面	(n.)	fāngmiàn	aspect	29
方向	(n.)	fāngxiàng	direction	17
房间	(n.)	fángjiān	room	19
房屋公司	(n.)	Fángwū Gōngsì	Housing Corporation	22

房租	(n.)	fángzū	rent for a house or flat	22
访华		fǎng Huá	to visit China	24
访问	(v.)	fǎngwèn	to visit	8
纺织品	(n.)	fǎngzhīpǐn	textile，fabric	10
放	(v.)	fàng	to put	21
放鞭炮		fàng biānpào	to let off firecrackers	19
放假		fàng jià	to have a holiday	20
放心		fàngxīn	don't worry	12
非常	(adv.)	fēicháng	very	5
飞机	(n.)	fēijī	aeroplane	20
飞机票	(n.)	fēijīpiào	airline ticket	20
分手	(v.)	fēnshǒu	to say good-by，to depart	40
分钟	(n.)	fēnzhōng	minute	9
份	(m.)	fèn	(a measure word)	22
封	(m.)	fēng	(a measure word for letters)	27
风	(n.)	fēng	wind	13
风景	(n.)	fēngjǐng	scenery	32
风味	(n.)	fēngwèi	regional flavour or taste	14
夫人	(n.)	fūren	Mrs.，wife	1
福特	(n.)	Fútè	Ford	37
服务	(v.;n.)	fúwù	to serve；service	14
服务费		fúwù fèi	service charge	33
服务员	(n.)	fúwùyuán	attendant，waiter，waitress	15
服装	(n.)	fúzhuāng	costume，dress	31

付	(v.)	fù	to pay	33
父母	(n.)	fùmǔ	parents	33

G

该	(zux. v.)	gāi	should	10
干杯		gānbēi	cheers, to toast	23
感到	(v.)	gǎndào	to feel, to find	27
感觉	(n. ; v.)	gǎnjué	feeling; to feel	
感冒	(v.)	gǎnmào	to have a cold,	11
			to catch a cold	
赶上	(v.)	gǎnshang	to run into (a situation)	19
刚	(adv.)	gāng	just	12
刚才	(adv.)	gāngcái	just now, a moment ago	22
高	(adj.)	gāo	high, tall	13
高兴	(adj.)	gāoxìng	happy, joyful	8
告别	(v.)	gàobié	to take leave of	23
告诉	(v.)	gàosu	to tell	7
歌	(n.)	gē	song	30
格林	(n.)	Gélín	Green	2
个	(m.)	gè	(a measure word)	9
各	(pron.)	gè	each, every	22
各地	(n.)	gèdì	each place, each part	15
			of the country	
给	(prep.)	gěi	for, to	7
给	(v.)	gěi	to give	6
跟	(prep;	gēn	with; to follow	5

	v.)			
根据	(prep.)	gēnjù	in light of，according to	33
更	(adv.)	gèng	more，even more	19
工厂	(n.)	gōngchǎng	factory	23
工人	(n.)	gōngrén	worker	7
工业	(n.)	gōngyè	industry	24
工作	(n. ;v.)	gōngzuò	job；to work	5
公斤	(m.)	gōngjīn	kilogramme	6
公司	(n.)	gōngsī	company，corporation	8
公用	(adj.)	gōngyòng	public	36
公寓	(n.)	gōngyù	apartment building	9
公园	(n.)	gōngyuán	park	34
够	(adj.)	gòu	enough	25
古代	(n.)	gǔdài	ancient times	35
鼓掌		gǔzhǎng	to applaud	23
故宫	(n.)	Gùgōng	the Forbidden City	10
故事	(n.)	gùshi	story	31
刮	(v.)	guā	to blow	13
刮风		guāfēng	windy	13
挂号	(v.)	guàhào	to register	27
拐	(v.)	guǎi	to turn	17
拐弯	(v.	guǎiwān	to turn a corner	36
观看	(v.)	guānkàn	to view，to watch	35
关系	(n.)	guānxi	relationship	38
关于	(prep.)	guānyú	on，about	31
关照	(v.)	guānzhào	to look after	23
管理	(v.)	guǎnlǐ	to manage	38

广播	(n. ;v.)	guǎngbō	broadcast; to broadcast	20
广播室	(n.)	guǎngbōshì	broadcasting room	20
广州	(n.)	Guǎngzhōu	Guangzhou	20
逛	(v.)	guàng	to stroll, to window-shop	14
贵	(adj.)	guì	expensive	14
贵国		guìguó	your country	23
贵姓		guì xìng	surname (polite form)	16
柜台	(n.)	guìtái	counter	39
国际	(n.)	guójì	international	16
国际 俱乐部	(n.)	Guójì Jùlèbù	International Club	16
国(家)	(n.)	guó(jiā)	country	3
国家教委	(n.)	Guójiā Jiàowěi	State Education Commission	22
(国家教 育委员 会)	(n.)	(Guójiā Jiàoyù Wěiyuánhuì)	State Education Commission)	22
国内	(n.)	guónèi	internal, domestic	27
国庆	(n.)	guóqìng	national day	8
过		guò	(an aspect particle)	23
过	(v.)	guò	to spend, to pass	10
过(期)	(v.)	guò(qī)	to become invalid, exceed the time limit	37

H

| 还 | (adv.) | hái | still, also | 6 |

还可以		háikěyǐ	not bad	11
还是	(conj.)	háishì	or, nevertheless	4
孩子(们)	(n.)	háizi(men)	child (children)	10
海关	(n.)	hǎiguān	customs, customshouse	22
汉语	(n.)	Hànyǔ	Chinese (language)	3
汉字	(n.)	Hànzì	Chinese character	27
航班	(n.)	hángbān	flight	20
航空	(n.)	hángkōng	aviation	27
杭州	(n.)	Hángzhōu	Hangzhou	35
好		hǎo	all right, ok	15
好	(adj.)	hǎo	good, fine	1
好吃	(adj.)	hǎo chī	tasty, delicious	15
好吃的		hǎo-chī-de	delicious food	19
好极了		hǎo jíle	excellent	15
好象	(v.)	hǎoxiàng	to be like, to seem	23
号	(n.)	hào	number	9
号	(n.)	hào	date	12
号码	(n.)	hàomǎ	number	18
喝	(v.)	hē	to drink	4
和	(conj.)	hé	and	6
和平门	(n.)	Hépíngmén	(name of a place)	17
和…一起		hé…yìqǐ	together with	26
和…一样		hé…yíyàng	to be like	19
合适	(adj.)	héshì	suitable, appropriate	25
合同	(n.)	hétong	contract	23
合作	(v.)	hézuò	to work together, cooperate	23

盒子	(n.)	hézi	box	40
很	(adj.)	hěn	very	1
很久		hěn jiǔ	quite a long time	8
红	(adj.)	hóng	red	26
红(绿)灯	(n.)	hóng(lù) dēng	traffic light	26
厚	(adj.)	hòu	thick	25
候机楼	(n.)	hòujīlóu	waiting lounge (at airport)	40
后面	(n.)	hòumian	back, rear	18
后天	(n.)	hòutiān	the day after tomorrow	16
忽然	(adv.)	hūrán	suddenly	16
胡萝卜	(n.)	húluóbo	carrot	15
胡同	(n.)	hútòng	lane	17
护照	(n.)	hùzhào	passport	28
花儿	(n.)	huār	flower	13
滑	(afj.; v.)	huá	slippery; to slip	36
滑冰		huábīng	to skate	13
画店	(n.)	huàdiàn	art store	17
坏	(adj.)	huài	broken, out of order, doesn't work	7
欢迎	(v.)	huānyíng	to welcome	6
换	(v.)	huàn	to change	21
换成	(v.)	huànchéng	to change into	28
黄瓜	(n.)	huángguā	cucumber	15
黄色		huángsè	yellow	31
黄山	(n.)	Huángshān	Huangshan (a mountain	40

灰（色）		huī(sè)	grey	25
回	(v.)	huí	to return, to reply	38
回答	(v.;n.)	huídá	to respond, to answer; answer	19
回国		huíguó	to return to one's country	23
回来		huílai	to come back	4
会	(aux.v.)	huì	to be able to, can	3
会	(n.)	huì	meeting, conference, party	8
会话	(n.)	huìhuà	conversation	37
活动	(n.)	huódòng	activity	34
火车站		huǒchē zhàn	railway station	33
货	(n.)	huò	goods	39
或者	(conj.)	huòzhě	or	9

J

机场	(n.)	jīchǎng	airport	10
机会	(n.)	jīhuì	opportunity, chance	23
极	(adv.)	jí	extremely	15
级别	(n.)	jíbié	level, rank, grade	28
急急忙忙	(adv.)	jíjí- mángmáng	in a hurry	33
急事		jí shì	emergency, urgency	40
集贸市场	(n.)	jímào	free market	14

		shìchǎng		
几	(pron.)	jǐ	how much, how many, a few, several	6
几点		jǐdiǎn	what time	9
技术	(n.)	jìshù	technology	29
寄	(v.)	jì	to mail, to send	27
寄信人		jìxìnrén	sender	27
季(节)	(n.)	jì(jié)	season	13
计算机	(n.)	jìsuànjī	computer, calculater	24
继续	(v.)	jìxù	to go on, to continue	23
家	(m.)	jiā	(a measure word)	28
家	(n.)	jiā	home, family	4
家具	(n.)	jiājù	furniture	26
家里人		jiā lǐ ren	family members	19
家务	(n.)	jiāwù	housework	10
加拿大	(n.)	Jiā'nádà	Canada	3
假期	(n.)	jiàqī	holiday, vacation	35
价钱	(n.)	jiàqián	price	14
间	(m.)	jiān	(a measure word)	18
检查	(v.)	jiǎnchá	to check	26
简单	(adj.)	jiǎndān	simple	33
建	(v.)	jiàn	to build	28
件	(m.)	jiàn	(a measure word)	31
见	(v.)	jiàn	to meet, to see	2
见面	(v.)	jiànmiàn	to meet	
健康	(n.; adj.)	jiànkāng	health; healthy	8

建议	（v.；n.）	jiànyì	to suggest；suggestion	23
建筑	（n.）	jiànzhù	architecture	35
讲	（v.）	jiǎng	to tell，to talk	15
讲话稿	（n.）	jiǎnghuà gǎo	draft or text of a speech	22
教	（v.）	jiāo	to teach	5
交	（v.）	jiāo	to hand in；to pay	22
交换	（v.）	jiāohuàn	to exchange	23
交通	（n.）	jiāotōng	traffic，location	18
饺子	（n.）	jiǎozi	dumpling	15
叫	（v.）	jiào	to call，to be called	5
叫	（v.）	jiào	to blow	26
街	（n.）	jiē	street	17
街道	（n.）	jiēdào	street	17
接	（v.）	jiē	to meet，to welcome	22
接待	（v.）	jiēdài	to receive	23
接到	（v.）	jiēdào	to receive	26
接过	（v.）	jiēguò	to ceceive，to take hold of	40
节日	（n.）	jiérì	festival，holiday	19
姐姐	（n.）	jiějie	elder sister	37
解释	（v.）	jiěshi	to explain	36
借	（v.）	jiè	to take（an opportunity），to borrow	23
介绍	（v.；n.）	jièshào	to introduce；introduction	3
戒指	（n.）	jièzhi	(finger) ring	39
今后		jīnhòu	from now on，later	23
今年	（n.）	jīnnián	this year	12

今天	(n.)	jīntiān	today	2
尽管	(adv.)	jǐnguǎn	freely, without hesitation	38
尽快	(adv.)	jǐnkuài	as quickly as possible	24
进	(v.)	jìn	to enter, to come in	4
进口	(v.;n.)	jìnkǒu	to import; import	29
进来		jìnlai	to come in	4
进行	(v.)	jìnxíng	to go on, to carry on, to be in progress	24
精彩	(adj.)	jīngcǎi	brilliant, wonderful	30
经常	(adv.)	jīngcháng	often	14
京剧	(n.)	jīngjù	Beijing opera	31
经理	(n.)	jīnglǐ	manager	10
京伦饭店	(n.)	Jīnglún Fàndiàn	Jinglun Hotel	8
经贸部	(n.)	Jīngmàobù	MOFERT	8
景泰蓝	(n.)	jǐngtàilán	cloisonné	35
精神	(adj.; n.)	jīngshen	lively, spirited; vigour, vitality	25
经验	(n.)	jīngyàn	experience	38
警察	(n.)	jǐngchá	police, policeman	26
静	(adj.)	jìng	quiet, calm	34
镜子	(n.)	jìngzi	mirror	25
九	(num.)	jiǔ	nine	6
九月	(n.)	jiǔyuè	September	12
就	(prep.)	jiù	on	24
旧	(adj.)	jiù	old, used	21
就	(adv.)	jiù	just, then	7

举行	(v.)	jǔxíng	to hold	8
剧情	(n.)	jùqíng	the plot (of a play)	31
觉得	(v.)	juéde	to think, to feel	25
决定	(v.)	juédìng	to decide	35

K

咖啡	(n.)	kāfēi	coffee	4
开	(v.)	kāi	to prescribe	11
开	(v.)	kāi	to drive	22
开	(v.)	kāi	to open	37
开	(v.)	kāi	to hold (a meeting, a party, etc.)	40
开	(v.)	kāi	to blossom, to open	13
开车		kāi chē	to drive a car	16
开饭		kāifàn	to serve a meal	21
开关	(n.)	kāiguān	switch	26
开幕	(v.)	kāimù	to open, to inaugurate	24
开幕式	(n.)	kāimùshì	opening ceremony	24
开始	(v.)	kāishǐ	to start	20
开水	(n.)	kāishuǐ	boiled water	11
开学	(v.)	kāixué	to start a semester	12
开演	(v.)	kāiyǎn	to start	31
看	(v.)	kàn	to take care of, to look after	10
看	(v.)	kàn	to see, to find out	22
看	(v.)	kàn	to look, to see, to watch,	6

				to read	
看来		kànlái	it looks as if	
看着办		kànzhe bàn	to act at one's discretion	21
靠	(prep.; v.)	kào	near, by; lean against	20
可	(adv.)	kě	be worth (doing)	34
可能		kěnéng	possible, probable, maybe	20
可是	(conj.)	kěshì	but	20
可以	(aux. v.)	kěyǐ	can, may; all right, OK	5
刻	(n.)	kè	a quarter (of an hour)	31
客人	(n.)	kèrén	guest	21
客厅	(n.)	kètīng	drawing room	18
吭哧		kēngchī	(an onomatopoeic word)	26
空调(器)	(n.)	kōngtiáo (qì)	air conditioner	26
恐怕		kǒngpà	I'm afraid, perhaps	22
裤子	(n.)	kùzi	trousers, pants	25
块	(m.)	kuài	yuan	6
块	(m.)	kuài	(a measure word)	21
快	(adj.)	kuài	quick, fast	12
快乐	(adj.)	kuàilè	happy, joyful	30
困难	(n. adj.)	kùnnàn	difficulty; difficult	24

L

蜡烛	(n.)	làzhú	candle	37

辣子鸡丁	（n.）	làzijī dīng	diced hot chicken	15
来	（v.）	lái	to come, to call	22
来	（v.）	lái	to want, to need	14
来	（v.）	lái	to come	4
来得及		láidejí	to be able to do something in time, not late yet	21
来信		láixìn	incoming letter	32
篮球	（n.）	lánqiú	basketball	30
蓝色		lánsè	blue	16
老	（adj.）	lǎo	old	12
老师	（n.）	lǎoshī	teacher	3
老王		Lǎo Wáng	Lao Wang	9
老舍茶馆	（n.）	Lǎoshě Cháguǎn	Laoshe Tea House	34
了		le	(a modal particle)	2
冷	（adj.）	lěng	cold	13
离	（prep.）	lí	from	26
离开	（v.）	líkāi	to leave	37
离任		lírèn	to leave one's post	23
李	（n.）	Lǐ	(a Chinese Surname)	1
李华明	（n.）	Lǐ Huá— míng	(name of a person)	12
李明	（n.）	Lǐ Míng	(name of a person)	37
李丽	（n.）	Lǐ Lì	(name of a person)	33
李同	（n.）	Lǐ Tóng	(name of a person)	40
里边	（n.）	lǐbiān	inside	18

礼物	(n.)	lǐwù	gift	27
历史	(n.)	lìshǐ	history	12
历史系	(n.)	lìshǐxì	history department	12
利用	(v.)	lìyòng	to make use of	39
连……也……		lián... yě...	even	16
联系	(v.)	liánxi	to contact, to get in touch	23
练习	(v.)	liànxí	to practise	34
量	(v.)	liáng	to measure	25
两	(num.)	liǎng	two	6
亮	(v.)	liàng	to light	26
辆	(m.)	liàng	(a measure word)	16
聊天	(v.)	liáotiān	to chat	34
了解	(v.)	liáojiě	to understand, to learn	14
料子	(n.)	liàozi	material for making clothes	25
邻居	(n.)	línju	neighbor	16
零	(num.)	líng	zero	6
领	(v.)	lǐng	to receive, to get, to draw	20
领事部	(n.)	lǐngshìbù	consular section	18
另外	(adv.)	lìngwài	besides, in addition	21
琉璃厂街		Liúlichǎng Jiē	(name of a street)	17
留下		liúxià	to leave (a message, etc.)	39
六	(num.)	liù	six	6
六点钟		liù	six o'clock	37

		diǎnzhōng		
龙	(n.)	lóng	dragon	31
龙袍		lóngpáo	imperial robe	31
龙庆峡	(n.)	Lóngqìng- xiá	Longqingxia	34
楼	(n.)	lóu	building	9
楼上		lóushàng	upstairs	18
楼下		lóuxià	downstairs	19
漏	(v.)	lòu	to leak	26
路边		lù biān	side of street	26
路上		lùshang	on the way	33
绿	(adj.)	lǜ	green	13
旅客	(n.)	lǚkè	passenger	20
旅行	(v.)	lǚxíng	to travel	32
旅行社	(n.)	lǚxíngshè	travel service	32
旅游团	(n.)	lǚyóutuán	touring group	32

M

嘛	(aux.)	ma	(used to indicate a pause)	39
吗		ma	(an interrogative particle)	1
妈妈	(n.)	māma	ma, mum, mother	10
麻烦	(v.; adj.)	máfan	to trouble, to bother; troublesome, inconvenient	24
马	(a.)	mǎ	horse	25
马丁	(n.)	Mǎdīng	Martin	12
玛丽	(n.)	Mǎlì	Mary	3

马马虎虎	(adj.)	mǎmǎhūhū	not so bad, just so so	8
马上	(adv.)	mǎshàng	at once, immediately	7
买	(v.)	mǎi	to buy	6
卖	(v.)	mài	to sell	14
麦克	(n.)	Màikè	Mike	5
慢	(adj.)	màn	slow	16
忙	(adj.)	máng	busy	2
毛	(m.)	máo	*mao* (ten *fen*)	6
毛病	(n.)	máobing	breakdown	26
没什么		méi shénme	nothing	24
没问题		méi wèntí	no problem	28
没(有)	(adv.)	méi(yǒu)	not	2
没(有)		méi(yǒu)	not to have	6
没关系		méiguānxi	never mind, it doesn't matter	5
没事儿		méishìr	it doesn't matter	36
每	(pron.)	měi	every, each	9
每天		měitiān	ever day	9
美	(adj.)	měi	beautiful, pretty	35
美国	(n.)	Měiguó	U.S.A.	3
们		men	(a suffix indicating plural)	4
门	(n.)	mén	door, gate	16
门前		ménqián	at the gate	16
米	(m.)	mǐ	metre (a measure word)	25
米勒	(n.)	Mǐlè	Miller	7
面前		miànqián	in front of	16
名	(n.)	míng	name	15

名	(m.)	míng	(a measure word)	38
明白	(v.; adj.)	míngbai	to understand; clear	36
名片	(n.)	míngpiàn	calling card	23
明天	(n.)	míngtiān	tomorrow	4
名字	(n.)	míngzi	name	12

N

拿	(v.)	ná	to take	40
哪	(pron.)	nǎ	which	3
哪里哪里		nǎlǐ-nǎlǐ	it is nothing; not at all	24
那	(conj.)	nà	in that case	5
那	(pron.)	nà	that	3
那儿	(pron.)	nàr	there	6
那边		nàbiān	over there	39
那么	(pron.)	màme	so, such	37
那些	(pron.)	nàxiē	those	11
南	(n.)	nán	south	17
难	(adj.)	nán	difficult, hard	5
南方	(n.)	nánfāng	the south	13
难说		nánshuō	it is difficult to say	37
难忘		nánwàng	unforgetable	34
难以相信		nányǐ xiāngxìn	incredible, hard to believe	29
奈尔斯	(n.)	Nài'ěrsī	Niles	12
呢		ne	(a modal particle)	1

内容	(n.)	nèiróng	content	38
能	(aux. v.)	néng	can, to be able to	12
能	(aux. v.)	néng	may, can	10
能干	(adj.)	nénggàn	capable, competent	29
你	(pron.)	nǐ	you	1
你好		Nǐ hǎo	Hello! How do you do!	1
年	(n.)	nián	year	8
年货	(n.)	niánhuò	special-purchase for the New Year	19
年龄	(n.)	niánlíng	age	30
您	(pron.)	nín	you (a polite form)	4
纽约	(n.)	Niǔyuē	New York	27
农业部		Nóngyèbù	Ministry of Agriculture	24
努力	(adj.)	nǔlì	conscientious, diligent	37
女儿	(n.)	nǚ'ér	daughter	39
女士	(n.)	nǚshì	lady	23
暖和	(adj.)	nuǎnhuo	warm	13
挪	(v.)	nuó	to move	17

O

哦	(interj.)	ō	oh	10

P

派	(v.)	pài	to send	7
盘	(m.)	pánr	plate, dish (a measure	15

			word)	
旁边	(n.)	pángbiān	beside	18
陪	(v.)	péi	to accompany	20
培训	(v.)	péixùn	to train	29
砰		pēng	(an onomatopoeic word)	19
朋友	(n.)	péngyou	friend	3
碰上	(v.)	pèngshang	to meet, to run into	39
批	(m.)	pī	(a measure word)	29
皮包	(n.)	píbāo	bag, briefcase	40
啤酒	(n.)	píjiǔ	beer	15
便宜	(adj.)	piányi	cheap	14
片	(m.)	piànr	tablet (a measure word)	11
票	(n.)	piào	ticket	20
漂亮	(adj.)	piàoliang	pretty, beautiful	18
品种	(n.)	pǐnzhǒng	kinds, types, variety, assortment	39
瓶	(m.)	píng	bottle (a measure word)	15
平安	(adj.)	píng'ān	safe	40
苹果	(n.)	píngguǒ	apple	6
平信	(n.)	píngxìn	ordinary mail	27
葡萄	(n.)	pútao	grape	6
葡萄酒	(n.)	pútaojiǔ	grape wine	15

Q

七	(num.)	qī	seven	6
妻子	(n.)	qīzi	wife	19

奇怪	(adj.)	qíguài	surprising, strange	27
其中		qízhōng	among (which, them, etc.)	19
其中之一		qízhōng zhīyī	one of…	38
……起		…qǐ	(a verbal complement)	23
起飞	(v.)	qǐfēi	to take off	20
汽车	(n.)	qìchē	car	8
汽车库	(n.)	qìchē kù	garage	18
洽谈	(v.)	qiàtán	to hold talks	23
千	(num.)	qiān	thousand	23
签定	(v.)	qiāndìng	to sign (an agreement, etc.)	23
钱	(n.)	qián	money	6
前	(prep.)	qián	before	8
前	(n.)	qián	front	16
前门大街	(n.)	Qiánmén Dàjiē	(name of an avenue)	17
前年	(n.)	qiánnián	the year before last year	40
前天	(n.)	qiántiān	the day before yesterday	35
签证	(n.)	qiānzhèng	visa	22
巧		qiǎo	coincidental	23
敲门		qiāo mén	to knock at a door	37
乔伊娜	(n.)	Qiáoyīnà	(name of a person)	30
亲自		qīnzì	personally, in person	32
清	(adj.)	qīng	clear	34
清楚	(adj.)	qīngchu	clear	27

青椒	(n.)	qīngjiāo	green pepper	15
情况	(n.)	qíngkuàng	situation, circumstance	18
请	(v.)	qǐng	to invite, to ask someone to do something	4
请客		qǐngkè	to invite someone to dinner, to entertain guests	21
请帖	(n.)	qǐngtiě	invitation card	22
请问		qǐngwèn	excuse me, may I ask	19
取	(v.)	qǔ	to take, to fetch	22
去	(v.)	qù	to go	6
去年		qùnián	last year	23
全聚德 烤鸭店	(n.)	Quánjùdé Kǎo yā diàn	Quanjude Roast Duck Restaurant	17
却	(adv.)	què	however, but	13
确定	(v.)	quèdìng	to determine, to decide on	24
裙子	(n.)	qúnzi	skirt	21

R

然后	(conj.)	ránhòu	then, afterwards	33
让	(v.)	ràng	to let, to allow, to invite	21
热	(adj.)	rè	hot	13
热闹	(adj.)	rènao	lively, festive	19
人	(n.)	rén	person	3
人民	(n.)	rénmín	people	40
人民币	(n.)	Rénmínbì	Renminbi	28
人配衣服		rénpèiyīfu-	Fine clothes make the	25

马配鞍		mǎpèiān	man.	
人生地 不熟		rénshēng- dìbushú	to be unfamiliar with a place and people	12
人员	(n.)	rényuán	personnel	29
认识	(v.)	rènshi	to know, to be acquainted	8
扔掉		rēngdiào	to throw away	21
日	(n.)	rì	date	12
日本	(n.)	Rìběn	Japan	12
日常	(adj.)	rìcháng	daily, everyday	34
日程	(n.)	rìchéng	programme, schedule	24
容易	(adj.)	róngyi	easy	11
肉	(n.)	ròu	meat	15
如果	(conj.)	rúguǒ	if	37
入学		rù xué	to start school, to enter a school	37
瑞典	(n.)	Ruìdiǎn	Sweden	12

S

三	(num.)	sān	three	6
三里屯	(n.)	Sānlǐtún	name of a place	18
三峡	(n.)	Sānxiá	the Three Gorges	34
散步	(v.)	sànbù	to go for a walk	9
嗓子疼	(v.)	sǎngzi téng	to have a sore throat	11
刹车	(v.)	shāchē	to brake, to stop	26
沙发	(n.)	shāfā	sofa	26

山	(n.)	shān	mountain, hill	34
山水	(n.)	shānshuǐ	landscape	35
商店	(n.)	shāngdiàn	store, shop	14
商量	(v.)	shāngliang	to consult, to discuss	14
商谈	(v.)	shāngtán	to exchange views, to confer	24
上班		shàngbān	to go to work	9
上车		shàngchē	to get in the car	16
上海	(n.)	Shànghǎi	Shanghai	27
上面	(n.)	shàngmiàn	on the surface of, on top of	40
上午	(n.)	shàngwǔ	morning	7
上星期		shàngxīngqī	last week	24
上衣	(n.)	shàngyī	jacket, coat	25
少	(adj.)	shǎo	less	35
少	(adj.)	shǎo	few, little	12
设备	(n.)	shèbèi	equipment	29
谁	(pron.)	shéi(shuí)	who, whom	3
身体	(n.)	shēntǐ	health, body	4
什么	(pron.)	shénme	what	6
什么时候		shénme shíhou	when, what time	16
生产	(n.;v.)	shēngchǎn	production; to produce	29
生活	(n.)	shēnghuó	life	14
生日	(n.)	shēngrì	birthday	27
圣诞节	(n.)	Shèngdànjié	Christmas Day	19
师傅	(n.)	shīfu	(a polite form of address	7

			for a worker)	
十	(num.)	shí	ten	6
十渡	(n.)	Shídù	Shidu	34
使馆	(n.)	shǐguǎn	embassy	5
时候	(n.)	shíhou	time	18
时间	(n.)	shíjiān	time	2
食品	(n.)	shípǐn	foodstuff	29
时兴	(adj.)	shíxīng	fashionable, popular	25
十字路口		shízì lùkǒu	intersection	17
史密斯	(n.)	Shǐmìsī	Smith	5
事	(n.)	shì	matter, affair, business	7
是	(v.)	shì	to be	3
试	(v.)	shì	to try	7
市场	(n.)	shìchǎng	market	14
事故	(n.)	shìgù	accident	37
世界	(n.)	shìjiè	world	35
是吗		shì ma	is that so?	7
式样	(n.)	shìyàng	style, type, model	25
收到	(v.)	shōudào	to receive	27
收拾	(v.)	shōushi	to put in order, to tidy	19
收信人		shōuxìnrén	addressee	27
首	(m.)	shǒu	(a measure word)	30
手	(n.)	shǒu	hand	20
手册	(n.)	shǒucè	handbook	37
手工	(adj.)	shǒugōng	handmade	39
手工艺品	(n.)	shǒugōng- yìpǐn	arts and crafts supplies	14

手续	(n.)	shǒuxù	formalities	12
手镯	(n.)	shǒuzhuó	bracelet	39
瘦	(adj.)	shòu	tight	25
售货员	(n.)	shòuhuòyuán	shop assistant	6
售票处	(n.)	shòupiàochù	ticket office	33
书	(n.)	shū	book	9
书店	(n.)	shūdiàn	bookstore	17
舒服	(adj.)	shūfu	comfortable	11
书架	(n.)	shūjià	bookshelf	21
舒适	(adj.)	shūshì	comfortable, cozy	28
熟悉	(v.)	shúxi	to be familiar with, to know something or someone well	33
树	(n.)	shù	tree	13
双方	(n.)	shuāngfāng	both sides, the two parties	24
水	(n.)	shuǐ	water	34
水果	(n.)	shuǐguǒ	fruit	6
水果店	(n.)	shuǐguǒdiàn	fruit store	6
水龙头	(n.)	shuǐlóngtóu	tap, faucet	26
水暖工	(n.)	shuǐnuǎngōng	plumber	26
水平	(n.)	shuǐpíng	level	38
睡觉	(v.)	shuìjiào	to sleep, to go to bed	21
顺便		shùnbiàn	by the way	26
顺利	(adj.)	shùnlì	smooth	23
说	(v.)	shuō	to speak, to say	3
说成		shuōchéng	to turn into, to call	15
说到		shuōdào	talking about	32

说明书	(n.)	shuōmíngshū	synopsis，(a booklet of) directions	31
丝绸	(n.)	sīchóu	silk	16
司机	(n.)	sījī	driver	8
四	(num.)	sì	four	6
送	(v.)	sòng	to send，to see off	16
送别	(v.)	sòngbié	to give a send-off party，to see someone off	37
苏州	(n.)	Sūzhōu	Suzhou	35
酸辣汤	(n.)	suānlàtāng	vinegar-pepper soup，hot and sour soup	15
算	(v.)	suàn	to regard as	14
虽然…… 但是……	(conj.)	suīrán... dànshì...	although...，...	18
随后	(adv.)	suíhòu	soon，afterwards	28
岁		suì	year（of age）	30
孙悟空	(n.)	Sūnwùkōng	The Monkey King	31
缩短	(v.)	suōduǎn	to shorten，to cut short	29
所以	(conj.)	suǒyǐ	therefore，so	9

T

她	(pron.)	tā	she，her	3
他	(pron.)	tā	he，him	1
它	(pron.)	tā	it	19
太	(adv.)	tài	too，extremely	5
太感谢了		tài gǎnxiè le	thanks a lot	20

太极拳	(n.)	tàijíquán	*taijiquan* (Chinese shadow boxing)	30
摊商	(n.)	tānshāng	street pedlar	14
谈	(v.)	tán	to discuss, to talk	29
汤	(n.)	tāng	soup	15
糖醋鱼	(n.)	tángcùyú	sweet and sour fish	15
趟	(m.)	tàng	(a measure word)	36
陶茶壶	(n.)	táo cháhú	pottery teapot	39
套	(m.)	tào	(a measure word)	25
特别	(adv.; adj.)	tèbié	especially; special	31
特意	(adv.)	tèyì	especially	40
踢	(v.)	tī	to play (foot ball), to tick	30
提高	(v.)	tígāo	to improve	38
提供	(v.)	tígòng	to provide	29
提前		tíqián	in advance	27
提醒	(v.)	tíxǐng	to remind	40
体操	(n.)	tǐcāo	gymnastics	30
天	(n.)	tiān	day, sky	27
天气	(n.)	tiānqì	weather	9
天气预报		tiānqì yùbào	weather forecast	13
填	(v.)	tián	to fill in	28
田中	(n.)	Tiánzhōng	Tanaka (a Japanese name)	12
条	(m.)	tiáo	(a measure word)	17

贴	(v.)	tiē	to paste, to stick	27
听	(v.)	tīng	to hear, to listen	15
听你的		tīng nǐde	it is up to you	15
听到		tīngdào	to hear	20
听说		tīngshuō	to hear	20
停	(v.)	tíng	to stop	16
挺	(adv.)	tǐng	quite	18
通往		tōngwǎng	lead to	18
通信		tōng xìn	to correspond, to write to each other	27
通知	(v.;n.)	tōngzhī	to notify; notice	39
同事	(n.)	tóngshì	colleague	37
同意	(v.)	tóngyì	to agree	29
头疼		tóuténg	(to have a) headache	11
土豆	(n.)	tǔdòu	potato	15
推	(v.)	tuī	to push	26
推迟	(n.)	tuīchí	to put off, to postpone	37
托运	(v.)	tuōyùn	to check in	20

W

外边	(n.)	wàibiān	outside	18
外宾	(n.)	wàibīn	foreign guest	33
外地	(n.)	wàidì	other parts of the country	33
外国	(n.; adj.)	wàiguó	foreign country; foreign	14
外汇	(n.)	wàihuì	foreign currency	28

外交	(n.; adj.)	wàijiāo	diplomacy; diplomatic	9
外交部	(n.)	Wàijiāobù	Ministry of Foreign Affairs	22
外交官	(n.)	wàijiāoguān	diplomat	18
外语	(n.)	wàiyǔ	foreign language	38
完	(v.)	wán	to finish	9
完成	(v.)	wánchéng	to finish, to complete	29
玩	(v.)	wán	to play, to amuse oneself	9
玩具	(n. adj.)	wánjù	toy	27
晚饭	(n.)	wǎnfàn	dinner, supper	9
晚会	(n.)	wǎnhuì	evening party	37
晚上	(n.)	wǎnshang	evening, night	14
万	(num.)	wàn	ten thousand	23
王	(n.)	Wáng	(a Chinese surname)	1
王春生	(n.)	Wáng Chūnshēng	(name of a person)	37
往	(prep.)	wǎng	toward	17
网球	(n.)	wǎngqiú	tennis	18
网球场	(n.)	wǎngqiúchǎng	tennis court	18
忘	(v.)	wàng	to forget	20
围棋	(n.)	wéiqí	*weiqi* (a kind of chess)	30
喂	(interj.)	wèi	hello	16
位	(m.)	wèi	(a measure word)	3
为什么		wèi shénme	why	37
味道	(n.)	wèidào	taste, flavour	15
为(了)	(pron.)	wèile	in order to, for	20

文化	(n.)	wénhuà	culture	17
文物	(n.)	wénwù	antique	17
闻名	(adj.)	wénmíng	well-known	39
问	(v.)	wèn	to ask	4
问路		wènlù	to ask the way	17
问题	(n.)	wèntí	problem, question	28
我们	(pron.)	wǒmen	we, us	4
卧室	(n.)	wòshì	bedroom	26
握手	(v.)	wòshǒu	to shake hands	20
屋里		wū li	in the room	17
五	(num.)	wǔ	five	6
舞蹈	(n.)	wǔdǎo	dance	31
午饭	(n.)	wǔfàn	lunch	9

X

西	(n.)	xī	west	17
西安	(n.)	Xī'ān	Xi'an	33
西餐	(n.)	xīcān	Western-style food	21
西服	(n.)	xīfú	Westen-style clothes	25
西瓜	(n.)	xīguā	watermelon	21
西红柿	(n.)	xīhóngshì	tomato	14
西湖	(n.)	Xīhú	West Lake	35
希望	(v.)	xīwàng	to hope	15
习惯	(v.; n.)	xíguàn	to be used to; habit	13
洗	(v.)	xǐ	to wash	21
喜欢	(v.)	xǐhuan	to like	10

戏	(n.)	xì	drama, play	31
下班		xiàbān	to leave work	9
下车		xià chē	get off (a car, a bus)	26
吓了一跳		xiàle yítiào	to give (someone) a start,	19
			to scare	
下(棋)	(v.)	xià(qí)	to play (chess)	30
夏天	(n.)	xiàtiān	summer	13
下午	(n.)	xiàwǔ	afternoon	7
下星期		xià xīngqī	next week	22
下星期三		xià xīngqī sān	next Wednesday	22
下雪		xiàxuě	to snow	19
下雨		xiàyǔ	to rain	13
下月		xià yuè	next month	24
先	(adv.)	xiān	first	27
先生	(n.)	xiānsheng	Mr., Sir, Gentleman	1
现金	(n.)	xiànjīn	cash	28
现在	(n.)	xiànzài	now	16
想法	(n.)	xiǎngfǎ	idea, opinion	29
象		xiàng	such as	25
象……一样		xiàng...yíyàng	to be like	37
项	(m.)	xiàng	(a measure word)	38
项链	(n.)	xiàngliàn	necklace	39
项目	(n.)	xiàngmù	item, project	23
消息	(n.)	xiāoxi	information, news	34
小	(adj.)	xiǎo	small	15

小吃	(n.)	xiǎochī	snacks		14
小饭馆		xiǎo fànguǎn	small restaurant		15
小姐	(n.)	xiǎojie	Miss		1
小时	(n.)	xiǎoshí	hour		9
小(的)时候		xiǎo (de) shíhòu	when one was young, in one's childhood		37
小心	(v.)	xiǎoxīn	to take care, to be careful		37
小张		Xiǎo Zhāng	Xiao Zhang		9
笑话	(n.)	xiàohua	joke		15
写	(v.)	xiě	to write		10
谢谢	(v.)	xièxie	to thank		1
新	(adj.)	xīn	new		12
欣赏	(v.)	xīnshǎng	to enjoy, to appreciate		31
新鲜	(adj.)	xīnxian	fresh		14
信	(n.)	xìn	letter		10
信儿	(n.)	xìnr	message		38
信用卡	(n.)	xìnyòngkǎ	credit card		28
星期二	(n.)	xīngqī'èr	Tuesday		10
星期六	(n.)	xīngqīliù	Saturday		10
星期日	(n.)	xīngqīrì	Sunday		10
星期天	(n.)	xīngqītiān	Sunday		10
星期三	(n.)	xīngqīsān	Wednesday		10
星期四	(n.)	xīngqīsì	Thursday		10
星期五	(n.)	xīngqīwǔ	Friday		10
星期一	(n.)	xīngqīyī	Monday		10
行	(v.)	xíng	to be all right		25

行李	(n.)	xíngli	luggage, baggage	20
姓	(v.;n.)	xìng	to be surnamed; surname	5
姓名	(n.)	xìngmíng	full name	28
休假	(v.)	xiūjià	to have a holiday or vacation	24
修理	(v.)	xiūlǐ	to repair	7
修理部	(n.)	xiūlǐbù	repair shop	26
休息	(v.)	xiūxi	to rest, to have a day off	2
需要	(v.)	xūyào	to need	21
续保		xùbǎo	to renew insurance	36
选择	(v.)	xuǎnzé	to choose, to select	33
学生	(n.)	xuésheng	student	34
学习	(n.)	xuéxí	to learn, to study	5
学校	(n.)	xuéxiào	school	10
雪	(n.)	xuě	snow	13

Y

呀		ya	(a modal particle)	33
延长	(v.)	yáncháng	to prolong	29
颜色	(n.)	yánsè	colour	25
演	(v.)	yǎn	to play, to perform	31
阳历	(n.)	yánglì	solar calendar	19
样子	(n.)	yàngzi	pattern, model	25
邀请	(v.)	yāoqǐng	to invite	23
要求	(n.;v.)	yāoqiú	request, demand; to ask for, to require	28

要	(aux. v.；v.)	yào	shall, will；to want	5
药	(n.)	yào	medicine	11
药方	(n.)	yàofāng	prescription	11
钥匙	(n.)	yàoshi	key	28
要是……就……		yàoshì...jiù...	if...then...	19
也	(adv.)	yě	also, too	1
野餐	(v.；n.)	yěcān	to picnic；picnic	34
夜市	(n.)	yèshì	night market	14
业务	(n.)	yèwù	vocational work, business	38
一	(num.)	yī	one	6
衣服	(n.)	yīfu	clothing, clothes	14
医院	(n.)	yīyuàn	hospital	11
一定	(adv.)	yídìng	certainly	22
一共	(adv.)	yígòng	altogether	6
遗憾		yíhàn	regret, pity	37
颐和园	(n.)	Yíhéyuán	Summer Palace	34
一会儿		yíhuìr	a while, a second	4
一路平安		yílù píng'ān	have a good trip, bon voyage	40
一下儿		yíxiàr	once (a verbal measure word)	7
以后	(prep.；adv.)	yǐhòu	after；afterward	9
以后		yǐhòu	after	20
已经	(adv.)	yǐjīng	already	21

游戏	(n.)	yóuxì	game	19
游泳	(n.)	yóuyǒng	to swim; swimming	13
由于	(prep.)	yóuyú	due to	37
有	(v.)	yǒu	there is, there are	12
有	(v.)	yǒu	to have	6
友好	(adj.)	yǒuhǎo	friendly	32
有名	(adj.)	yǒumíng	famous	17
有时候		yǒushíhou	sometimes	9
有些		yǒuxiē	some	25
友谊	(n.)	yǒuyì	friendship	14
友谊商店	(n.)	Yǒuyì Shāngdiàn	Friendship Store	14
有意思		yǒuyìsi	interesting	5
又	(adv.)	yòu	again	10
右	(n.)	yòu	right	18
右边	(n.)	yòu biān	right side	18
幼儿园	(n.)	yòu'éryuán	kindergarten	10
又……又……		yòu...yòu...	both...and, as well as	14
愉快	(adj.)	yúkuài	happy, joyful	10
玉	(n.)	yù	jade	39
遇到	(v.)	yùdào	to encounter, to meet	33
预订		yùdìng	to book, to reserve	28
员工	(n.)	yuángōng	staff	38
原来	(adv.)	yuánlái	so; oh (to show realization of a truth or fact)	8
原因	(n.)	yuányīn	reason	37

远	(adj.)	yuǎn	far	17
愿(意)	(aux. v.)	yuàn(yì)	would like	10
院子	(n.)	yuànzi	courtyard	18
月	(n.)	yuè	month	12
月初	(n.)	yuèchū	the beginning of a month	38
月底	(n.)	yuèdǐ	the end of a month	38
越来越……		yuèláiyuè...	more and more	14
越…越…		yuè... yuè...	the more... the more	28
运动	(v.;n.)	yùndòng	to do physical exercise; sport	30
运动员	(n.)	yùndòngyuán	sportsman or sportswoman	30

Z

杂志	(n.)	zázhì	magazine	21
在	(v.; prep.)	zài	to be at; in, at, on	4
再	(adv.)	zài	once more, again	4
再见		zàijiàn	good-bye	4
在……里		zài... lǐ	in	20
在……上		zài... shàng	on, at	18
在……下		zài... xià	under	23
脏	(adj.)	zāng	dirty	21
早	(adj.)	zǎo	early	20
早上	(n.)	zǎoshang	morning	11
早上好		zǎoshang	good morning	11

		hǎo		
怎么	(pron.)	zěnme	how	17
怎么办		zěnmebàn	what must be done, how to deal with	10
怎么样		zěnmeyàng	how; how are you? how is it going?	4
展览会		zhǎnlǎnhuì	exhibition	24
站	(n.)	zhàn	station	16
占线		zhàn xiàn	the line is busy	16
张	(m.)	zhāng	(a measure word)	27
张	(n.)	Zhāng	(a Chinese surname)	7
张家界	(n.)	Zhāngjiājiè	Zhangjiajie	35
长大		zhǎng dà	to grow up	37
掌握	(v.)	zhǎngwò	to master	29
丈夫	(n.)	zhàngfu	husband	21
招待会	(n.)	zhāodàihuì	reception	8
招待员	(n.)	zhāodàiyuán	waiter or waitress, attendant	21
着急	(v.)	zhāojí	to worry, to feel anxious	20
找	(v.)	zhǎo	to give change	6
找	(v.)	zhǎo	to look for	16
照	(v.)	zhào	to take (a picture)	31
照看	(v.)	zhàokàn	to look after, to take care of	21
照片	(n.)	zhàopiàn	photograph	31
照相机	(n.)	zhàoxiàngjī	camera	35
着		zhe	(an aspect particle)	19

这	(pron.)	zhè(zhèi)	this	7
这几年		zhè jǐ nián	in recent years	14
这儿	(pron.)	zhèr	here	7
这么		zhème	so, such, like this	25
这时		zhè shí	at this time	33
这些	(pron.)	zhèxiē	these	11
这样		zhèyàng	so, this way, like this	35
真	(adv.)	zhēn	indeed	10
珍贵	(adj.)	zhēnguì	valuable, precious	35
珍妮	(n.)	Zhēnní	Jenny	3
正(在)	(adv.)	zhèng(zài)	just	16
正常	(adj.)	zhèngcháng	normal, regular	11
正好	(adv.)	zhènghǎo	just, just right, just in time	23
知道	(v.)	zhīdào	to know	20
支票	(n.)	zhīpiào	cheque	28
值得	(v.)	zhídé	to be worth, to merit	35
纸	(n.)	zhǐ	paper	33
只	(adv.)	zhǐ	only	13
只要		zhǐyào	so long as	25
只有		zhǐyǒu	only	13
质量	(n.)	zhìliàng	quality	39
钟	(n.)	zhōng	time as measured in minutes and hours	37
中餐	(n.)	zhōngcān	Chinese food	21
中国	(n.)	Zhōngguó	China	3
中国话		Zhōngguó	Chinese (language)	34

		huà		
中文		Zhōng wén	Chinese (language)	12
中文系	(n.)	Zhōngwénxì	Chineese language department	12
中午	(n.)	zhōngwǔ	noon	9
中学	(n.)	zhōngxué	middle school, high school	30
中医	(n.)	zhōngyī	Chinese traditional medical science	11
种	(m.)	zhǒng	kind (a measure word)	11
种	(v.)	zhòng	to plant	18
重要	(adj.)	zhòngyào	important	19
周末	(n.)	zhōumò	weekend	10
周围	(n.)	zhōuwéi	surroundings	18
皱(皱)眉		zhòu(zhòu)méi	to knit one's brows	15
主意	(v.)	zhǔyì	idea	34
主任	(n.)	zhǔrèn	director	38
祝	(v.)	zhù	to wish	10
住	(v.)	zhù	to live	5
注意	(v.)	zhùyì	to pay attention	11
住宅	(n.)	zhùzhái	residence	18
专家	(n.)	zhuānjiā	expert	29
转	(v.)	zhuǎn	to switch to	16
撞	(v.)	zhuàng	to bump against, to turn into	36
准	(adj.)	zhǔn	exact, accurate	28
准备	(v.)	zhǔnbèi	to prepare, to get ready	19

桌子	(n.)	zhuōzi	table, desk	17
资料	(n.)	zīliào	material	29
仔细	(adv.)	zǐxì	carefully	27
字	(n.)	zì	character, word	33
自己	(pron.)	zìjǐ	oneself	37
自然	(n.; adj.)	zìrán	nature; natural	34
自由	(n.; adj.)	zìyóu	free; freedom	14
总	(adv.)	zǒng	always	10
总公司		zǒng gōngsī	general company	29
走	(v.)	zǒu	to walk, to leave, to go	17
走	(v.)	zǒu	to walk, to go	21
走廊	(n.)	zǒuláng	corridor	18
走亲访友		zǒuqīn- fǎngyǒu	to see relatives and visit friends	19
足球	(n.)	zúqiú	football	30
组织	(v.; n.)	zǔzhī	to organize; organization	32
最	(adv.)	zuì	most	11
最好	(adv.)	zuì hǎo	best	11
最后	(adv.)	zuìhòu	finally	29
最近	(adv.)	zuìjìn	recently, these days	2
昨天	(n.)	zuótiān	yesterday	7
左	(n.)	zuǒ	left	18
左边	(n.)	zuǒ biān	left side	18
佐藤	(n.)	Zuǒténg	Sato (a Japanese name)	21
做	(v.)	zuò	to do, to act	10

责任编辑　龙燕俐
封面设计　朱　丹

交际汉语 40 课

*

ⓒ华语教学出版社

华语教学出版社出版

（中国北京百万庄路 24 号）

邮政编码 100037

北京外文印刷厂印刷

中国国际图书贸易总公司发行

（中国北京车公庄西路 35 号）

北京邮政信箱第 399 号　　邮政编码 100044

1993 年（大 32 开）第一版

1996 年第二次印刷

（汉英）

ISBN 7－80052－248－2/H・247（外）

03120

9－CE－2787P